MOI, MIKE FROST, ESPION CANADIEN...

L'ouvrage original a été publié par Doubleday Canada Limited,
sous le titre *Spyworld*
[0-385-25494-6]

Dépôt légal: 4e trimestre 1994
Bibliothèque nationale du Québec

ISBN 2-7619-1236-5

Révision des textes: Truchon Communications

DISTRIBUTEURS EXCLUSIFS:

- Pour le Canada et les États-Unis:
  LES MESSAGERIES ADP*
  955, rue Amherst, Montréal H2L 3K4
  Tél.: (514) 523-1182
  Télécopieur: (514) 939-0406
  * Filiale de Sogides ltée

- Pour la Belgique et le Luxembourg:
  PRESSES DE BELGIQUE S.A.
  Boulevard de l'Europe 117
  B-1301 Wavre
  Tél.: (10) 41-59-66
  (10) 41-78-50
  Télécopieur: (10) 41-20-24

- Pour la Suisse:
  TRANSAT S.A.
  Route des Jeunes, 4 Ter
  C.P. 125
  1211 Genève 26
  Tél.: (41-22) 342-77-40
  Télécopieur: (41-22) 343-46-46

- Pour la France et les autres pays:
  INTER FORUM
  Immeuble ORSUD,
  3-5, avenue Galliéni, 94251
  Gentilly Cédex
  Tél.: (1) 47.40.66.07
  Télécopieur: (1) 47.40.63.66
  Commandes:
  Tél.: (16) 38.32.71.00
  Télécopieur: (16) 38.32.71.28
  Télex: 780372

Mike Frost Michel Gratton

MOI, MIKE FROST, ESPION CANADIEN...

Activités ultrasecrètes à l'étranger et au pays

Note: Pseudonymes

Les noms suivants identifiant des employés du CST, de la NSA ou de la CIA sont des pseudonymes: Steven Blackburn, Frank Bowman, James Clark, Mary Cook, Alan Foley, Tom Murray, Patrick O'Brien, Guy Rankin, Richard Robson, Greg Smythe, Victor Szakowski, Lloyd Taylor, Peter Vaughn, Sharon West.

PRÉFACE

Pourquoi ai-je accepté de coopérer pleinement à la rédaction de ce livre, pourquoi ai-je accepté de divulguer des renseignements qui sont susceptibles de nuire à l'employeur auquel j'ai consacré presque vingt ans de totale dévotion?

Certains d'entre vous auront peut-être le réflexe de me croire antipatriotique. Je comprends. Il y a bien des gens qui préfèrent ne pas savoir ce qui est révélé ici, croyant cela dommageable pour le Canada.

Qu'une chose soit claire: rien ne compte plus pour moi, hormis ma famille, que le bien-être du pays que j'aime, le Canada. Cela ne changera peut-être pas votre opinion, mais, c'est en toute sincérité que j'affirme une telle chose.

Après des années à garder des secrets dont je ne pouvais discuter qu'avec une poignée de gens, après des années à accomplir ce que je croyais être mon devoir pour mon pays sans que les Canadiens n'en sachent quoi que ce soit, j'en suis venu à penser que la population avait le droit de savoir. Le gouvernement canadien pratique l'espionnage international.

Nous ne pouvons plus nous cacher la tête dans le sable et prétendre ne pas faire partie du jeu. Il nous faut montrer notre vrai visage, lever le voile sur les activités faussement neutres du Canada. Parce qu'en ce qui a trait aux services de renseignements, nous ne sommes ni dociles ni neutres. En fait, nous sommes devenus passablement efficaces et respectés dans le domaine. Franchement, je suis fier d'avoir fait partie de l'équipe qui nous a fait passer aux ligues majeures du monde de l'écoute électronique.

Je suis par ailleurs conscient aujourd'hui du redoutable pouvoir d'abus et d'ingérence dans la vie privée qui repose entre les mains de mon ancien employeur. J'ai participé moi-même, contre mon gré parfois mais toujours par sens du devoir, à certaines manœuvres abusives.

J'espère que vous comprenez bien que tout ceci a commencé et s'est déroulé à l'époque de la guerre froide. Il était facile de se cacher derrière des raisons de sécurité nationale alors que la menace nucléaire soviétique pesait sur nous. La menace nucléaire est toujours une préoccupation louable. Mais les choses ont changé à un point tel que des agences gouvernementales comme le Centre de la sécurité des télécommunications (CST) devrait avoir à rendre des comptes un peu plus souvent, non seulement à la population, mais aux membres élus du Parlement de leur pays. Il y a tout simplement trop de pouvoir derrière les murs secrets du quartier général du CST pour qu'on le laisse ainsi sans aucune surveillance.

De tels changements se sont déjà produits aux États-Unis, où la National Security Agency (NSA) pratique de plus en plus une politique d'ouverture. Et que dire de la Grande-Bretagne, où le Government Communications Headquarters (GCHQ) devient un exemple de transparence. Le chef de l'agence d'espionnage britannique M15, Stella Rimmington, même si elle semblait mal à l'aise dans ce rôle relativement nouveau, offrait une conférence de presse tout récemment.

Je crois que cela doit se faire au Canada aussi. Je crois que le Vérificateur général devrait révéler aux contribuables comment se dépense leur argent. Et cela ne peut se faire que si le Parlement peut vérifier le budget du CST, et cesse de laisser le ministère de la Défense le déguiser à son gré.

Dans un monde parfait, le CST n'aurait pas sa raison d'être. Malheureusement, le monde n'est pas parfait. Mais ses méthodes et, certainement, le compte rendu de ses activités doivent être revus.

J'espère que ce livre vous aidera à comprendre pourquoi. Il vous dira en tout cas où va une partie de l'argent de vos impôts et vous aidera à juger si cela vaut la peine ou non.

J'ai apporté beaucoup de renseignements dans ce livre qui, nul doute, ébranleront le CST et probablement tout le gouvernement canadien — sans parler des pays étrangers. Toutefois, j'ai trié ces renseignements en prenant bien soin de ne pas menacer la sécurité nationale ou de mettre en danger la vie des agents qui sont en mission présentement.

Ces préoccupations étaient primordiales pour moi, car j'ai beaucoup de respect pour ceux qui m'ont permis d'accéder à une carrière excitante et remplie de défis, tout autant que je respecte les hommes et femmes qui sont toujours en poste, accomplissant leur devoir en croyant fermement que le Canada leur en sera reconnaissant. J'espère sincèrement que notre gouvernement et les hautes instances du CST reconnaîtront un peu plus le prix élevé que ses employés ont à payer pour bien exercer leurs fonctions. Peut-être que quelque chose de bien en sortira, sait-on jamais, quelque changement bénéfique dans leurs façons de procéder.

Enfin, une autre raison qui m'a incité à écrire ce livre est l'amour et l'attention que je porte à ma famille, ma femme Carole et mes trois fils, Tony, Danny et David. Ils n'ont jamais eu le père ou, dans le cas de Carole, le mari, auquel toutes les familles ont droit. Peut-être que mon livre parviendra à combler le vide au fond de leurs cœurs et saura répondre aux questions qu'ils n'ont jamais pu poser.

Mike Frost

«L'utilisation d'un service secret dont la manière d'opérer viole fatalement les lois d'autres pays pose également un grave problème moral à un gouvernement. On pourrait aussi soutenir que l'existence d'un service doté d'un tel mandat risque d'influer sur les pratiques du service chargé d'assurer la sécurité intérieure. La transgression des lois peut devenir contagieuse tant chez les agents chargés de recueillir des renseignements que chez les fonctionnaires supérieurs et les dirigeants politiques responsables de la direction des services. Un tel état de choses, au Canada, pourrait bien neutraliser les réformes qui, nous l'espérons, seront mises en place pour empêcher le service de renseignements et la GRC de commettre des actes illégaux ou répréhensibles. D'autre part, il est possible de soutenir que le risque d'une telle influence et d'une telle contagion peut être réduit au minimum si, conscients du danger, l'on exerce les contrôles requis.»

Commission d'enquête sur certaines activités
de la Gendarmerie royale du Canada
(Commission McDonald), *Second rapport*, août 1981,
vol. 1, chap. 7, section V, p. 679.

PROLOGUE

C'était une lettre insolite. Intrigante du début à la fin. Il y avait cette phrase, ou plutôt, cet avertissement: «*Si jamais quelqu'un me demande si j'ai écrit cette lettre, je le nierai. Si jamais quelqu'un te demande si tu as reçu cette lettre, je te prie de le nier.*» Si une menace de la sorte, à peine voilée, était en soi inhabituelle, la lire noir sur blanc tenait presque de l'absurde.

En 1971, le monde de Mike Frost était déjà au bord de l'irréel. Comment pouvait-il en être autrement dans cette steppe désertique balayée par les vents de l'Arctique, où il effectuait un travail qui était synonyme d'ennui mais qui, lui avait-on martelé dans la tête, était vital pour la défense, voire la survie du «monde libre»? Il était en poste à Alert, sur l'île d'Ellesmere, à 1 000 kilomètres du pôle Nord, sur la base militaire d'écoute électronique la plus rapprochée de l'URSS, l'ennemi qui se cachait juste au-delà de l'horizon glacé. L'Arctique était la porte d'entrée d'une possible invasion de l'Amérique du Nord, et tant que durait la guerre froide des années 1960-1970, entrevoir une telle possibilité n'était pas que le fruit d'une imagination trop fertile. Le Canada était coincé entre les deux superpuissances qui risquaient à tout moment de se tirer dessus à coups de missiles balistiques. Pour les Soviétiques, le Canada était le premier champ de bataille; pour les Américains, c'était un tampon de sécurité.

Le personnel de la base d'Alert, presque tous des militaires, était composé de Canadiens à l'époque, comme c'est toujours le cas aujourd'hui. Mais tous les intéressés savaient qu'en fait, les Américains étaient les véritables maîtres de l'endroit. Après tout, puisque le Canada utilisait leur équipement et leurs appareils électroniques, n'était-il pas normal qu'ils donnent les ordres et que les Canadiens obéissent sans broncher? Alert était d'ailleurs une création américaine, les États-Unis n'ayant pas de meilleur emplacement sur leur territoire, même en Alaska, pour installer une base d'écoute électronique aussi près de l'URSS. Ce n'est pas le genre d'abrogation de souveraineté nationale dont se vantent les politiciens; ils ne l'admettraient jamais. En fait, le Canada faisait l'impossible pour tenter de dissimuler l'influence américaine, même si ses militaires en poste à Alert côtoyaient régulièrement des «conseillers» qui passaient de deux à trois semaines sur la base. Ces conseillers et leurs supérieurs, pour la plupart au sommet de la pyramide de la puissante National Security Agency (NSA), chargée du contre-espionnage américain, donnaient des ordres directs aux Canadiens et récupéraient le produit de leur travail. Au fond, le Canada était tout aussi impuissant devant la domination américaine qu'il l'était face à une éventuelle invasion soviétique. Accepter la domination américaine était le moindre de deux maux.

Mike Frost ne s'en doutait nullement à ce moment-là, mais il était sur le point de devenir un pion crucial dans une partie beaucoup plus importante. Dans les vingt années qui allaient suivre, il serait plongé tête première dans le monde ténébreux et plein d'intrigues de l'espionnage sur la scène internationale. Il n'y avait même jamais pensé puisqu'en temps de paix, le Canada ne se livrait tout simplement pas à ce genre d'activités qu'aucun de ses gouvernements n'aurait sanctionnées. L'espionnage à pareille échelle était réservé aux gars des «ligues majeures».

Mais qu'adviendrait-il si une équipe des «majeures» repêchait des joueurs canadiens? Les Américains s'occuperaient de les entraîner. L'uniforme, le passeport, le lieu de résidence, le statut de fonctionnaire, tout cela resterait canadien, bien sûr. C'était un déguisement parfait pour l'individu qui, tout en étant un véritable espion au service des Américains, serait payé par le Canada.

Frost ignorait tout de ce qui se tramait en haut lieu le jour où il reçut la lettre mystérieuse de Frank Bowman. En tant que spécialiste de l'écoute électronique pour la Marine canadienne, il était bien au courant de la collaboration étroite entre le Pentagone et les bases de surveillance militaires canadiennes. Au cours des ans, il avait traqué tellement de bateaux de pêche, de cargos et — si la chance lui souriait vraiment — de sous-marins soviétiques qu'il en avait soupé. Mais jusque-là, son rôle se limitait à celui d'un rond-de-cuir qui acheminait des renseignements dont il ignorait la signification ou la portée.

Cette lettre de Bowman n'avait rien d'insignifiant. «*Serais-tu intéressé à être posté à Moscou? Nous avons un travail à faire à Moscou dont je ne peux te donner les détails... Tu y serais affecté comme aide militaire.*»

Frost n'attendait plus que l'avion qui viendrait le chercher à Alert. Son départ causa un certain émoi sur la base, car ses collègues, envieux, se demandaient comment il avait pu écourter de deux mois une «sentence» qui aurait dû en durer six. Quel genre de contacts pouvait-il bien avoir à Ottawa pour avoir réussi un coup de la sorte?

Aucun, vraiment. Mike Frost était simplement de cette race d'hommes qui aiment leur travail et croient en la cause qu'ils défendent. Il avait les connaissances, le talent et le sens du devoir, ce qui faisait de lui un candidat idéal pour accomplir cette mission. Sa loyauté était essentielle à la défaite de «l'ennemi».

Il se sentait grisé à l'idée d'être engagé dans un travail qui lui semblait à la fois exotique et excitant. Jusque-là, Moscou n'avait été pour lui qu'un lointain maître chanteur dont il essayait de contrer les plans avec des moyens très limités. Mais voilà maintenant qu'on l'invitait à regarder l'ennemi droit dans les yeux pour faire... Pour faire quoi au juste? Peu importait. C'était une affectation dont les spécialistes canadiens dans le domaine ne pouvaient que rêver. Il se fichait de la nature exacte du travail qu'on lui demanderait de faire. Ce serait certainement mieux que son travail à Alert ou que les autres postes qu'il avait occupés à Inuvik, Moncton et Ladner.

Quand Mike Frost monta à bord du *Hercules* qui le conduirait vers le sud, il savait que le vol serait long, bruyant et pénible. Mais c'était à Ottawa que la véritable tourmente l'attendait.

Éventuellement, l'opération pour laquelle Frost avait été choisi transformerait profondément le CST. Celui-ci deviendrait une filiale essentielle — et fort dynamique — de la NSA américaine et œuvrerait partout dans le monde. Le «bébé» que Frost aiderait à mettre au monde est connu sous un nom de code si secret que sa seule mention provoque des ondes de choc à travers les services de renseignements canadiens, dont on sous-estime grandement les activités.

Il s'agit du projet «Pilgrim».

Chapitre premier

LA «P'TITE VIE»

Mike Frost vient de frapper un coup parfait. La balle vole à au moins 200 verges du tertre de départ, et reste en plein centre de l'allée. Il devrait être au septième ciel puisque ses compagnons de jeu le couvrent de louanges. Cependant, il sait que tout golfeur qui se respecte déteste profondément son adversaire dans des moments comme ceux-là. Le golfeur est comme l'écrivain qui s'émerveille devant la prose d'un collègue, mais qui souhaiterait jalousement avoir été l'auteur de si belles phrases.

Mike est fier de son coup. Non parce que ses compagnons l'en félicitent, mais parce qu'il adore le golf. Et que le climat est doux.

Il est à la retraite, à Bradenton, un village fréquenté par quelque 250 000 vacanciers, situé sur la côte ouest de la Floride, juste au nord de Sarasota. Quand il n'est pas sur les verts, il se détend paisiblement dans sa maison mobile de 180 mètres carrés où il se concentre sur sa vie sociale avec les autres habitants du parc de maisons mobiles, pour la plupart des *snowbirds* canadiens. Ils respectent à peu près tous le même horaire annuel: six mois en Floride, six mois au Canada afin de ne pas perdre leur droit à l'assurance-maladie. On se la coule douce. Le train de vie ne présente aucun stress, comme à une époque qu'on pourrait croire révolue. Des promenades sur les plages sablonneuses, des balades à vélo, des baignades dans la piscine tous les jours... Les responsabilités les plus pressantes de Frost consistent à s'assurer que les activités communautaires du parc vont bien. Son épouse Carole fait de l'artisanat et est membre du comité de cuisine. Lui joue au «mississipi» (*shuffleboard*) et organise des tournois. Les enfants font leur vie au Canada. Les amis du pays sont nombreux. La retraite rêvée, quoi!

Il n'a que cinquante-deux ans. Ex-alcoolique, il n'a pas pris un verre depuis des mois. Sa plus grande préoccupation est de suivre la maturation des pamplemousses qui poussent dans sa cour. De temps à autre, il jase avec Alphonse; c'est ainsi qu'il surnomme les petits lézards que l'on trouve en grand nombre sur les pelouses de Floride et qui livrent une guerre quotidienne et farouche aux moustiques.

Et il se plaît toujours à jouer au golf. Mais tandis qu'il essaie d'analyser le coup de fer qui lui permettra d'atteindre le vert, Mike Frost se dit qu'il n'est pas vraiment un homme heureux. Personne dans son entourage ne pourrait deviner la tristesse qui l'habite. Comment peut-il en être autrement pour un homme qui a passé pratiquement toute sa vie à cacher ses émotions, qui a été entraîné à ne jamais montrer son vrai visage?

La Floride lui offrait pourtant le bonheur parfait, du moins au début. Mike se demande toujours pourquoi il n'a pas songé plus tôt à vivre une telle tranquillité. Mais les souvenirs qu'il s'était pourtant juré d'oublier ne cessent de le hanter. Ces souvenirs évoquent un tas de questions, de scrupules même, quand lui reviennent à l'esprit les opérations clandestines qu'il a montées ou dont il connaît pleinement le détail.

Mike Frost est et restera un espion. Même à la retraite, il sera toujours, dans l'âme, un espion, lui qui a servi son pays, le Canada, autant que les États-Unis et la Grande-Bretagne pendant plus de deux décennies.

Après avoir vécu pendant toutes ces années au rythme d'un lièvre à l'épouvante, il vit maintenant au rythme d'une tortue. Au terme de chaque journée trop calme, trop simple, il brûle d'envie de raconter à ses concitoyens canadiens, voire au monde entier, ce qu'il a fait pour eux. D'autant plus qu'il ne cesse de s'interroger sur le droit des citoyens de connaître, dans leur intérêt, les véritables méthodes de son ex-employeur, ne fût-ce que pour justifier l'usage que le gouvernement fait de l'argent des contribuables. Mike Frost voudrait connaître la vérité derrière les manchettes des journaux, comme c'était le cas autrefois. Même quand il est sur un terrain de golf, sur la plage ou à vélo, il ne peut que songer au passé, «au jeu» qui lui a demandé tellement de sacrifices, aux joueurs avec lesquels il a partagé tellement de joies et de regrets. Il voudrait simplement donner un coup de fil à ses anciens collègues pour parler un peu avec eux. Mais les règles du «jeu» de l'espionnage sur la scène internationale ne permettent pas ce genre d'intrusion.

Automne 1990. Quelques mois auparavant, Mike Frost avait été forcé de démissionner du Centre de la sécurité des télécommunications (CST), un titre beaucoup trop insignifiant et inoffensif pour un organisme gouvernemental aussi mystérieux. Mieux connu sous son acronyme anglais de CSE (Communications Security Establishment), le CST est en fait le centre d'espionnage et de contre-espionnage le plus secret du Canada.

En fait, peu de Canadiens sont même conscients de son existence, malgré ses quelque 1 000 employés, sa masse salariale de 40 millions de dollars, sans compter son budget dissimulé dans les livres du ministère de la Défense nationale. Même ces experts qui prétendent en savoir long sur les activités du CST ne peuvent s'imaginer l'ampleur réelle de son pouvoir et de ses activités.

Dès 1972, par l'intermédiaire de cette agence, le Canada s'est plongé dans l'espionnage à l'étranger de façon énergique. Mike Frost le sait. Il était l'un des deux principaux responsables de la première aventure du genre, à Moscou. En fait, lui et son collègue Frank Bowman ont été les deux premiers Canadiens à planifier et à mettre sur pied ce que l'on surnomme dans le monde des services de renseignements un poste d'«écoute diplomatique» (*embassy collection*), à partir d'une ambassade canadienne. Les jours des exploits à la James Bond s'estompent. Tous les initiés du monde de l'espionnage vous diront que l'on compte maintenant beaucoup plus sur un réseau complexe de satellites orbitaux et d'autres moyens d'écoute électronique hautement spécialisés pour la cueillette de renseignements. Autrement dit, il est maintenant plus facile et avantageux d'intercepter les communications internes d'un pays donné que de compter sur les services d'un espion qui joue les innocents. Il suffit d'avoir à sa disposition les moyens électroniques nécessaires et un endroit relativement sûr d'où on puisse travailler efficacement tout en demeurant à l'abri des soupçons.

Le Canada a monté des opérations d'écoute diplomatique dans plusieurs de ses ambassades à travers le monde pendant les vingt dernières années. Avec l'aide de la très puissante NSA américaine et la coopération constante de son pendant britannique, le Government Communications Headquarters (GCHQ), les agents du CST ont été dépêchés dans des pays étrangers avec mission de faire ce que le Canada n'avait fait jusque-là qu'en temps de guerre: de l'espionnage.

Mike Frost est l'un des deux hommes à qui l'on a d'abord confié une mission du genre, en 1972. Ce qu'ils entreprirent alors avec très peu de ressources a pris une ampleur qui dépasse aujourd'hui toutes les attentes qu'avaient leurs supérieurs à l'époque, surtout les politiciens fédéraux qui avaient donné leur aval au projet. Au chapitre de l'espionnage international, le Canada n'est plus un simple observateur. Il fait activement partie du jeu. L'histoire de Mike Frost coïncide en fait avec celle de l'implication graduelle et grandissante du Canada, un pays perçu pourtant comme docile, dans un monde clandestin où il est maintenant un joueur clé qui ne se contente plus de mesures dites défensives en terre canadienne.

Mike Frost essaie de se concentrer sur sa partie de golf, mais les fantômes du passé reviennent le hanter. «Je me demande si nous avons réussi l'opération à Beijing? Étions-nous à Bagdad durant la guerre du Golfe? Que se passe-t-il à Téhéran? Qu'est-ce que mes amis des services de renseignements de l'OTAN mijotent dans l'ancienne Yougoslavie ou au Moyen-Orient? Qu'est-ce qui arrive à Alan Foley, le meilleur agent que j'aie eu sous mes ordres à l'agence? Où est-il? J'espère qu'il va bien.»

Il garde un respect sacré pour Frank Bowman, l'homme qui lui a donné sa chance. «J'espère qu'il est heureux maintenant qu'il est à la retraite. Est-ce qu'il s'ennuie du "jeu", lui aussi?» Même si c'était le cas, Mike sait que Frank n'en parlerait jamais. Il était un homme en qui le sens du devoir était profondément ancré. Il ne remettait jamais les ordres en question, il acceptait les échecs autant que les victoires avec un calme désarmant, comme si tout cela dépendait finalement des lois de l'univers. «Comment Stew Woolner se débrouille-t-il depuis qu'il a succédé à Peter Hunt comme directeur de l'agence? Les espions canadiens sont-ils encore à New Delhi en permanence pour intercepter les communications des Sikhs, comme ils l'étaient quand j'ai quitté le CST? L'opération de Moscou fonctionne-t-elle toujours, ou est-ce que les Russes ont réussi à nous brouiller comme ils l'ont fait aux Américains et aux Britanniques? Avons-nous maintenant un poste d'écoute électronique à Bucarest (une capitale dont Mike se souvient avec une certaine nostalgie parce qu'il a failli y laisser sa peau)? Est-ce que l'opération d'espionnage montée conjointement par mon agence et la GRC juste en face de l'ambassade soviétique à Ottawa fonctionne toujours?» Mike croit que oui, malgré la dissolution de l'URSS.

Où en est le projet Pilgrim maintenant? Non seulement est-ce l'enfant chéri de Mike Frost, mais son nom de code est celui de son bateau. Une trentaine de personnes ont été embauchées quand Frost a quitté. Il parierait que le service est encore plus gros aujourd'hui, car il ne cessait de prendre de l'expansion. Ont-ils des problèmes de budget? C'est toujours l'une des premières considérations, car lorsqu'on s'engage sérieusement dans l'espionnage sur la «grande scène», l'argent doit être le dernier de vos soucis. Il faut tout simplement en avoir quand on en a besoin.

Ont-ils finalement réussi à établir un lien par satellite avec les sites de Pilgrim, un luxe que se permettaient les Américains et les Britanniques? Les agents du CST peuvent-ils maintenant communiquer directement avec l'agence en cas d'urgence, sans devoir passer par le ministère des Affaires extérieures? Ont-ils réussi à monter des «opérations à distance» *(remote operations)*, comme la NSA avait réussi à le faire? Ce système évite de mettre la vie des agents en péril puisque l'équipement d'écoute électronique, une fois installé, peut être contrôlé à distance, sans l'aide de personnel, par satellite, tout en donnant d'aussi bons résultats. Le CST travaillait sur cette possibilité quand Frost a quitté.

Il sourit en pensant à l'épisode Margaret Thatcher et se demande d'où venaient tous ces enregistrements compromettants pour le prince Charles, Lady Di et Fergie. Ils ont dû être captés par des agences étrangères, peut-être même par celle du Canada. Même les espions ne l'admettraient jamais à leurs plus proches collaborateurs. Trop délicat. Son expérience passée lui fait croire que même si le GCHQ avait été impliqué dans l'affaire, l'agence d'écoute britannique n'en révélerait jamais la source. Le GCHQ voudrait tout simplement être en mesure de nier avoir commis ces indiscrétions si jamais on le questionnait sur le sujet.

Mike Frost en sait long. Il connaît les règles du jeu, il sait comment les services de renseignements des États-Unis, de la Grande-Bretagne et du Canada partagent ce genre d'informations. Quand un rapport final aboutit entre les mains d'un ministre, d'un premier ministre ou même de la reine, la source n'en est jamais divulguée.

Frost songe aussi à ses collaborateurs de la NSA, surtout ceux de College Park, ce site ultrasecret aux abords de Washington, D.C., dirigé alternativement par un agent de la NSA et de la CIA (*Central Intelligence Agency*). C'est de là que le réseau d'espionnage américain contrôle ce que ses agents surnomment l'«écoute spéciale» (*special collection*) qui comprend évidemment les opérations effectuées depuis les ambassades. Mike Frost ricane en pensant que même au sein de la gigantesque NSA, la plupart des employés ignorent l'existence de College Park. Lui, un Canadien, est parfaitement au courant. Il y est allé souvent. Quand il a quitté le CST, un agent de la CIA y était responsable des opérations. Mais Frost sait fort bien que peu importe le directeur, c'est la NSA qui mène le bal à College Park. Les ordres proviennent souvent directement de la Maison-Blanche, quand la NSA ne les donne pas elle-même.

Quand ses souvenirs le ramènent au Canada, une question le préoccupe plus que toute autre: est-ce que son ancien employeur espionne toujours les séparatistes québécois? Malgré son sens du devoir, Frost n'a toujours pas la conscience en paix quand il pense que le CST espionnait des citoyens canadiens en raison de leurs convictions politiques. «Nous avons commis ces actes contre les nôtres. Ou peut-être avons-nous demandé aux Américains ou aux Britanniques de le faire pour nous... En avions-nous le droit?» Après des années passées à obéir aux ordres, Frost s'interroge maintenant sur l'énorme pouvoir qu'a le CST d'abuser de son mandat. Il croit être un homme honorable. Mais il lui arrive de dire pensivement à sa femme Carole: «Imagine, si mon voisin savait ce que je pourrais faire contre lui...» Son voisin utilise allègrement un téléphone sans fil, ce que Frost décrit comme la cible dont rêve tout espion. Ces appareils émettent des ondes tellement fortes qu'avec de l'équipement rudimentaire on peut les intercepter deux coins de rue plus loin. En fait, avec le matériel électronique sophistiqué dont dispose le CST, l'agence canadienne peut, si elle le souhaite, intercepter les conversations de téléphones conventionnels sans même devoir installer un microphone miniature dans l'écouteur.

Les appels interurbains sont encore plus vulnérables à l'écoute électronique parce qu'ils sont transmis par des réseaux de tours à micro-ondes. Les appels locaux sont généralement transmis par fils. Mais si jamais le fil transmetteur est surchargé, ces signaux sont automatiquement réorientés vers les tours à micro-ondes. Mike Frost sait que si le CST veut à tout prix capter certaines communications, il peut le faire, n'importe où, n'importe quand, sans se faire prendre.

À l'étage supérieur de l'édifice du CST, situé sur le chemin Heron, à Ottawa, on a aménagé une pièce qui fait face au sud-est, en direction du chemin Baseline et des tours de retransmission visées. La pièce est remplie de récepteurs qui peuvent capter toutes les conversations téléphoniques qui sont véhiculées par ce réseau, c'est-à-dire toute communication qui utilise ce moyen de transmission, de Terre-Neuve à Vancouver. Il est arrivé souvent que Mike ou ses collègues s'amusent à brancher l'équipement d'écoute pour vérifier ce qu'ils pouvaient capter. Personne ne remettait leur geste en question. Aucun contrôle, aucun chien de garde. Ils faisaient tout simplement à leur guise. Théoriquement, ils testaient l'équipement pour s'assurer qu'il fonctionnerait bien si on devait l'utiliser en pays étranger. Mais en fait, ils envahissaient la vie privée des gens qu'ils étaient censés protéger.

Les autorités du CST fermaient les yeux, mais il arrivait à Frost de s'interroger sur la moralité de ces actes. Il en parlait parfois à son collègue Frank Bowman: «Qu'est-ce qu'on fait si jamais on entend parler d'un assassinat ou d'un vol de banque?» En voyant sa vie défiler devant ses yeux, sous le soleil de la Floride, Mike Frost frissonne en pensant au pouvoir terrifiant que le CST possède. Que diraient les Canadiens si seulement ils se doutaient de l'existence d'une telle puissance? Il se souvient de ces moments où il était troublant, presque sinistre d'être là, installé à la table d'écoute du CST, à s'immiscer dans des conversations que les interlocuteurs croyaient confidentielles. C'était radicalement différent du travail d'interception qu'il avait fait pour la Marine canadienne. Il pourchassait alors l'ennemi, l'«ours soviétique». Mais il se voyait au CST, envahissant la vie privée de concitoyens canadiens sans que personne ne puisse ni ne veuille l'en empêcher.

Au début, il s'en fichait. Mais l'énormité de son pouvoir avait commencé à le troubler le jour où son supérieur lui avait demandé de faire de l'écoute sur l'épouse du premier ministre de l'époque, Margaret Trudeau. «Ce n'est pas que j'aie un sens de l'éthique très développé, avait-il confié à Frank Bowman, mais pour l'amour du ciel, c'est la femme du premier ministre! Nous sommes une poignée de gens ici qui ont le pouvoir d'abuser des droits de tous les Canadiens. Ce n'est pas correct...» Il se demandait aussi d'où cette demande provenait vraiment. La GRC faisait-elle enquête pour son propre compte? Ou agissait-elle sous les ordres du pouvoir politique?

Et que dire de l'opération qu'ils ont faite pour Margaret Thatcher? Un peu paranoïaque, cette fameuse Dame de fer.

En tirant son fer du sac de golf, Mike Frost hausse les épaules et se dit: «Même si on a commis des abus, qui est au courant? Et qui s'en soucie? Non... Au fond, ce n'est vraiment pas correct.»

En fait, le CST n'a de comptes à rendre à pratiquement personne, seulement à un comité de mandarins de la fonction publique. Il n'a pas à faire rapport de ses activités au comité de la Chambre des communes sur les renseignements et la sécurité. En fait, il ne sert que les hauts fonctionnaires qui le contrôlent et, ultimement, le premier ministre lui-même, qui est le seul grand responsable de l'agence secrète. «Nous n'avons pas à nous expliquer à qui que ce soit, disait un jour Frost à Bowman. Et même ceux à qui nous devons rendre des comptes ne veulent pas savoir ce que nous faisons. Ils veulent seulement couvrir leurs arrières et être en position de dire qu'ils ne sont pas au courant de ce qui se passe.»

Mike Frost a sacrifié beaucoup pour le CST: sa vie familiale, sa vie sociale, sa santé. A-t-il vraiment contribué au bien de son pays? C'était son seul but à la fin. Est-ce que cela en a valu la peine? Le souvenir d'un collègue qui s'était flambé la cervelle en se tirant un coup de carabine dans la bouche le hantait. Tout comme celui de cet employé du CST qui s'était suicidé en plein jour, dans le stationnement à ciel ouvert de l'agence, en se mettant un sac à ordures sur la tête pour ensuite s'attacher le cou au tuyau d'échappement de son automobile en marche. Par ce geste désespéré, cet homme avait-il essayé de lancer un message à la population? Au CST, les autorités s'en fichaient. En autant que les médias ne soient pas mis au courant. Personne n'est irremplaçable. Le siège de votre chaise de bureau est encore tiède que déjà un autre y a pris place.

Mike Frost se trouve chanceux d'être lui-même toujours vivant.

Au cours de ses deux dernières années au CST, de 1988 à 1990, il était devenu responsable d'un si grand nombre d'opérations et de secteurs qu'il lui était humainement impossible de ne pas craquer sous la pression. Tout en restant engagé dans le projet Pilgrim, il avait la tâche de moderniser le laboratoire d'analyse du CST — un travail monumental en soi — et de représenter le Canada à l'OTAN, où il était membre de deux comités spéciaux de partage de renseignements entre pays alliés. Il ne peut s'empêcher de penser aux difficultés que doivent affronter ces comités aujourd'hui. Quand il y représentait le Canada, l'Union soviétique était l'ennemi numéro un et la réunification des deux Allemagne n'en était qu'au stade embryonnaire.

Il ressent une immense frustration en se rappelant ses derniers jours au CST. Peut-être avait-il accepté trop de responsabilités. Mais il n'était pas du genre à tourner le dos quand son pays le réclamait.

Toute sa vie, Frost a aussi livré un combat personnel contre la maladie «honteuse» qu'est l'alcoolisme et a essayé d'assister le plus souvent possible aux réunions des Alcooliques anonymes. Vers la fin de sa carrière, il parvenait à demeurer sobre, mais il ne se faisait pas d'illusions. Il savait que son désir de le rester était faible. Comme c'est souvent le cas quand la pression est trop forte, il cherchait un moyen d'évasion. Il s'amouracha alors de sa secrétaire, qui l'initia à l'usage de la marijuana.

Trois semaines plus tard, il s'était remis à boire sans retenue. Les choses s'envenimèrent rapidement. Il consommait plus de deux «40 onces» d'alcool par jour. Son mariage était à la dérive et sa vie professionnelle aussi. Souffrait-il d'épuisement ou d'une dépression? Il ne le savait trop, mais il était pleinement conscient du fait qu'il n'était plus la machine efficace et bien huilée des beaux jours.

Un week-end, alors qu'il était sur son bateau, le *Pilgrim*, avec son épouse et un autre couple, il sombra dans une ivresse si profonde qu'il perdit toute connaissance de ses actes. Il sortit du *black-out* le 31 juillet 1989. Il était entouré de bouteilles de vodka, de cognac, de brandy, de vin, de bière... bref, il avait vidé tout ce qui avait pu lui tomber sous la main.

Sa femme lui avait laissé une note sur le tableau de bord du bateau, ainsi qu'une pièce de monnaie: «*Je t'ai laissé 25 ¢, au cas où tu décides de chercher de l'aide. Je t'aime.*»

Il n'avait plus ses clés d'auto ni de bateau, rien. Il tituba jusqu'à une cabine téléphonique installée sur le quai et téléphona au CST. Il était en vacances, mais il croyait que les premières personnes qu'il se devait d'informer de son triste état étaient ses employeurs. Il réussit à communiquer avec son nouveau supérieur, Lloyd Taylor (Frank Bowman avait déjà pris sa retraite).

— J'ai besoin d'aide. Je suis ivre.

— Tu n'as pas de problème d'alcool, Mike, avait dit Lloyd, simplement.

— Crois-moi, j'en ai un. J'ai été sobre pendant trois ans, mais je suis saoul depuis trois semaines. J'ai besoin d'aide.

— Où es-tu?

— Sur mon bateau, à la marina d'Indian Lake.

— Ne bouge pas. Je viens te chercher.

Taylor fit le trajet de deux heures d'Ottawa à Indian Lake pour aller le retrouver. Il le conduisit directement à l'hôpital psychiatrique Royal Ottawa, et de là, on l'emmena à un centre de désintoxication. Sept jours d'enfer. Couper complètement l'alcool, sans l'aide de médicaments, est un martyre physique et psychologique épouvantable quand on a l'habitude d'en consommer une centaine d'onces par jour. Mike était secoué par des tremblements constants, il transpirait sans cesse, avait trop chaud ou trop froid, souffrait de convulsions et de *delirium tremens*... Par moments, son cœur battait si fort et si vite qu'il craignait que sa poitrine n'éclate. Il se roulait sur le plancher en criant de douleur. Il y avait avec lui cinq autres individus, tous dans le même état déplorable.

Sa condition semblait si grave que l'un des infirmiers du centre suggéra qu'il serait peut-être préférable de l'hospitaliser et de lui prescrire des médicaments. Mais ç'aurait été aller à l'encontre de l'entraînement qu'avait reçu Mike Frost tout au long de sa vie. Il avait appris à souffrir pour payer le prix de ce qu'il provoquait. Enfin, après une semaine cauchemardesque, il retourna à l'hôpital Royal Ottawa et y séjourna deux semaines, avant d'être inscrit à un programme de vingt-huit jours au centre de réadaptation pour alcooliques de Meadow Creek, au sud d'Ottawa.

Pendant ces trois semaines d'ivresse totale, Mike Frost devait s'avouer plus tard qu'il avait vraiment cherché à en finir avec la vie. En fait, quelques jours seulement avant son appel téléphonique au CST, il s'était laissé tomber dans l'eau du pont de son bateau dans l'espoir de se noyer. Il ignore pourquoi, mais il remontait toujours à la surface. Quelques jours plus tôt, il avait fait une autre tentative de suicide en s'enfermant dans son auto avec un réservoir de gaz propane. Le réservoir était vide.

Il en avait tout simplement assez. De la vie, de son alcoolisme, du CST. Il était en chute libre et ne voulait pas vraiment ouvrir son parachute. «Je ne peux qu'en conclure que Dieu avait d'autres plans pour moi, dit-il aujourd'hui. Mon épouse a fait ce qu'elle devait faire. Elle m'a laissé une note et 25 cents... Elle pensait ne plus jamais me revoir.»

De nos jours, au Canada comme dans la majorité des pays industrialisés, la plupart des agences ou ministères gouvernementaux, tout comme l'entreprise privée, respectent le principe suivant: si un fidèle employé éprouve un problème de dépendance à l'alcool ou à d'autres substances toxiques et crie au secours, non seulement son employeur doit-il lui apporter l'aide nécessaire, mais il doit le réadmettre à son poste une fois sa cure de désintoxication terminée. Évidemment, le «contrat» exige que l'employé ne recommence plus.

Mike Frost savait que quelque chose ne tournait pas rond le jour où, à Meadow Creek, l'un des conseillers l'avait pris à part.

— J'ignore quel poste tu occupes au sein du gouvernement, mais ce doit être important car tu auras de la visite demain.

Les visites allaient directement à l'encontre des règlements du centre de réadaptation. Aucun visiteur ne devait être admis pendant toute la durée du programme.

— Quelle visite? demanda Frost.

— Ta directrice du personnel, Sharon West, et un homme du nom de Victor Szakowski.

Le conseiller n'eut pas à en dire davantage pour que Frost sût qu'il avait de sérieux ennuis. Ex-membre de la GRC, Szakowski était le «gorille» du CST, le chef de la sécurité interne. Un homme d'une stature et d'une allure intimidantes, qui avait tout ce qu'il faut pour tenir le rôle d'un *Texas ranger* au cinéma.

— Ils viennent ici? demanda Frost.

— Ouais... J'ai tout fait pour empêcher ça, dit le conseiller, mais pour une raison que j'ignore, j'en ai été incapable.

Les visiteurs arrivèrent à l'heure fixée.

— Acceptes-tu de nous parler? demanda Szakowski.

— Ai-je le choix? répliqua Frost.

— Non.

— D'accord, mais je veux qu'un des conseillers soit présent ici avec moi... Nous n'allons pas discuter de choses classées secrètes, n'est-ce pas?

— Non, non... seulement de questions personnelles.

Après le «Comment ça va?» de routine, Sharon West lui demanda:

— Quel travail penses-tu faire si tu reviens au CST? Où pourrais-tu être utile?

— Eh bien... Je voudrais reprendre le travail que je faisais, répondit naïvement Frost.

— Non. Nous allons trouver un autre poste pour toi, dit Sharon.

— Comment ça?

— Il n'y aura aucune réduction salariale... mais nous devrons te trouver un nouveau poste.

— Comme quoi?

— Quelque chose de moins stressant... dans l'entrepôt ou au bureau de poste...

— Je vous demande pardon?

— Ne t'en fais pas, ton salaire restera le même. Nous te trouverons tout simplement un travail moins ardu. Si tu décides de revenir, bien sûr.

Mike fut finalement frappé par le mot clé qui lui avait échappé plus tôt: «Si...»

— Comment, si je décide de revenir?

— Eh bien, après ton séjour à Meadow Creek, nous voudrions que tu subisses un examen psychiatrique complet.

— Et pourquoi donc?

Elle soupira.

— Nous voulons savoir à quel point tu es stable et apte à occuper un emploi.

— Ai-je le choix?

— Tu peux refuser, mais je te conseillerais d'accepter. Le CST va payer le psychiatre... Tu seras en congé de maladie, puis en congé «administratif» jusqu'à ce que toute cette affaire soit éclaircie.

Atterré, Frost répondit:

— Je termine mon séjour ici dans deux semaines. Voulez-vous que je revienne au travail?

— Oh non! Va-t'en à la maison. Nous communiquerons avec toi.

Cet épisode, aussi privé et pénible à relater soit-il pour Mike Frost, démontre bien comment les agences de renseignements traitent les employés qui, malgré les services extraordinaires qu'ils leur ont rendus, deviennent du jour au lendemain un risque pour elles. «Il y a à peine un an, j'étais le porte-parole officiel de mon pays au sein d'un comité crucial de l'OTAN...», s'était dit Frost après l'entretien.

Le jour suivant son départ de Meadow Creek, il reçut un appel du CST. Il avait rendez-vous avec un psychiatre choisi par son employeur.

Curieusement, le médecin avait un bureau du côté québécois de la rivière des Outaouais, à Hull. Il avait été embauché pour évaluer si Mike Frost pouvait poursuivre son travail ou, en d'autres mots, pour savoir s'il était sain d'esprit. Frost croit fermement aujourd'hui que le psychiatre agissait en fait sous les ordres du CST et qu'il devait tirer les conclusions que l'agence souhaitait obtenir. «Je les connais, dit-il à son épouse Carole, c'est leur façon logique de faire les choses.»

D'octobre 1989 à février 1990, il se rendit au Centre hospitalier de psychiatrie Pierre-Janet, à Hull, pour subir ce qu'il décrit comme «des petits tests idiots, des séances de taches d'encre». On l'a branché à une machine par des électrodes reliées à sa tête et à ses doigts; on lui a demandé de compter par nombres décroissants de trois et par nombres croissants de quatre; on l'a mis sous hypnose. On lui a même montré des films pornographiques pour évaluer son orientation et ses désirs sexuels. Frost fut totalement humilié. On n'avait peut-être pas violé son corps, mais certainement son esprit et son âme.

Quand ils eurent fini de le disséquer, Mike Frost demanda simplement, comme tout patient, s'il pouvait connaître le diagnostic. Le psychiatre lui répondit que cette décision relevait du CST puisqu'il avait fait son travail pour leur compte.

Frost décida de téléphoner à Sharon West, dont il connaissait la compassion.

— Et maintenant, qu'est-ce qui va se passer? demanda-t-il.

— Eh bien Mike, nous avons trouvé un poste pour toi, si tu veux. Ou encore, nous pouvons te faire une offre de retraite anticipée, si tu préfères.

— Quel genre d'emploi avez-vous pour moi au CST?

— En toute honnêteté, je dois te dire que ce serait plutôt humiliant... Tout ce que nous pouvons t'offrir pour le moment est de livrer le courrier dans l'immeuble.

— Tu veux dire que je me promènerais dans les corridors avec ce ridicule petit chariot pour livrer le courrier aux officiers que je commandais?

— C'est tout ce que nous avons de disponible pour le moment.

Malgré les humiliations des derniers mois, il restait encore à Frost un minimum de fierté. Il choisit la retraite, accompagnée d'une prime de départ et de sa pension. Il n'a jamais vu le rapport du psychiatre. Encore aujourd'hui, il a l'impression qu'ils lui ont dérobé son âme et l'ont gardée pour eux. Frost n'aurait pourtant pas dû être aussi naïf.

Au cours des années précédentes, alors qu'il était un as de l'espionnage, il avait vu de bons employés, hommes ou femmes, être écartés de la sorte par le CST. L'idée qu'il pourrait être à son tour victime du même sort ne lui avait jamais effleuré l'esprit. Il ne pouvait trop en vouloir à l'agence. Après tout, le CST lui avait donné jusque-là les meilleures années de sa vie. Mais le jour où on lui offrit de passer d'un rang équivalent à celui de lieutenant-colonel à celui de simple postillon, il ne put s'empêcher de penser que son employeur agissait au mépris de sa dignité.

L'histoire de Mary Cook et la façon dont elle avait été traitée par le CST lui revint en mémoire. Mary

Cook était une employée de l'agence alors que celle-ci ne consistait qu'en une toute petite maison sur la promenade Alta Vista, à Ottawa, au cours des années 1950. Elle y était parvenue entre autres à cause du travail qu'elle avait accompli avec un homme du nom de Bill Stephenson, possiblement le plus célèbre espion canadien de la dernière guerre, mieux connu sous le pseudonyme «Intrepid» (*A Man Called Intrepid*).

«Mary était une encyclopédie vivante, se rappelle Frost. On pouvait lui demander n'importe quoi et, sans même avoir besoin de fouiller, elle se rappelait des événements, des dates ou des noms. Sa mémoire paraissait être à l'épreuve du temps. Les employés du CST allaient voir Mary quand ils avaient le moindre problème professionnel ou familial. C'était un peu comme la maman de tout le monde, et tous l'aimaient.»

Mary Cook ne fut jamais promue à un poste important au sein du CST, mais elle était de cette race de gens qui sont plus essentiels au bon fonctionnement d'une entreprise que ceux ou celles qui détiennent des titres ronflants.

Un jour, les autorités du CST lui dirent tout simplement que son poste était devenu superflu. On n'avait plus besoin d'elle. Elle n'avait même pas soixante ans. D'après Frost, elle avait toujours cru qu'elle travaillerait au CST jusqu'à l'âge de quatre-vingt-dix ans. Elle aussi reçut une offre d'emploi qu'elle ne put que refuser. Ce jour-là, Frost se souvient de l'avoir vue pleurer à chaudes larmes dans la cafétéria de l'agence. «J'étais attristé. Tout le monde l'était et se posait la question: pourquoi Mary?» Son poste, devenu soi-disant superflu, fut comblé par un diplômé universitaire spécialisé en... archéologie!

«Maintenant, c'est mon tour», pensa Frost.

Il pouvait lire l'embarras et la tristesse sur le visage de Sharon West le jour suivant son appel téléphonique, alors qu'il se rendit au CST pour confirmer qu'il acceptait l'offre de retraite anticipée.

— Très bien, dit-elle. Le service de la sécurité communiquera avec toi. Ils vont te faire signer des formulaires de «désendoctrinement».

Deux jours plus tard, la secrétaire de Victor Szakowski lui téléphona pour fixer un rendez-vous.

Mike Frost sortit ses pièces d'identité en arrivant au poste de garde, à l'entrée du terrain clôturé du CST, la seule voie conduisant au quartier général. Il ne put s'empêcher de sourire en regardant les pigeons qui avaient l'habitude de faire leurs nids à l'intérieur des lettres annonçant le nom de l'édifice Sir Leonard Tilley. Les lettres étaient couvertes d'excréments.

Il commit l'erreur de se rendre à son ancien bureau. La poignée de la porte refusa de tourner. Le code d'accès avait déjà été changé. Les hommes de Victor Szakowski avaient fait leur travail. Il se rendit au service du personnel pour rencontrer Sharon West et lui dire qu'il y avait des objets personnels dans son ancien bureau qui lui étaient chers.

— Ils ont tous été empaquetés dans une boîte. Tu peux les prendre en sortant, dit-elle.

— Ils ont vidé mon bureau, s'exclama-t-il, plus pour lui-même que pour elle.

— Oui... tu connais la routine. Je voudrais tout simplement te remercier pour toutes les années de service que tu as données au CST. Au revoir et bonne chance.

Mike avait encore un rendez-vous obligatoire avec Victor Szakowski, un homme qui ne lui avait jamais été sympathique et qui, d'après Frost, connaissait maintenant son heure de gloire avec la nouvelle de son départ.

Au bureau du «gorille» du CST, Szakowski lui dit brusquement:

— Tu dois signer ces formulaires... Désendoctrinement de Pilgrim, Gamma, Guppy, Artichoke...

La liste des noms de code utilisés pour les opérations auxquelles Frost avait participé n'en finissait plus. Après dix-huit années de service, il dut en signer au moins une trentaine.

Être «désendoctriné» signifie que l'ex-agent s'engage à ne rien révéler de son travail antérieur au sein de l'agence à qui que ce soit. Mike Frost était étourdi par l'avalanche de formulaires et d'instructions que lui donnait Szakowski, à savoir que telle opération devait rester secrète durant un certain nombre d'années, une autre pour une période moins longue, certaines pour toujours.

— La boîte contenant tes effets personnels est au quai de chargement. Tu peux la prendre, lui dit enfin le chef de la sécurité.

C'est un homme complètement détruit, les larmes aux yeux, qui se rendit au quai de chargement du CST. Il ne pouvait s'empêcher de penser à toutes les opérations d'espionnage qu'il avait dirigées pour le CST. Il y était maintenant pour cueillir ses photos de famille et ses bibelots.

Mike Frost ferma la portière de son automobile d'un coup sec, prit une longue respiration et se dit: «Enfin, je vais jouer au golf et faire de la natation en Floride.»

À la maison, il s'affaissa sur le canapé du salon et alluma la télé pour regarder l'émission de Sally Jessy Raphael. Était-ce tout ce qui restait de sa vie?

Quatre années plus tard, nous nous sommes rencontrés à une réunion des Alcooliques anonymes. Alors que j'allais quitter la salle, cet homme grand et mince à la barbe blanche et aux fins cheveux blonds m'approcha. Il savait que j'étais journaliste et auteur depuis une vingtaine d'années. On lui avait révélé que j'étais du genre téméraire et que j'aimais être du côté du plus faible dans un combat opposant des forces inégales.

Même si j'avais travaillé comme attaché de presse au bureau du premier ministre Brian Mulroney pendant presque trois ans, je n'avais aucune idée précise de ce qu'était le CST. Je lui ai laissé mon numéro de téléphone. Quelques jours plus tard, nous nous sommes donné rendez-vous pour prendre un café. Je me suis presque étouffé en buvant ma première gorgée quand Mike Frost a commencé à parler.

L'histoire qu'il m'a racontée en est une que tous les Canadiens devraient connaître. Et ceux-ci seront reconnaissants envers celui qui a eu le courage de la rendre publique: Mike Frost. Ce livre est d'abord l'histoire de l'ultrasecret projet Pilgrim. Mais les révélations contenues dans cet ouvrage démontrent aussi ce que le CST, la NSA américaine et le GCHQ britannique peuvent faire contre leurs propres citoyens, en pressant seulement un bouton et en pointant une antenne dans la bonne direction. C'est le récit de l'espionnage que nous faisons parfois contre nos alliés, contre nous-mêmes ou contre le «vilain» du moment. C'est une histoire incroyable, certes, mais combien vraie!

Chapitre II

LE RÉSEAU

Avant de plonger dans l'aventure de Mike Frost, il est peut-être essentiel de fournir un minimum de renseignements, historiques et logistiques, sur le monde clandestin dans lequel il a évolué. C'est un univers dont peu de Canadiens soupçonnent même l'existence, sans compter son potentiel d'abus de pouvoir ou, à tout le moins, d'ingérence dans leur vie privée.

Le Centre de la sécurité des télécommunications, surnommé «la ferme» (*The Farm*) par ses employés, est le rejeton des services de renseignements canadiens de la Seconde guerre mondiale. Non seulement l'agence a-t-elle changé de nom au cours des cinquante dernières années, mais l'unification de plusieurs services autrefois éparpillés à travers l'administration gouvernementale en ont fait un organisme qui s'apparente de plus en plus à la NSA américaine, probablement le réseau d'espionnage le plus puissant du globe, maintenant que le KGB — ou plutôt son successeur — a perdu quelques plumes depuis la dissolution de l'URSS.

Jusqu'en 1975, le CST était connu sous le nom de Service des communications du Conseil national de recherches Canada (CNRC), ce qui permettait de le dissimuler derrière une façade de travaux «scientifiques». Mais quand un reportage télévisé de l'émission d'affaires publiques de la CBC, *The Fifth Estate,* leva le voile sur l'existence méconnue et le rôle réel de l'organisme, le gouvernement Trudeau, dans l'embarras, choisit de mettre ce qui devint le CST sous le parapluie du ministère de la Défense nationale. Cette manœuvre était d'autant plus avantageuse qu'il est plus facile de camoufler une agence de ce genre dans un ministère qui peut invoquer la sécurité nationale pour éloigner les curieux.

Les employés du CST ne sont pas tous des espions au sens strict du terme. Mais tous sont «endoctrinés» et conscients qu'ils font partie d'un plus vaste réseau d'espionnage, tout autant que les fonctionnaires ou même les hommes d'affaires qui travaillent d'une façon ou d'une autre avec le CST et connaissent certains de ses secrets, même les plus inoffensifs.

Qu'est-ce que le CST? Philip Rosen explique son rôle ainsi dans *The Communications Security Establishement: Canada's Most Secret Intelligence Agency:*

«Le CST a un double mandat... Premièrement, il conseille et suggère des méthodes aux différentes institutions gouvernementales pour rendre leurs moyens de communications électroniques sécuritaires; ce rôle est largement défensif et non controversé.»

La deuxième partie de ce mandat est importante parce qu'elle a permis au CST d'échapper à l'attention du public pendant toutes ces années. Elle donne à l'agence la responsabilité de s'assurer que les communications cruciales du gouvernement sont à l'abri de l'écoute électronique et ne peuvent être interceptées par des pays «hostiles».

Les employés du CST, par exemple, installent régulièrement de l'équipement de brouillage au parlement d'Ottawa quand se déroulent des réunions privées du cabinet ministériel. La salle principale de réunion du Conseil des ministres est équipée de microphones et d'appareils de traduction dont les émissions pourraient théoriquement être captées à l'extérieur de l'édifice. Le CST est aussi responsable d'avertir les leaders du gouvernement du danger que représentent, par exemple, les téléphones cellulaires et de leur recommander d'être prudents lors des conversations qu'ils ont à l'aide de ces appareils. Il est cependant plausible que le CST fasse parfois exactement le contraire et qu'il soit chargé d'écouter un ministre. Qui lui donne un tel mandat? Personne ne le sait vraiment puisque le CST ne répond ultimement que du premier ministre et, comme ce livre le démontrera, l'agence a parfois tendance à se lancer dans des opérations du genre de son propre gré.

Rosen décrit ainsi le deuxième volet du mandat du CST: «*[L'agence] est aussi un service de renseignements visant les pays étrangers; cette partie de son mandat lui permet d'intercepter et d'analyser les communications étrangères entre le Canada et d'autres pays... Ce rôle absorbe la majeure partie des ressources du CST et est plus controversé à cause du potentiel d'ingérence et de violation des droits et libertés des Canadiens.*»

Rosen a parfaitement raison. Ce qui manque à son analyse, toutefois, fait l'objet de ce livre. Le CST a également reçu le mandat, sans l'approbation ni la vigilance du Parlement, de faire de l'écoute électronique dans d'autres pays du monde. Depuis 1972, ses agents ont monté des opérations depuis des ambassades canadiennes dans des pays comme la Roumanie, l'Union soviétique et le Venezuela, pour faire de la cueillette de renseignements qui furent ensuite partagés en grande partie avec la NSA américaine et le GCHQ britannique.

Le CST est allé encore plus loin en acceptant de faire le «sale boulot» des deux autres agences en sol étranger et en espionnant des pays que le Canada considère officiellement alliés. Qui plus est, le CST a intercepté maintes fois des communications entre citoyens canadiens.

Tout a commencé de façon plutôt inoffensive, en 1947, quand le Canada, les États-Unis, la Grande-Bretagne, l'Australie et la Nouvelle-Zélande ont conclu un accord de partage de renseignements classés secrets. Le Canada s'est vu confier la tâche de surveiller principalement l'Arctique soviétique.

Le rôle du Canada a rapidement évolué vers l'interception de signaux militaires; les navires de la Marine canadienne reçurent l'ordre d'écouter et d'identifier les communications de navires soviétiques lorsqu'ils s'aventuraient dans les eaux patrouillées par les vaisseaux canadiens. L'écoute électronique des signaux militaires soviétiques ne cessa de prendre de l'expansion. Au milieu des années 1950, le CST d'alors commença activement à essayer d'intercepter les signaux des agences d'espionnage soviétiques du KGB, l'agence civile, et du GRU, l'agence militaire.

Le CST devint également membre du réseau connu sous l'acronyme HFDF (*High Frequency Directional Finding*) qui consiste en une série de bases d'écoute militaires qui forment un cercle de l'Atlantique au Pacifique et qui sont chargées d'intercepter et de localiser les signaux à haute fréquence (HF) de «l'ennemi». Le réseau «Atlantique» du Canada compte les bases de Gander, à Terre-Neuve, de Frobisher Bay, dans l'Arctique, de Moncton, au Nouveau-Brunswick, et de Leitrim, en Ontario. Dès le départ, la NSA fut le centre de contrôle de ces bases, mais elle abandonnait cette responsabilité à la base canadienne de Moncton un ou deux jours par semaine. Le contrôle du réseau donnait à cette base la responsabilité d'affecter tous les autres sites HFDF à une surveillance particulière, habituellement des navires, des avions ou des cargos soviétiques. Sur la côte Ouest, le Canada a des postes d'écoute à Masset et à Ladner, en Colombie-Britannique. À ceux-ci s'ajoutent les installations stratégiques de l'Arctique, à Inuvik et, particulièrement, à Alert, sur l'île d'Ellesmere. En plus de gérer ces sites locaux, le CST décidait parfois d'affecter exceptionnellement ses spécialistes de l'écoute électronique à des vaisseaux de la Marine canadienne naviguant en eaux étrangères.

En somme, le CST est vite devenu le quartier général et l'autorité suprême pour toute opération d'écoute électronique montée par le gouvernement canadien. Les opérations mentionnées plus haut, cependant, constituent le réseau du CST dont on ne cache pas l'existence au public puisqu'il fait partie des mesures de défense dites normales d'un pays.

Le CST se risquait parfois à faire de l'écoute secrète, par exemple lorsqu'un navire de la Marine canadienne accostait dans un port soviétique, comme Vladivostok, dans le Pacifique. Mais c'étaient là des enfantillages comparativement à l'espionnage exercé par les autres agences majeures du genre, et à ce que le Canada se préparait à faire dans les années à venir.

Officiellement, les navires et les bases canadiennes recevaient leurs ordres du quartier général de la «ferme», à Ottawa. Mais comme le dit Mike Frost: «Le directeur de la NSA traitait le CST comme un autre service de son agence. Nous obéissions beaucoup aux ordres directs des Américains.» Il donne l'exemple classique d'Inuvik: «Des bombardiers soviétiques survolaient parfois notre territoire jusqu'aux États du Midwest américain... La NSA nous disait comment agir: "Contentez-vous de les garder à vue et d'intercepter leurs communications."»

Plusieurs Canadiens peuvent rester incrédules devant de telles révélations et se demander pourquoi ces bombardiers n'étaient pas forcés d'atterrir ou tout simplement abattus. Mais pour les gens des services de renseignements, comme Mike Frost, il s'agissait de choses routinières: «Les Soviétiques le faisaient pour intercepter nos communications et tester nos systèmes de défense. Ils envoyaient un bombardier avec une escorte de deux chasseurs.» Cela faisait tout simplement partie du jeu du chat et de la souris auquel s'amusaient les deux superpuissances, puisque les Américains commettaient eux aussi des actes semblables dans l'espace aérien soviétique. Paradoxalement, les incursions des Russes permettaient aux Canadiens et aux Américains de tester leurs propres capacités et de savoir de quoi l'ennemi était capable.

Les incidents étaient devenus si familiers pour la NSA qu'elle pouvait prédire quand ils auraient lieu. Les Soviétiques ne pouvaient se livrer à de tels exercices que certains jours de la semaine et dans des conditions atmosphériques idéales. Juste avant une opération, les Russes ouvraient leur jeu en changeant leurs trajets, en amendant leurs codes et en augmentant le trafic aérien aux abords de la région visée. «Nous attendions ces incursions longtemps avant qu'elles ne se produisent», affirme Frost. La NSA avertissait tout le réseau: «O.K., un bombardier russe va tester nos systèmes de défense tel jour à telle heure. Suivez-le et faites rapport.» Le contrôle de la NSA était si total que les militaires canadiens de la base d'Inuvik recevaient une copie des instructions de l'agence américaine avant même d'obtenir d'Ottawa l'ordre de «passer à l'action». De telles pratiques faisaient partie du quotidien. Par ailleurs, et curieusement, le pouvoir presque bourru de la NSA contribuait graduellement à faire du CST un organisme de plus en plus puissant au sein du gouvernement canadien.

Toujours au cours des années 1950, le CST emménagea dans un édifice de quatre étages sur le chemin Heron, qui avait abrité auparavant les bureaux du ministère de l'Agriculture. Avant ce déménagement, le cœur du CST n'était composé que d'une poignée d'employés travaillant dans une maison unifamiliale, sur le chemin Alta Vista, ses autres services et ressources étant logés au CNRC ou au ministère de la Défense.

La décision de rassembler les services sur le chemin Heron marqua le véritable commencement de l'expansion phénoménale de l'agence d'espionnage international du Canada. La bâtisse avait été construite pour accommoder des fonctionnaires et des bureaux, mais elle n'était pas conçue pour absorber tout l'équipement électronique et de haute technologie que le CST y installerait au cours des années d'évolution rapide à venir.

En 1990, quand Mike Frost fut remercié de ses vaillants services, les locaux du CST étaient disposés grosso modo de la façon suivante. Le sous-sol abritait la cafétéria et des salles d'entreposage. Au rez-de-chaussée, on retrouvait le bureau de poste, les bureaux administratifs, l'agence de voyage du CST, le laboratoire photographique, une section de la sécurité interne, le quai d'embarquement et plusieurs salles d'entraînement pour les aspirants espions. En 1994, le chef du CST, Stew Woolner, avait son bureau au deuxième étage, de même que ses directeurs généraux. C'est là aussi qu'on retrouvait la bibliothèque et la salle ultrasecrète 242, où sont analysées les données fournies par les satellites espions américains de la CIA et de la NSA nommés respectivement *Talent* et *Keyhole*.

L'accès à cette pièce est extrêmement limité au sein du CST même. Le deuxième étage comprend également une large section d'ingénierie où les experts en électronique du CST modifient et fabriquent sur mesure du matériel servant à l'écoute électronique.

C'est au troisième étage qu'est né et a grandi le projet Pilgrim avec, comme tout premiers artisans, Mike Frost et Frank Bowman. C'est aussi là qu'on déchiffre et analyse les résultats de l'écoute dirigée contre les Soviétiques, dans le domaine militaire ou des pêcheries, et qu'on dirige les activités de contre-espionnage.

Le quatrième étage est le domaine quasi exclusif des cryptographes, qui s'acharnent à briser les codes secrets de l'ennemi.

Telle était la disposition des lieux quand Mike Frost en est sorti pour la dernière fois, en 1990.

Mais depuis, on n'a qu'à jeter un coup d'œil rapide en passant devant l'édifice — curieusement situé entre le siège social de Radio-Canada et celui de la Société canadienne des postes — pour remarquer deux choses plutôt étranges. D'abord, une toute nouvelle annexe s'est ajoutée à l'arrière du vieil édifice du ministère de l'Agriculture. Elle ressemble à un gigantesque bunker d'environ quatre étages. Au temps de Frost, on avait baptisé cette annexe «Annie», mais elle gagna vite le surnom péjoratif de «Granny» (mémé), car sa construction semblait constamment ralentie par le dédale de la bureaucratie. Mais Granny existe bel et bien aujourd'hui. Il s'agit d'un bloc massif de béton, sans fenêtres, bâti sur un terrain que les employés de la «ferme» utilisaient autrefois comme terrain de jeu. Le nouvel édifice est, en termes électroniques anglais, *tempest-proof*, c'est-à-dire que ses murs sont spécialement isolés pour bloquer toute irradiation des appareils électroniques utilisés à l'intérieur. On ne peut y entrer qu'en passant par l'ancien édifice. Mike Frost n'était plus au CST lors de l'achèvement du projet, mais il croit qu'il est logique de penser que Granny contient maintenant les appareils de décodage et l'énorme ordinateur Cray, la section d'ingénierie, la section Talent-Keyhole, l'unité de contre-espionnage et, probablement, les bureaux du projet Pilgrim. En somme, tout ce qui pourrait émettre des ondes compromettantes.

Un simple observateur aurait été intrigué par les échafaudages insolites qui entourent l'ancienne bâtisse (ils ont été démantelés au cours de l'été de 1994). Ces échafaudages fournissent en fait la preuve concrète et visible de l'existence de Granny. Réaménager l'édifice ne fut pas chose facile. Par exemple, on a dû couler un nouveau plancher de béton au quatrième étage pour s'assurer que le poids du superordinateur de décodage Cray ne ferait pas céder le plafond du troisième. L'ordinateur en question était l'invention d'une vie pour Engstrom Cray, ancien chef de la recherche à la NSA. Quand le premier modèle en fut produit, en 1976, il s'agissait de l'ordinateur le plus perfectionné du genre, capable de traiter 320 millions de mots à la seconde. Il pesait apparemment 7 tonnes.

La «ferme» se gonfla de tellement d'appareils du genre et d'employés que l'édifice vint au bord de l'éclatement. Au cours des années 1970, la brique des murs extérieurs se mit à tomber. L'édifice défiait tellement les normes de sécurité que les autorités municipales auraient probablement été forcées de le condamner si les règlements avaient été respectés. Certains bureaux furent déménagés du chemin Heron à un autre édifice, au Billings Bridge Plaza. Une section de la bibliothèque fit partie du lot, ce que Frost jugea insensé puisque les agents qui avaient besoin de documentation travaillaient à plusieurs kilomètres de là.

Le CST a un système téléphonique interne assez particulier. Au début, les bureaux des directeurs de secteurs étaient munis de deux appareils, un noir pour les appels à l'extérieur et un vert pour les conversations internes. La «ligne verte» est absolument sûre; on peut l'utiliser pour discuter de sujets ultrasecrets. Non seulement elle ne transmet rien à l'extérieur des murs du CST, mais elle brouille les conversations. En outre, les téléphones sont équipés d'un mécanisme d'autoprotection qui coupe immédiatement toute communication sur la ligne verte si l'interlocuteur décroche le téléphone noir externe.

Depuis, le CST s'est doté d'un système à trois téléphones, ayant ajouté à son arsenal une «ligne rouge» qui met ses agents en contact direct avec leurs homologues de la NSA (même s'il s'agit d'appels interurbains, ceux-ci sont aussi brouillés). Dans le milieu, on dit de ces téléphones qu'ils sont codés, c'est-à-dire que même si on parvenait à intercepter le signal en question, on n'en retirerait que des parasites... du moins en théorie. Dans le monde des services de renseignements, où la technologie évolue à un rythme fulgurant, on ne peut jamais être absolument certain que «l'ennemi» n'a pas réussi à résoudre l'énigme.

L'emplacement de l'édifice du CST est un de ses principaux avantages puisque de cet endroit, on peut capter à peu près tout ce qui passe dans la zone radio d'Ottawa, des satellites soviétiques aux tours à microondes — qui transmettent des tonnes de renseignements —, aux téléphones cellulaires, que l'on écoute sur une base quotidienne. «Nous étions capables d'intercepter n'importe quoi, si nous le voulions...» raconte Mike Frost.

Le CST a également à sa disposition deux petits camions blancs qui ressemblent à des cantines mobiles mais qui sont complètement fermées. On peut les déplacer n'importe où, en ville ou ailleurs, pour monter des opérations d'écoute électronique. Il est possible, avec de l'équipement moderne — toujours plus petit et plus puissant —, de faire de l'écoute depuis la banquette arrière d'une familiale. Officiellement, les deux camions blancs sont utilisés pour des opérations préventives, visant à protéger les communications internes du gouvernement canadien, ce qui est le rôle officiel du CST. En fait, ils sont régulièrement et rapidement modifiés pour mener des opérations clandestines lorsque nécessaire. Comme on le verra plus loin, ces «roulottes à patates» peuvent être drôlement efficaces dans ce dernier rôle. Elles transportent de deux à quatre techniciens, selon la complexité de l'opération, et sont constamment munies de toute une gamme d'émetteurs-récepteurs et de magnétophones. Les camions sont climatisés et sont équipés de leurs propres générateurs pour faire fonctionner l'équipement.

Le périmètre de l'édifice du CST est entouré d'une clôture d'acier de trois mètres de haut, coiffée de fils barbelés. Il n'y a qu'une seule barrière qui permet l'accès à l'intérieur de ce périmètre, où seuls les plus hauts gradés de l'agence peuvent garer leurs autos. Le stationnement des quelque 1 000 employés est situé à l'extérieur de la clôture.

Pour se rendre à son bureau, chaque employé doit présenter sa carte d'identité top secrète trois fois, à trois gardes différents du corps des commissionnaires. Au dernier poste de garde, le commissionnaire avertit la sécurité interne que l'employé en question doit atteindre la porte de son bureau dans les minutes suivante, en utilisant l'un des deux ascenseurs ou l'escalier. Même si Mike Frost n'a jamais pénétré dans l'enceinte de la mystérieuse Granny, il soupçonne que le système y est le même, mais avec des moyens encore plus perfectionnés et efficaces.

C'est donc sur ce terrain que le projet Pilgrim a germé.

■

Pilgrim n'aurait jamais vu le jour sans la forte pression exercée par les États-Unis sur les autorités canadiennes et la pleine coopération du GCHQ britannique.

Au début des années 1970, ces deux puissantes agences d'espionnage partageaient une bonne part des renseignements qu'elles obtenaient clandestinement avec le Canada, comme le voulait un accord nommé CANUKUS (Canada, United Kingdom, United States). Il existait une entente similaire à cinq, incluant l'Australie et la Nouvelle-Zélande, mais le Canada était de loin l'enfant chéri des deux géants de l'espionnage. Les Canadiens, toutefois, avaient très peu à offrir en retour de ces services exceptionnels, et évitaient totalement de s'engager dans des opérations risquées à l'échelle internationale.

Il est important de souligner la différence marquée qui existait dans les relations entre le CST canadien et ses deux principaux partenaires. La NSA était perçue un peu comme la brute bienveillante, toujours prête à prendre les grands moyens, alors que le GCHQ projetait l'image stéréotypée du calme *bobby* britannique dépourvu d'arme à feu.

Une description sommaire des quartiers généraux des deux agences en question donnera une bonne idée de ce qui attendait les Canadiens au sud de leurs frontières et de l'autre côté de l'Atlantique.

La NSA, comme nous l'avons déjà mentionné, voyait tout simplement le CST comme l'une de ses filiales. Des agents et des techniciens du CST visitaient régulièrement ses principales installations à la base militaire de Fort Meade, au Maryland, entre Baltimore et Laurel. Fait intéressant, alors que la quasi-totalité des Canadiens ne reconnaîtraient pas l'édifice du CST s'ils l'avaient devant les yeux, la NSA, qui garde pourtant jalousement ses secrets et ses airs de mystère, est loin d'être cachée de la vue du public. En fait, si vous suivez l'autoroute 95 à travers le Maryland, vous verrez à un moment donné un panneau indiquant la sortie pour se rendre à la NSA.

Mike Frost en vint à considérer Fort Meade comme son deuxième chez-soi, quoique pas nécessairement le plus accueillant. Il avait «senti» la puissance de la NSA dès sa première visite. Une première émotion forte heurte le néophyte à la vue du parc de stationnement, qui s'étend à perte de vue. Il contient 10 000 automobiles, toutes utilisées par des employés de la NSA. Puis il y a ces deux énormes machins blancs, sur le toit de l'édifice principal, qui ressemblent à de gigantesques balles de golf. Elles abritent des antennes d'écoute de toutes sortes.

Un garde armé, qui était un *Marine* américain à l'époque de Frost, protège l'entrée du stationnement. (Le contrat de sécurité a été donné depuis à une agence privée, qui utilise elle aussi des sentinelles armées.) Le visiteur doit dire qui il est, où il va et, évidemment, montrer des pièces d'identité, incluant sa carte d'assurance sociale (même canadienne). À l'intérieur du stationnement, un autre garde armé surveille une barrière qui est la porte d'entrée d'une clôture électrifiée à haute tension. Le garde vérifie si vous êtes sur la liste des personnes attendues ce jour-là. On n'entre pas à la NSA comme dans un moulin. Toute arrivée doit être annoncée et préparée plusieurs jours à l'avance.

Avant même de pénétrer dans l'immeuble, il faut passer deux postes de vérification. Il y a quatre entrées principales au quartier général de la NSA. En voyant l'édifice, Frost aurait juré qu'il était plus vaste que celui du Pentagone (que l'on considère comme le plus grand au monde, en termes de superficie). Mais, les visiteurs comme Mike Frost ne peuvent être admis que par une seule porte. L'accueil à l'intérieur est alors presque prévisible: d'autres soldats, d'autres mitraillettes. On n'insiste pas avant de tourner immédiatement à droite, où est l'aire de réception officielle. Normalement, votre hôte, un employé de la NSA, vous y attend. S'il n'y est pas, vous êtes bloqué, vous n'allez pas plus loin.

L'hôte vous mène à un commis de bureau qui, une fois de plus, vérifie sa liste pour voir qui vous êtes. Tous vos papiers d'accès vous y attendent, de même que la carte d'identité qu'on vous enchaînera autour du cou. Le commis sait exactement quel type de carte il doit vous remettre. Et peu importe le nombre de visites, récentes ou non, que le visiteur a pu effectuer à la NSA dans le passé, il est photographié de nouveau. La carte vous identifie par vos nom et numéro d'assurance sociale et indique la durée de votre séjour à l'agence. Il existe des cartes de différentes couleurs. Les jaunes sont pour les «étrangers». Chaque carte a aussi une bande magnétisée à l'endos, donnant accès seulement aux bureaux où vous êtes attendus, comme ces clés d'hôtel jetables. Dans tous vos déplacements, si vous rencontrez un garde armé, il s'attend à ce que vous placiez votre carte d'identité sous votre menton, pour qu'il puisse bien comparer la photo et votre visage. La procédure est la même à la cafétéria, chez le coiffeur, à la banque: le quartier général de la NSA est vraiment une petite ville avec tous les services, commerciaux ou autres. Si vous avez quelque chose dans les mains, tel un porte-documents, vous devez en montrer le contenu chaque fois que vous rencontrez un garde, à moins que votre carte d'identité ne vous exempte spécifiquement de cette vérification.

La procédure est la même en quittant l'édifice. Et personne ne sort de la NSA en emportant quoi que ce soit, pas même une boîte à lunch, sans être fouillé.

«L'édifice est si immense, insiste Frost, qu'il semble s'étendre à l'infini.» Il ne peut s'enlever de la tête l'image des semi-remorques qui circulent dans le sous-sol de l'agence, où tous les documents compromettants sont transportés pour être incinérés. «Ils ont des dix-huit-roues, là-dedans! s'exclame Frost. C'est comme s'il y avait une autoroute dans le sous-sol, où les camions roulent allègrement vers l'incinérateur. Il faut une carte routière pour circuler dans ce building.» En fait, l'édifice est en forme de boîte avec un vide au milieu; ce vide est rempli d'arbres, de fleurs, de bancs de parc... Vous pouvez vous rendre n'importe où à l'intérieur de l'édifice sans devoir passer par l'extérieur, mais vous pouvez marcher longtemps avant d'arriver à destination.

Malgré la fréquence de ses visites à Fort Meade au cours des ans, c'est toutefois à une autre installation hautement secrète de la NSA, connue sous le nom de College Park, que Frost partagea le plus de renseignements et de secrets avec ses cousins américains.

Le CST comptait sur la NSA pour lui fournir des ressources financières, de l'équipement électronique et du «muscle». Et les Américains, comme toujours, n'hésitaient pas à exhiber leur puissance.

C'était radicalement différent avec le GCHQ. Les espions du CST respectaient plutôt l'expertise, les vastes connaissances et les méthodes subtiles qui faisaient des Britanniques les maîtres de l'espionnage international. «La NSA, se souvient Frost, nous disait ce que nous allions faire et comment nous devions le faire. Le GCHQ nous demandait simplement s'il était possible pour nous d'accomplir quelque chose et, si nous étions d'accord, ses agents nous faisaient des suggestions pour parvenir à notre but. Le GCHQ faisait un peu partie de la "famille", alors que la NSA faisait figure de "parrain".»

La différence était encore plus flagrante quand les Canadiens avaient l'occasion de comparer les installations respectives des deux agences.

Frost se sentait toujours plus à son aise au GCHQ, qui est situé aux abords de la ville de Cheltenham, au pied des Cotswold Hills, plus près de l'océan Atlantique que de Londres. La région campagnarde que l'on doit traverser pour s'y rendre est d'une beauté ancienne, typiquement britannique. Frost logeait toujours au *Cotswold Grange*, un *bed and breakfast* qui consistait en deux maisons centenaires, une de chaque côté du chemin. L'endroit était tenu par un couple et leur fils, et «protégée» par un berger allemand. La route qui mène de l'auberge au GCHQ évoque une plaisante randonnée du dimanche à la campagne.

En arrivant au quartier général de ce qui est peut-être l'agence d'espionnage la plus efficace au monde — par opposition à la plus puissante —, on a l'impression d'avoir reculé de cinquante ans dans le temps. On y trouve de vieilles baraques militaires pêle-mêle, certaines faites de pierre, d'autres de bois, toutes en mal d'être repeintes. Le gazon pousse à l'état sauvage, les trottoirs sont inexistants et on se rend d'une baraque à l'autre par des sentiers battus. Un commis vous accueille à l'entrée en vous offrant une tasse de thé et vous conduit dans un bureau où les employés sont presque tous de sexe masculin; le mur jauni par le temps est orné d'une horloge si vieille qu'elle indique l'heure en chiffres romains et les meubles d'une époque révolue sont usés à la corde.

Mais comme le dit Mike Frost, «ce que la NSA peut faire avec une centaine de personnes et un budget de 2 millions de dollars, le GCHQ peut le réussir avec seulement une dizaine de personnes et 100 000 dollars... Ce sont des gens totalement engagés, qui savent exactement ce qu'ils ont à faire à brûle-pourpoint.» Ils ont battu les Américains au «jeu» de l'espionnage plus d'une fois au cours des années. Même les gens de la NSA respectent et reconnaissent leur compétence, quoiqu'ils ne le disent pas trop haut.

Les agents du GCHQ n'étaient pas aussi arrogants que leurs confrères des États-Unis. Alors que les gars de la NSA faisaient des déclarations à l'emporte-pièce comme: «nous allons vous trouver un avion, nous allons vous acheter un ordinateur», les agents britanniques se contentaient de dire: «nous ferons notre possible et on verra».

Mike Frost s'y sentait d'autant plus à l'aise qu'au GCHQ, les gens connaissaient le Canada. Ils savaient où était Ottawa, ils savaient que Winnipeg était une ville de l'Ouest. Les gens de la NSA, à quelques exceptions près, savaient que le CST existait, mais ignoraient tout de cette lointaine Ottawa et ne se doutaient même pas qu'il s'agissait de la capitale du Canada.

Il n'y avait pas de gigantesque parc de stationnement sur le site de Cheltenham. Les agents canadiens garaient leurs voitures çà et là, devant l'édifice où ils devaient travailler, dans le champ ou sous un arbre. L'endroit était évidemment patrouillé par des forces de sécurité, mais rien de comparable à la forteresse de Fort Meade. Un *bobby* accueillait le visiteur à la barrière avec un simple «*Good morning, Sir!*» Le gendarme britannique vous saluait officiellement, peu importe qui vous étiez. Ici, pas de militaires. Frost n'y a jamais vu une seule arme à feu.

■

C'est donc dans ce contexte qu'au début des années 1970 le gouvernement canadien a chargé un homme du nom de Frank Bowman de monter sa première opération d'espionnage à l'étranger en temps de paix.

Mike Frost était alors sous-officier et spécialiste de l'écoute électronique au sein de la Marine canadienne.

Frank Bowman, approchant la cinquantaine, était probablement le meilleur homme pour l'emploi. La pipe fumante au bec, les cheveux foncés toujours en place, costaud avec son mètre soixante-treize, impeccablement vêtu d'un complet et d'une cravate, cet homme discret et réservé n'élevait jamais le ton, ne perdait jamais son sang-froid et semblait accepter les ordres, aussi bizarres fussent-ils, comme si tout cela faisait simplement partie de la vie.

Il s'exprimait calmement, mais inspirait inévitablement l'autorité. Il avait une mémoire d'éléphant, et malheur à celui qui pensait le déjouer! Tout au long de sa carrière au CST, on lui confia des responsabilités majeures et on lui permit toujours de choisir lui-même son personnel.

C'est donc vers Frank Bowman que le CST se tourna quand la NSA se mit à hausser le ton et à exiger que le Canada s'engage activement dans l'écoute diplomatique en le menaçant de le couper des renseignements qu'il obtenait des services américains.

«Fais au moins un effort symbolique pour satisfaire les Américains, lui dirent ses supérieurs. Allez à Moscou, voyez s'il y a moyen d'intercepter quoi que ce soit... Ils vont être contents et nous ne les aurons plus sur le dos!»

C'était sous-estimer grossièrement Frank Bowman et son sens du devoir. Comme d'habitude, il se contenta de dire: «D'acco-dak!» Mais les intentions réelles de Frank Bowman étaient tout autres. Il n'allait certainement pas se contenter de monter un petit spectacle factice pour plaire à la NSA et au GCHQ. Pour la première fois, il voyait la porte s'entrouvrir pour laisser les joueurs canadiens entrer dans le vestiaire des «ligues majeures».

Sur le plan politique, une telle aventure n'enchantait guère les leaders du pays à l'époque. Et il est douteux qu'aujourd'hui, ils puissent se rendre populaire grâce à la pratique de l'espionnage.

On demandait à Bowman de «faire un effort». Les leaders politiques et les mandarins de la bureaucratie croyaient cependant que le CST ne réussirait jamais à monter une opération de ce genre et que les Américains laisseraient tomber en se disant que les Canadiens en étaient tout simplement incapables.

Mais Frank Bowman se disait qu'on lui avait confié un travail et qu'il n'avait qu'à l'accomplir. C'était plus important et plus risqué que tout ce qu'il avait fait jusque-là, mais il avait la ferme intention de réussir. Les années qui suivirent furent longues et frustrantes. Toutefois, ce qui ne devait être qu'une opération «écran de fumée» pour le CST finit par produire les troupes d'élite de l'agence. Cette opération lança le Canada sur la scène internationale de l'espionnage comme jamais ses chefs ou ses citoyens n'auraient pu l'imaginer.

Chapitre III

INEFFABLE STEPHANIE

Même le temps semble arrêté à Alert. Le soleil blanchâtre de l'été — si c'est bien l'été — est là, comme accroché à la pâleur du ciel, tel un élément de décor d'une pièce surréaliste. Alert semble irréelle. Un morceau de rien au milieu de nulle part. Perdue dans l'immensité de l'Arctique canadien, tout en haut du globe terrestre, là où aucun être humain ne peut se sentir plus bas.

L'ennui, le froid, le silence, la désolation, la monotonie, que seules viennent briser les aurores boréales d'un hiver aussi noir que la blanche lumière de l'été, dans une valse céleste folle d'archanges aux portes du ciel.

Alert, c'est l'enfer, celui de la mythologie où les damnés répètent jour après jour des tâches qui n'en finissent jamais et qui ne mènent nulle part.

Au fond, cette base mérite peut-être son sort de monument à la folie humaine, de première bouée vers l'Apocalypse.

Vous n'avez qu'un souhait lorsqu'on vous affecte à la base d'Alert: en sortir. Le service militaire y dure 183 jours et tous commencent le décompte dès leur arrivée. Sur chaque table, chaque bureau, chaque mur, on peut lire une inscription gravée ou griffonnée rageusement: «*I.H.T.F.P.*», qui veut dire: «*I hate this fucking place!*» (traduit poliment: «Je déteste cet endroit maudit!»).

Cet été-là, en 1971, Mike Frost acceptait son triste sort avec résignation. Il n'était pas dans sa nature de se plaindre et, de toute façon, ses treize années de vie militaire l'avaient habitué à se résigner.

Pourtant, même pour lui, Alert était dure à avaler. Quelque 1 000 mètres de chemins poussiéreux, des baraques de bois, un curling et, bien sûr, un mess où l'alcool coulait à flots. Il se sentait au bord du néant. Il songeait parfois à ses affectations sur les navires de la Marine; ce n'était pas le confort au foyer, mais on finissait toujours par accoster quelque part, on visitait des villes, on voyait des choses, des femmes... À Alert, en 1971, pas de télévision ni de téléphone, aucun moyen d'évasion. Sauf l'alcool, qui ne coûtait presque rien. Au mess, un verre se vendait 15 cents. Et si on était à court d'argent, on vous faisait crédit. Les autorités militaires voulaient que leurs gars soient heureux et sans souci. Mike Frost ne s'en plaignait pas; il profitait pleinement des largesses de Bacchus. C'était le seul moyen de ne pas sombrer dans la folie et d'oublier que sa vraie vie était à des milliers de kilomètres, là où sa femme Carole élevait seule leurs trois garçons.

Assis sur le coin de son lit de camp, Frost ouvrait religieusement son courrier de la semaine. C'était l'un des rares moments exaltants à Alert, où le courrier n'était livré qu'une fois tous les sept jours. L'exaltation était plus souvent qu'autrement passagère et tournait à la dépression. Les lettres de la maison ne faisaient que lui rappeler le nombre de mois qu'il lui restait à faire.

Frost en était tout de même presque à mi-chemin de ses 183 jours. Il allait bientôt pouvoir commencer le compte à rebours des jours le menant à sa «libération». Rien ne l'avait préparé, en cette journée morne du mois d'août, à la surprise que le courrier lui réservait cette semaine-là. Une simple lettre allait changer sa vie à tout jamais. En lisant les premières lignes, il se mit à trembler. Cette fois-ci, ce n'était pas à cause de l'alcool qu'il avait consommé la veille.

■

Depuis combien de temps planifiait-on ce satané projet? Frank Bowman ne savait plus trop; deux ans, probablement trois. On venait finalement de lui donner le feu vert. Après toutes ces discussions politiques et bureaucratiques passées à tourner en rond et tous ces voyages à la NSA et au GCHQ, le gouvernement canadien allait de l'avant. Les Américains avaient réussi; leurs moyens de pression avaient porté fruit. Quant à Frank Bowman, cela était parfaitement justifié.

Il avait maintenant la tâche délicate de diriger une équipe qui s'aventurerait en terrain totalement inconnu pour le Canada en temps de paix. Il en acceptait la responsabilité à une seule condition: il choisirait «son monde». Personne ne s'y opposa.

Assis dans son bureau d'Ottawa, la pipe à la bouche, Frank Bowman fit une liste de noms, des hommes de confiance.

Le premier était celui de Mike Frost.

— Tu ne peux pas avoir Frost, il est à Alert, lui avait-on dit.

— Allez au diable! avait-il répliqué. Sans lui, je refuse de le faire.

■

Mais qui était donc ce Mike Frost, et pourquoi Frank Bowman tenait-il tant à lui? Son histoire est à la fois tragique et, par moments, franchement comique. Sa jeunesse en fut une de rebondissements, parfois emballante, souvent tumultueuse, mais surtout douloureusement stressante.

Frank Bowman savait de lui qu'il était un homme qui obéissait aux ordres, quels qu'ils soient. Il savait qu'il accomplissait son devoir à n'importe quel prix et qu'il était devenu un Canadien farouchement patriotique, prêt à tout pour servir son pays, parfois au détriment de sa femme et de sa famille, de ceux qu'il aimait.

Mike Frost est né à Kingston, la capitale de la Jamaïque, en 1938. «C'était une époque, se souvient-il, où être Blanc était bien et être Noir était mal.» Lui était Blanc. Ses parents divorcèrent alors qu'il n'avait que cinq ans. Il vécut avec sa mère, qui gagnait sa vie comme commis de bureau. Ce travail pourtant modeste leur permettait de vivre dans leur propre maison avec l'aide de trois serviteurs — un cuisinier, un majordome et une bonne pour Mike —, en plus de deux jardiniers.

Sa mère, devait-il apprendre plus tard, était une alcoolique invétérée. Il ne voyait jamais son père. «Je n'ai pas été élevé, dit-il aujourd'hui. J'ai seulement vieilli.»

Il n'avait que douze ans le jour où sa mère rentra à la maison pour lui dire simplement: «Je quitte la Jamaïque... Un jour, je viendrai te chercher.» Laissé-pour-compte, Mike ne savait pas où il habiterait ni s'il reverrait sa mère un jour. Il ne savait pas non plus où elle allait, avec cet homme d'origine britannique du nom de John Frost, sauf que c'était quelque part en Amérique du Nord. Il ne se souvient pas d'avoir entendu sa mère faire quelque suggestion que ce soit quant à qui allait s'occuper de lui dorénavant ou dans quelle maison on l'accueillerait. Sa sœur aînée, Marguerite, alors âgée de seize ans, régla son propre problème en se mariant.

Mike, lui, ne trouva rien de mieux à faire que de sauter sur son vélo et de pédaler furieusement jusqu'à la demeure de sa grand-mère paternelle. Celle-ci semblait être la seule personne au monde qui se préoccupait un tant soit peu de son sort. Son fils, lui, s'en fichait.

«J'ai frappé à sa porte et je lui ai demandé si je pouvais rester, dit-il. C'était une femme adorable.» Elle accepta de le loger dans la chambre attenante à la cuisine, qu'il partagea avec le cuisinier.

Mike se souvient qu'il exprimait alors son traumatisme en écrivant le mot «*Mom*» (Maman) sur chaque ligne de chaque page d'un cahier d'exercices scolaires. L'école n'était pas une priorité pour lui. Il préférait courir les rues de Kingston, pieds nus, avec ses copains jamaïcains. Mais après quelques mois, avec l'aide de sa grand-mère et de sa sœur, il découvrit que sa mère était à New York, où elle travaillait comme domestique. Elle était sur le point d'épouser John Frost. Plus tard, il apprit qu'elle s'était envolée vers Vancouver, en Colombie-Britannique.

Par l'intermédiaire de sa grand-mère, son père lui fit savoir que s'il souhaitait rejoindre sa mère à Vancouver, il devait s'embarquer sur un cargo de la marine marchande comme mousse ou quelque chose du genre. Sa grand-mère lui laissa le choix de rester, mais il préféra partir.

C'était à l'été de 1951. Il n'avait que treize ans. Il s'embarqua sur un cargo, le *Loch Ryan*, et, en passant par le canal de Panama, il remonta la côte ouest des États-Unis jusqu'au Canada. Mike avait quitté la Jamaïque avec sa bicyclette et quelques vêtements. Il fallut six semaines au navire pour atteindre Vancouver.

Quand le bateau arriva enfin au port, personne n'attendait Mike sur le quai, même si sa mère savait qu'il devait arriver ce jour-là. Il resta sur le *Loch Ryan* à attendre pendant deux jours, peut-être même trois, avant qu'elle ne vienne.

Même avec le climat relativement doux de Vancouver, le mois d'octobre était un peu frisquet pour un jeune Jamaïcain qui n'avait que des shorts et des T-shirts à se mettre sur le dos et qui ne portait jamais de souliers.

Sa mère n'avait pas d'auto. Ils se rendirent en autobus à la maison où elle vivait avec John Frost. Il eut tout juste le temps de mettre sa valise par terre que déjà sa mère lui dit:

— Demain, j'irai te montrer l'école où tu seras en pension.

— Demain? demanda Mike, ahuri, lui qui croyait avoir enfin retrouvé une vie familiale.

— Oui. Tu y es déjà inscrit. Demain, nous t'emmènerons à l'arrêt d'autobus pour te montrer comment t'y rendre, ajouta-t-elle sans plus de discussion.

Le jour suivant, il était enrôlé au pensionnat du St. George's Boarding School, l'une des écoles les mieux cotées du pays. Sa mère lui avait déjà acheté l'uniforme obligatoire, les pantalons de flanelle gris, le veston bleu foncé, la chemise blanche et la cravate, et... une paire de souliers. Il entra en huitième année. Pourquoi? Comment? Il n'en sait rien. Il n'avait pas vraiment d'éducation et n'avait même pas terminé sa septième année à Kingston. Il avait l'impression d'être tombé sur une planète étrange et hostile. Mike, qui portait toujours le nom de son père, Earle, s'exprimait alors en anglais avec un fort accent jamaïcain. Il agissait comme un Noir, il souhaitait même être Noir. On lui apprit qu'il allait jouer au cricket et au rugby. Il avait joué un peu au cricket en Jamaïque, mais il n'avait jamais entendu parler du rugby. Il ignorait aussi qu'en douzième année, dans la même école, se trouverait un élève du nom de Peter Hunt, qui allait jouer un rôle crucial dans sa vie plusieurs années plus tard.

Son beau-père fit fortune dans l'assurance. Vers le milieu des années 1950, il acheta une maison de cinq chambres à coucher de 250 000 dollars dans le quartier cossu du Vancouver des *British Properties*. «C'était un endroit très élitiste, raconte Mike. J'avais ma propre chambre et tout ce que je voulais, mais ce n'était qu'une façade pour moi. J'aurais cent fois mieux aimé être en Jamaïque à courir les rues ou à me promener à dos d'âne.» Tout le temps qu'il passa dans les *British Properties* ou à St. George's, il se sentit comme un poisson hors de l'eau. Mais au bout de cinq ans, il obtenait son diplôme de douzième année. «J'imagine qu'il était facile pour moi d'apprendre ce qu'on m'enseignait», dit-il. L'un de ses plus pressants efforts fut de se concentrer sur son anglais parlé afin de se débarrasser de son accent jamaïcain et de mieux s'intégrer à son milieu.

À l'âge de seize ans, il entra à l'Université de la Colombie-Britannique. Il ne lui fallut que deux autres années pour comprendre qu'il en avait soupé de l'école. En 1958, il décida de s'enrôler dans la Marine canadienne. Théoriquement, il aurait pu être accepté comme officier, mais il y avait une période d'attente pour les aspirants officiers et Mike voulait devenir marin le plus vite possible. De plus, il était daltonien et avait échoué au test qui devait déterminer s'il l'était. Ce test est un préalable pour tout officier marinier, car celui-ci doit pouvoir distinguer la couleur des phares rouges ou verts qui, la nuit, signalent si un navire s'éloigne ou se dirige vers vous.

Il s'inscrivit comme simple matelot et fut envoyé à l'école de la Marine de Cornwallis, en Nouvelle-Écosse. On lui demanda dans quel secteur il voulait s'enrôler. L'un d'eux l'intéressa particulièrement parce qu'on refusait de lui dire spécifiquement de quoi il s'agissait. C'était semble-t-il top secret.

«C'est ce que je veux!» déclara Mike avec enthousiasme.

De Cornwallis, il fut muté à la base de Gloucester, au sud d'Ottawa, où il apprit les techniques d'interception et d'écoute électronique, à l'automne de 1958.

Mike était un jeune homme fougueux de dix-neuf ans lorsqu'il fut affecté à Gloucester. Suivant la suggestion d'un ami, il correspondait depuis quatre mois avec une jeune fille de dix-sept ans qui habitait Ottawa. Elle se nommait Carole Lester. Quand Mike arriva finalement dans la capitale fédérale, il téléphona à Carole et l'invita à dîner. Après cette soirée au restaurant *L'Esterelle*, sur la rue Sparks, leurs destins furent résolument liés. Mike avait été séduit par son sourire et son sens de l'humour. Un an plus tard, ils se mariaient à l'église St. Augustine's d'Ottawa. Ils eurent trois enfants, tous des garçons. Au fil des ans, Carole a toujours été celle qui a permis à Mike de traverser les coups durs, même quand tout semblait perdu. Elle l'a suivi partout et a silencieusement accepté de prendre soin seule des enfants lorsqu'il était impossible à Mike de lui prêter main-forte. Elle l'a toujours soutenu en temps de crise et est toujours là aujourd'hui.

Mike Frost fut d'abord affecté à la base d'interception de Moncton, au Nouveau-Brunswick, où il traqua les signaux à haute fréquence des communications clandestines soviétiques. Il pouvait s'agir de communications du KGB ou du GRU, effectuées depuis des navires, des avions militaires ou même des bateaux de pêche. Les Soviétiques qui pêchaient en haute mer avaient l'habitude de donner de fausses positions dans leurs messages radios et de prétendre pêcher légalement alors qu'ils étaient à l'intérieur des limites territoriales canadiennes.

Dans l'esprit de Mike Frost, l'URSS devint très vite l'ennemi le plus dangereux du Canada. Jusque-là, il n'avait jamais beaucoup réfléchi à la politique internationale. Comme le dit son épouse, «il était trop occupé à s'amuser»!

En 1961, Frost reçut une nouvelle affectation, en mer cette fois. Après un cours sur les méthodes de guerre électronique à Gloucester, il revint sur la côte du Pacifique pour monter à bord du *Skeena*, l'un des destroyers de la flotte canadienne. La crise des missiles de Cuba survint alors qu'il était membre de l'équipage du *Skeena* et il se souvient d'avoir pris la mer pour se préparer à l'éventualité d'une guerre nucléaire. Cet événement marquant de la guerre froide contribua encore plus à l'aversion que Frost développa envers tout ce qui était soviétique.

Un jour, Frost et ses compagnons d'armes du *Skeena* crurent avoir réussi un coup de maître dans la guerre électronique qu'ils livraient sans relâche à l'URSS. Leur spécialité en matière d'interception consistait surtout à saisir les signaux des radars utilisés par l'ennemi. Frost avait appris à identifier le type de radars utilisés par différents vaisseaux et avions, y compris évidemment ceux des Soviétiques. Le *Skeena* était en manœuvres au large de l'île de Vancouver, s'exerçant à traquer un sous-marin canadien, quand tout à coup, les appareils de captage électronique perçurent ce que l'on crut être le radar d'un sous-marin soviétique. Le signal correspondait parfaitement aux paramètres d'un tel radar, la fréquence était la bonne et avait la bonne impulsion. De «capturer», ne fût-ce qu'électroniquement, un sous-marin russe mériterait une note d'excellence au dossier de rendement des techniciens du navire et même du capitaine. On rapporta la découverte à ce dernier, qui descendit vite vérifier l'information dans la section de «guerre électronique». Il conseilla au commandant de l'escadron de cesser l'exercice en cours pour se lancer à la poursuite du sous-marin, puisque tel était le rôle d'un destroyer.

«Nous l'avons pris en chasse, en nous éloignant toujours plus loin de la côte, raconte Mike Frost. Il descendait et il remontait, descendait et remontait, tout comme un sous-marin le ferait.»

Après plusieurs heures angoissantes à tenter de ne pas perdre la trace de l'ennemi, la chasse sembla porter fruit quand un message du pont du *Skeena* annonça qu'on avait pu voir, à l'aide de puissantes jumelles, ce qui ressemblait au kiosque d'un sous-marin. Le destroyer se dirigea directement vers lui à pleins nœuds. La houle était forte. Le kiosque disparut soudainement, pour remonter plus loin. «L'enfant de chienne, il va replonger!» se disait Frost. «Mais un peu plus tard, il revenait à la surface et nous pensions qu'ils avaient décidé de jouer avec nous. C'était vraiment excitant, et plus nous gagnions sur lui, plus ça ressemblait à un kiosque de sous-marin.»

En approchant davantage, on se rendit compte que quelque chose clochait. Le «kiosque» avait pris une drôle de configuration. Les marins du *Skeena* repérèrent un remorqueur qui devançait le sous-marin soviétique.

«On s'était demandé: "Qu'est-ce que ce damné remorqueur peut bien faire là?" On était encore plus énervés en pensant que le sous-marin était en panne et que les Russes le remorquaient au bercail. C'était fantastique!»

Quand le *Skeena* arriva finalement à une position d'où on pouvait clairement voir à quoi on avait affaire, les membres de l'équipage eurent un haut-le-cœur collectif: ils avaient pris en chasse un remorqueur canadien qui tirait une barge transportant un bulldozer. Le radar dont on avait capté le signal était celui du remorqueur qui, par hasard, avait les mêmes paramètres que ceux d'un sous-marin russe.

«Nous rêvions tous de promotions, de citations, de médailles... Nous ne nous sommes pas trop vantés de cet incident. Nous ne tenions pas à ce que le monde sache que nous avions confondu un bulldozer avec un sous-marin...»

Frost allait vivre une autre expérience embarrassante sur le *Skeena*, qui aurait pu, cette fois, avoir des conséquences tragiques.

Le navire se trouvait dans le détroit de Juan de Fuca, au large de la côte ouest américaine. On effectuait des exercices de tir au canon avec des obus de 88 mm, les plus puissants du destroyer. «Un avion militaire tire un avion factice derrière lui, explique Frost, et notre tâche est de tirer sur le drone... en espérant ne pas atteindre le véritable appareil.»

Lors de ces manœuvres, en janvier 1962, les choses faillirent tourner au désastre. Ce jour-là, l'officier d'artillerie du *Skeena* avait bel et bien calculé où le drone allait passer, mais il avait oublié, semble-t-il, de tenir compte de l'endroit où les obus atterriraient.

Frost se souvient de l'échange entre l'officier et le capitaine sur la radio interne du navire:

— Le drone est en place, capitaine. Permission de procéder à l'exercice?

— Permission accordée.

Puis il entendit la voix de l'officier d'artillerie.

— Capitaine, nous avons un léger problème. Permission de mettre fin à l'exercice?

— Quel est le problème?

— Je recommande votre présence sur le pont, capitaine.

Les canons du *Skeena* venaient tout juste de bombarder une cour d'école remplie d'enfants dans l'État de Washington. Miraculeusement, il n'y eut aucun blessé. Mais l'orgueil de l'officier du *Skeena* en prit un coup quand l'affaire éclata au grand jour dans les médias: un destroyer canadien avait pilonné une école américaine.

Après l'«incident», le *Skeena* ne s'éternisa pas dans le détroit de Juan de Fuca. Il s'éloigna à pleine vapeur pour aller se cacher de honte dans une baie isolée et jeter l'ancre, en attendant que quelqu'un ordonne à l'équipage de faire autre chose. «C'est ainsi que nous étions entraînés, raconte Frost. Quand des choses du genre se produisent, on fait le coup de l'autruche. Nous n'avions pas le courage de revenir au port et de faire face à l'assaut des médias.»

Le bombardement de la cour d'école, qui aurait pu tourner au tragique et qui semble aujourd'hui d'un ridicule consommé, devait servir de leçon à Mike Frost au cours des années suivantes: peu importe si les choses semblent faciles et routinières, elles peuvent toujours très mal tourner. De même, l'incident embarrassant du «bulldozer-sous-marin» allait l'aider plus tard à accepter que lorsqu'on «joue» à la guerre électronique, il faut accepter que les grandes déceptions font partie intégrante du jeu.

Une autre anecdote reliée à ses jours dans la Marine canadienne allait aussi contribuer à lui apprendre que la vie dans les services de renseignements serait exigeante, parfois bizarre et toujours secrète.

En 1963, il avait été muté du *Skeena* à un autre destroyer, le *Margaree*. Le navire canadien avait été chargé de surveiller un vaisseau de la marine marchande soviétique qui longeait la côte ouest et devait accoster au port de Vancouver. Le *Margaree* prit le navire russe en filature jusque dans le port de Vancouver. Quand les Soviétiques se mirent à quai, les Canadiens firent de même. Toujours conscients de la propagande du régime, les Soviétiques avaient une surprise en vue pour les bonnes gens de Vancouver. Ils invitèrent tout le monde, par le biais des médias, à venir visiter leur navire et à rencontrer les gentils «camarades».

Une fois la mission de filature accomplie, Mike Frost voulait profiter de son passage dans la ville pour voir sa sœur Marguerite, qui avait, elle aussi, quitté la Jamaïque avec son mari. Elle se rendit au port trouver son frère pour l'emmener dîner chez elle.

— C'est la deuxième fois que nous allons au port au cours des deux derniers jours, dit Marguerite dans l'auto.

— Ah oui!... Comment ça? demanda Mike.

— Il y a un vaisseau soviétique au quai et ils ont fait un *open house* pour tout le monde.

— Intéressant, dit Mike laconiquement.

— Savais-tu qu'ils étaient ici?

— Non... Nous sommes tout simplement rentrés pour donner l'occasion à certains des gars d'aller en permission...

— Oui, c'était fantastique! continua Marguerite. Nous avons rencontré des gens très intéressants.

— Ah... Qui donc?

— Nous avons rencontré le capitaine et l'officier responsable des communications. En fait, nous les avons invités et ils sont venus à la maison pour souper. C'était sympa!

— Répète-moi ce que tu viens de dire, balbutia Mike.

— Oui! On a échangé nos adresses et on va correspondre...

Le cœur du matelot Frost chavira.

— Marguerite, pourrais-tu me faire une faveur? Pourrais-tu couper tout contact avec eux pour le moment? Je ne peux vraiment pas t'expliquer, mais ce que tu as fait pourrait être très embarrassant pour moi...

— D'accord..., répondit sa sœur, perplexe.

— Je t'en prie, ne retourne pas au navire russe, ne téléphone pas, ne fais rien tant que je ne t'en ai pas reparlé...

— O.K.

La rencontre fortuite entre les hauts gradés du bateau soviétique et le couple canadien venait du fait que le mari de Marguerite, un amateur de radio à ondes courtes, avait entamé une conversation avec l'officier des communications du vaisseau, à laquelle s'était joint le capitaine. L'officier en question était fort probablement comme Mike Frost: un spécialiste de l'interception qui écoutait, entre autres, le *Margaree*.

Dès le lendemain matin, Frost ne perdit pas un instant pour demander à voir son commandant dans sa cabine.

— Entrez, lui intima son supérieur.

Frost fit le salut militaire et enleva sa casquette.

— Commandant, je dois vous rapporter que deux des officiers du vaisseau russe étaient au domicile de ma sœur il y a deux jours.

— Oui, je sais, répondit-il simplement.

Et il sortit une note de service lui ordonnant de demander à Frost de quoi retournait toute cette affaire. De toute évidence, les deux Soviétiques avaient été suivis par le Service de sécurité de la GRC jusqu'à la maison de sa sœur. Frost expliqua au capitaine que tout cela avait été fait très innocemment par sa sœur et son beau-frère...

— D'accord, répondit l'autre. C'est ce que j'écrirai dans mon rapport... Et je suggère que vous disiez à votre sœur de couper toute relation avec les deux officiers soviétiques.

— Yes, Sir!

Mike et Marguerite devaient se remémorer l'incident avec humour quelques années plus tard. Mais c'était la première fois que Frost devait demander à un membre de sa famille de faire — ou de ne pas faire — quelque chose, sans donner d'explications, en évoquant simplement le fait que de poursuivre l'activité en question pourrait nuire à sa carrière.

L'année 1965 devait être déterminante dans la vie et l'accession de Mike Frost au monde de l'espionnage canadien et international. Sa compétence dans le métier commençait à être remarquée et il fut choisi pour prendre part à un cours spécialisé sur l'interception de signaux à longue distance, à Ladner, en Colombie-Britannique.

Outre le fait qu'il se classa premier de son groupe, il y fit une rencontre qui devait s'avérer fatidique avec un homme du nom de Frank Bowman. Ce dernier était à l'emploi du CST et était venu donner un séminaire à Ladner.

À la suite de ses excellents résultats, Frost fut affecté à Inuvik, l'une des stations d'écoute de l'Arctique, à un poste «d'élite». Il serait responsable d'appareils électroniques hautement sophistiqués qu'aucun autre technicien de l'endroit ne pouvait faire fonctionner. Il avait été promu au rang de *petty officer* après seulement huit années de service, ce qui, à l'époque, était assez exceptionnel.

Mais un autre incident inusité faillit gâcher sa carrière. Sa famille l'avait accompagné dans la ville nordique. Son fils cadet, David, fut mordu par un chat enragé et dut se rendre par avion à un hôpital de Vancouver pour se faire soigner. Mike demanda la permission au commandant de la base d'y aller avec eux quand on lui apprit que les chances de survie de son fils n'étaient que d'une sur deux.

Le commandant refusa: «Ton fils reçoit d'excellents soins médicaux, ta femme est avec lui, on a besoin de toi ici.»

C'est un Mike dépité et écrasé par son impuissance qui téléphona à sa sœur Marguerite pour lui faire savoir qu'il ne pouvait rejoindre les membres de sa famille. Ce qu'il ignorait à ce moment-là, c'est que son beau-frère avait des contacts politiques à Ottawa. Le cas tragique du «*petty officer* Frost» et de son «fils mourant» fut soulevé à la Chambre des communes dans les jours qui suivirent et le ministre de la Défense dut expliquer comment les autorités militaires pouvaient faire preuve d'aussi peu de compassion.

«Je n'avais pas la moindre idée de ces développements, dit Frost. Mais quelques jours plus tard, j'ai reçu un coup de fil du commandant qui était encore plus enragé que le chat qui avait mordu mon fils! Il m'a même menacé de me flanquer une raclée et m'a demandé qui j'étais pour oser ainsi me plaindre au ministre de la Défense... Je ne savais absolument pas de quoi il parlait.»

«Frost, lui avait crié son supérieur, tu es un *petty officer* et je vais m'assurer que tu prennes ta retraite de la Marine à titre de *petty officer*! Ta carrière est finie!

Tiens, voilà ton crisse de billet d'avion. Va-t'en! Je ne veux plus te voir!»

Mike a toujours une copie de la lettre que son beau-frère a écrite, à sa demande, pour expliquer au commandant et au ministre de la Défense que le pauvre *petty officer* Frost n'avait rien à voir avec la publicité entourant cette histoire. Mais à compter de ce jour et jusqu'à la fin de son affectation à Inuvik, le commandant de la base ne lui adressa plus jamais la parole et ne lui jeta plus un seul regard.

Il continua quand même son travail d'intercepteur et s'améliorait constamment dans ce domaine. Mais après l'histoire du chat enragé, il devint pleinement conscient du fait qu'à cause de la mentalité militaire, il était devenu un homme marqué. Heureusement pour lui, il y avait toujours Frank Bowman. L'homme du CST avait souvent confié des tâches spécifiques à Frost alors qu'il était à Inuvik. Mike retourna à la base de la Marine à Gloucester, au sud d'Ottawa, en 1969, pour entraîner les recrues. Il put alors travailler encore plus régulièrement avec Bowman et le CST.

«Peu importe ce qu'il me demandait de faire, je le faisais», relate Frost. Bowman lui confia une mission très spéciale lui demandant de se rendre à Alert, sur l'île d'Ellesmere, pour essayer de capter un nouveau signal radio soviétique dont le nom de code était «Trimline». Personne, jusque-là, n'avait pu l'intercepter ni même l'identifier. Frost et un autre spécialiste de l'écoute électronique — lequel devait plus tard faire partie de la même équipe d'espions — se rendirent à Alert. Après des semaines de travail ardu, ils trouvèrent la solution.

«Je crois que Frank m'a choisi tout simplement parce que je livrais toujours la marchandise», de dire Frost.

Ainsi, en août 1971, la lettre mystérieuse arriva à Alert.

Mike Frost eut une envie folle de courir dans la rue et de crier au monde entier l'incroyable nouvelle. Pas question. D'abord, il n'y avait pas de rue à Alert; ensuite, personne n'avait le droit de savoir. Frank Bowman n'avait laissé aucun doute: sa lettre n'était pas du genre carte postale qu'on fait circuler. Mike s'empressa cependant d'écrire sa propre lettre d'acceptation. Il ne pouvait téléphoner. Il y avait toujours la radio à ondes courtes, mais elle aussi était inutile. D'abord, juste au-delà de l'horizon glacé, les Soviétiques faisaient exactement la même chose que les Canadiens à Alert: ils interceptaient tout ce qu'ils pouvaient capter. De plus, même s'il avait voulu discuter de la proposition de Bowman avec son épouse Carole, les conversations sur la radio à ondes courtes étaient entendues sur un haut-parleur partout dans le mess d'Alert, comme s'ils étaient des astronautes communiquant avec la planète Terre.

Frost était d'autant plus frustré que même s'il avait fébrilement répondu à la lettre, il devait attendre une semaine avant de la poster — lorsque l'avion reviendrait pour le courrier hebdomadaire. Mike n'avait pas eu besoin d'y penser deux fois avant d'accepter. D'abord, n'importe où, n'importe quoi était mieux qu'Alert. Mais Moscou, c'était du gâteau. Jusque-là, tout ce que Mike connaissait vraiment des Soviétiques se limitait aux conversations inintelligibles — pour lui — qu'il avait pu intercepter. On lui offrait maintenant d'entrer dans l'antre de l'Ours. C'était inespéré. Il en était venu à la conclusion qu'il devait faire tout en son pouvoir pour enrayer les plans impérialistes de l'URSS.

Trois longues semaines s'écoulèrent avant que Mike Frost ne reçoive la réponse de Frank Bowman. Il fut au septième ciel lorsqu'il la reçut. Non seulement était-il choisi pour le poste de Moscou, mais Bowman avait réussi à écourter sa «sentence» à Alert. En lisant la lettre de ce dernier, Frost n'en croyait pas ses yeux. Il avait toujours pensé que Jésus-Christ lui-même n'aurait pu réussir un tel miracle: faire sortir un gars d'Ellesmere avant son temps. Pour le moment, tout ce qu'il savait de sa prochaine mission était qu'il devait suivre un cours de russe à l'école des langues étrangères du gouvernement, à Ottawa.

Le commandant de la base savait que quelque chose ne tournait pas rond. Non seulement lui arrachait-on Frost deux mois avant la fin de son mandat, mais en plus, on l'envoyait à l'école de langues. Cela ne cadrait pas du tout avec l'entraînement militaire que Frost avait reçu. Il était un spécialiste de l'interception; avec le temps, il était même devenu une espèce de technicien sophistiqué. On ne demande pas aux gars qui s'amusent avec les *gadgets* électroniques d'apprendre le russe. C'est l'affaire des traducteurs et des analystes.

Le cas de Frost suscita vite l'envie de ses collègues d'Alert, qui se mirent à le traiter de *short-timer*, un terme utilisé pour les prisonniers qui n'en ont plus pour longtemps «en dedans», tandis que les autres sont là pour la vie. Mike ne pouvait que sourire en pensant à Moscou. Sa dernière soirée dans l'Arctique ne manqua pas à la tradition: tous ceux qui quittaient Alert avaient l'ordre de le faire avec une gueule de bois, et Frost ne se fit pas prier, au mess, pour s'imbiber d'alcool. Le teint vert, il monta à bord du *Hercules* des Forces armées le jour suivant, pour un vol ininterrompu de treize heures. Pour un gars de la Marine, le fait de pouvoir survivre à une nuit de beuverie pour s'infliger ensuite une épreuve de la sorte était l'équivalent d'une médaille de courage.

Il s'affaissa dans les filets longeant l'intérieur de la carlingue de l'avion; c'est ce que l'armée appelle les sièges. Il essaya tant bien que mal d'oublier le bruit infernal des moteurs qui résonnaient contre le métal et qui accentuaient son mal de tête lancinant.

L'avion se posa enfin à la base de Trenton, à l'est de Toronto. Frost se dépouilla de ses vêtements nordiques et prit un autre vol vers Ottawa.

Carole l'attendait avec ses trois fils. Le cadet, David, était au bord de l'hystérie quand son père voulut le prendre dans ses bras. Mike portait une barbe de quatre mois et David ne voulait pas être touché par cet étranger. C'était là un signe avant-coureur. Car Mike Frost allait devenir de plus en plus un étranger pour les membres de sa famille au cours des années qui allaient suivre.

Ce soir-là, Mike et Carole rêvaient de Moscou. Elle était presque aussi enthousiasmée que lui. Car Carole avait également été admise à l'école de langues, ce qui ne manqua pas de soulever encore plus de questions dans l'entourage militaire de Frost. Elle n'avait aucune idée de la mission que son mari allait accomplir à Moscou, mais elle avait l'impression de faire partie d'une grande aventure.

Frost se présenta à la base de Gloucester le lendemain, pour la forme, et il fut reçu dans le bureau de Frank Bowman dès le jour suivant. Ce n'était pas la première fois qu'il franchissait les portes du CST. Mais l'adrénaline lui donnait des ailes, en ce jour mémorable de septembre.

Bowman n'y alla pas par quatre chemins.

— La NSA nous a demandé d'aller à notre ambassade de Moscou afin d'installer des récepteurs et des antennes pour intercepter les communications soviétiques VHF et de plus hautes fréquences... Ils aimeraient savoir si nous pouvons capter quelque chose qu'ils ne peuvent intercepter depuis les sites américain et britannique...

— Quels sites américain et britannique? demanda Frost naïvement.

— De leurs ambassades, répliqua Bowman.

— Tu veux dire que les Américains et les Britanniques font de l'écoute électronique à partir de leurs ambassades?

— Bien sûr, depuis plusieurs années! Le nom de code de l'opération américaine est «Broadside» et celui des Britanniques, «Tryst». Mais il y a des blancs dans ce qu'ils aimeraient avoir et ils se demandaient si le Canada ne pourrait pas essayer de les combler...

Frost était estomaqué.

— Nous avons accepté de le faire, ajouta Bowman. Nous avons l'approbation du bureau du premier ministre et des Affaires extérieures, et tu es l'homme qu'il me faut.

Mike était sidéré. Il n'en espérait pas tant.

— Le nom de code pour l'opération est «Stephanie». C'est le nom de la fille de Peter Hunt, expliqua Bowman en faisant allusion au directeur du groupe L au CST. Tu seras affecté à l'ambassade sous le couvert d'un employé de soutien militaire, au service de l'attaché militaire, et il y aura un autre «employé» pour t'assister: notre deuxième homme.

— Comment allez-vous justifier l'affectation de deux nouveaux employés pour un seul attaché militaire? demanda Frost.

— Pas de problème. Le colonel de l'ambassade se plaint depuis des années de manquer de personnel de bureau. Nous lui donnons deux nouveaux commis.

— Oui, mais est-il au courant que les deux «commis» ne feront pas du travail de bureau?

— Non. Il est tout simplement comblé de savoir qu'il aura une augmentation du personnel.

Les deux hommes ne purent s'empêcher de s'esclaffer en s'imaginant la tête du colonel le jour où, inévitablement, il apprendrait la vérité.

— Alors voilà! conclut Bowman. Tu seras affecté là-bas pour un minimum de deux ans. Qu'en penses-tu?

Frost aurait donné sa chemise pour y aller. Il était époustouflé d'apprendre que les Américains et les Britanniques faisaient de l'écoute électronique depuis leurs ambassades, mais il était encore plus surpris du fait que le gouvernement de l'époque, dirigé par le premier ministre Pierre Elliott Trudeau, avait apparemment accepté que le Canada fasse de même. Mais ses arrière-pensées importaient peu, il jubilait à l'idée qu'il venait d'être invité à faire partie du club très sélect des espions internationaux, ce club où l'on peut se permettre de faire des choses interdites, où l'on est au courant de secrets que peu de gens ordinaires connaissent et connaîtront jamais, où l'on peut faire à peu près n'importe quoi avec la bénédiction d'un gouvernement qui fait tout simplement semblant de ne rien voir.

Comme l'exige la procédure, Frost fut «endoctriné» pour l'opération Stephanie. Un endoctrinement, dans une agence d'espionnage, signifie qu'on ne peut discuter du projet en question qu'avec ceux qui sont également au courant. Il lui était même strictement défendu d'en parler aux employés du CST qui n'étaient pas endoctrinés. Le fardeau de déterminer avec lequel de ses collègues un espion dans le secret pouvait discuter reposait uniquement sur lui. Tout cela deviendrait une question de routine stressante pour Frost au cours de ses années passées à la «ferme».

Frank Bowman lui communiqua un dernier renseignement essentiel avant de mettre fin à leur entretien.

— Si jamais tu te fais prendre là-bas, tu devras te débrouiller tout seul. Le gouvernement niera tout.

Frost haussa les épaules. Il ne s'attendait pas à autre chose. Et puis, il ne se ferait pas prendre...

■

Mike et Carole s'inscrivirent à l'école de langues avec autant d'enthousiasme que d'ex-décrocheurs à l'université. Même si elle ne se doutait aucunement du fait que son mari n'allait pas vraiment à Moscou comme aide à l'attaché militaire, elle était tout simplement emballée à l'idée d'aller vivre dans la pittoresque capitale soviétique. Mike et Carole s'amusaient à se parler en russe à la maison. Les murs de la cuisine étaient tapissés avec les mots russes signifiant cuillère, fourchette, couteau, lait, patate, fenêtre et porte. Ils préparaient aussi leurs trois fils pour ce grand voyage. Jamais ils n'avaient travaillé aussi étroitement ensemble, jamais n'avaient-ils été aussi près l'un de l'autre.

C'était trop beau pour être vrai.

Quelques semaines avant Noël, après deux mois de cours, Mike Frost crut que le ciel venait de lui tomber sur la tête quand il fut soudainement appelé au bureau de l'officier de l'école de langues.

— Vous avez demandé à me voir? dit-il, anxieux.

— Oui... On m'a demandé de vous dire que vous et votre femme ne pourrez pas terminer votre cours.

Même ses années de vie militaire n'avaient pas préparé Mike à un tel choc.

— Que voulez-vous dire?

— Votre affectation ici est terminée. L'ordre est venu de vos supérieurs.

— Mais qui? Pourquoi?

— C'est tout ce que je sais.

Assommé, Mike retourna à la salle de cours, où Carole suivait assidûment sa leçon.

— Viens, lui dit-il à voix basse. On s'en va à la maison.

Ils étaient consternés.

Après une nuit blanche, Mike téléphona à la seule personne qui, pensait-il, pouvait l'éclairer un peu sur ce qui venait d'arriver: Frank Bowman. Et de fait, ce dernier était au courant. L'ambassadeur canadien à Moscou, Robert Ford, avait fait savoir au CST qu'il ne pouvait trouver de logement convenable pour une famille de cinq à ce moment-là. Le seul appartement disponible était au treizième étage d'un édifice sans ascenseur. C'était peut-être normal quant aux normes soviétiques, mais l'ambassadeur trouvait que c'était tout à fait inadéquat pour une famille canadienne.

— Je m'en fous! dit Mike à Bowman. Logez-nous dans une grange si vous voulez, mais je veux aller à Moscou! Dis à Ford que je tiens à y aller, quoi qu'il en coûte.

Bowman nota les commentaires de Frost, mais c'était peine perdue. L'ambassadeur croyait à juste titre que le stress de la nouvelle vie en Union soviétique serait suffisamment grand, sans imposer à une jeune famille d'avoir à monter treize étages chaque jour pour se retrouver dans un logement réduit et miteux, dans un pays où le chauffage et la plomberie sont un luxe qui ne fonctionne pas toujours très bien. Sans compter le genre de travail que Mike Frost serait chargé d'accomplir là-bas, derrière ce qui était toujours le «rideau de fer». C'était en somme la recette idéale pour avoir une dépression nerveuse.

Mike était au bord des larmes quand il apprit que sa demande avait été refusée. Il n'était pas du genre à remettre les ordres en question, mais comment avait-on pu gonfler ses espérances pendant si longtemps, sans savoir si on aurait un endroit où les loger?

Frank Bowman se sentait personnellement responsable de ce fiasco. Comme il l'avait fait pour le libérer d'Alert, il décida de tirer quelques ficelles pour offrir une certaine compensation à son homme de confiance. Il lui offrit de revenir à la vie civile en quittant la Marine pour entrer à l'emploi du CST. Il dirigerait Stephanie d'Ottawa en coordonnant la planification et l'exécution de l'opération.

Cela n'égalait pas Moscou, mais Mike Frost allait se rendre compte qu'il en aurait plein les bras de toute façon. En fait, ce n'était là qu'un léger contretemps dans sa carrière d'espion.

■

Frost était toujours amer lorsqu'on l'inscrivit à un cours de six semaines à la NSA, à Fort Meade. Les deux Canadiens qui avaient hérité de l'affectation moscovite étaient avec lui. Le gouvernement canadien les logea à l'hôtel *Sheraton* de Silver Springs et leur loua une auto. Ils étaient les premiers Canadiens à participer à ce cours, que la NSA ne donnait habituellement qu'à ses propres agents. Le contenu du cours était en majeure partie top secret, mais les gars du CST étaient non seulement leurs alliés, ils travaillaient eux aussi pour les Américains.

Le CST n'avait jamais envoyé de ses agents à ce cours spécifique, car jusque-là le Canada ne s'était jamais livré à de l'écoute électronique aussi active contre une puissance étrangère. Le CST se limitait à faire de l'interception à longue portée. Le gouvernement canadien n'avait jamais songé à entraîner ses employés à faire quelque chose qu'on n'avait jamais eu l'intention de faire, soit de l'écoute diplomatique.

Comme c'est toujours le cas à la NSA, le cours était excellent et rigoureux. Il s'agissait de leçons purement techniques, axées sur les particularités des signaux à très haute fréquence VHF, UHF et SHF. On enseignait aux aspirants espions à reconnaître ces signaux, ce qu'ils devaient en faire après les avoir interceptés, comment les démoduler et les démultiplexer pour en produire une copie sur papier ou sur bande sonore.

La modulation est le moyen utilisé pour transmettre un message — audio, télécopié ou vidéo — par les ondes. Quand plusieurs messages sont véhiculés sur la même fréquence, ils sont multiplex. L'intercepteur doit d'abord démoduler le signal pour capter tous les messages. Puis, il cherche à isoler chacun d'eux; autrement dit, il les démultiplexe.

Voici un exemple facile pour mieux comprendre cette opération: une conversation téléphonique. Quand vous parlez dans votre combiné, votre voix n'est seule sur la ligne que jusqu'à ce qu'elle rejoigne la ligne principale, qu'il s'agisse d'un fil terrestre ou aérien ou d'une tour à micro-ondes. À ce moment, votre voix est mêlée à des centaines d'autres voix. C'est le multiplex. Comment se fait-il qu'à l'autre bout, votre interlocuteur n'entend que la vôtre? Parce que, lorsque votre voix atteint un «poste d'aiguillage», elle est isolée des autres voix (démultiplexée) grâce au numéro que vous avez composé.

Frost avait quelque chose à prouver et se mit en tête de terminer premier de sa classe. Il y parvint. Les deux autres Canadiens se classèrent deuxième et troisième dans le groupe composé d'une quarantaine d'agents.

En l'espace de six semaines, ils croyaient avoir appris de quoi était fait un espion de l'ère électronique et

FIGURE A

Configuration technique de l'opération Stephanie

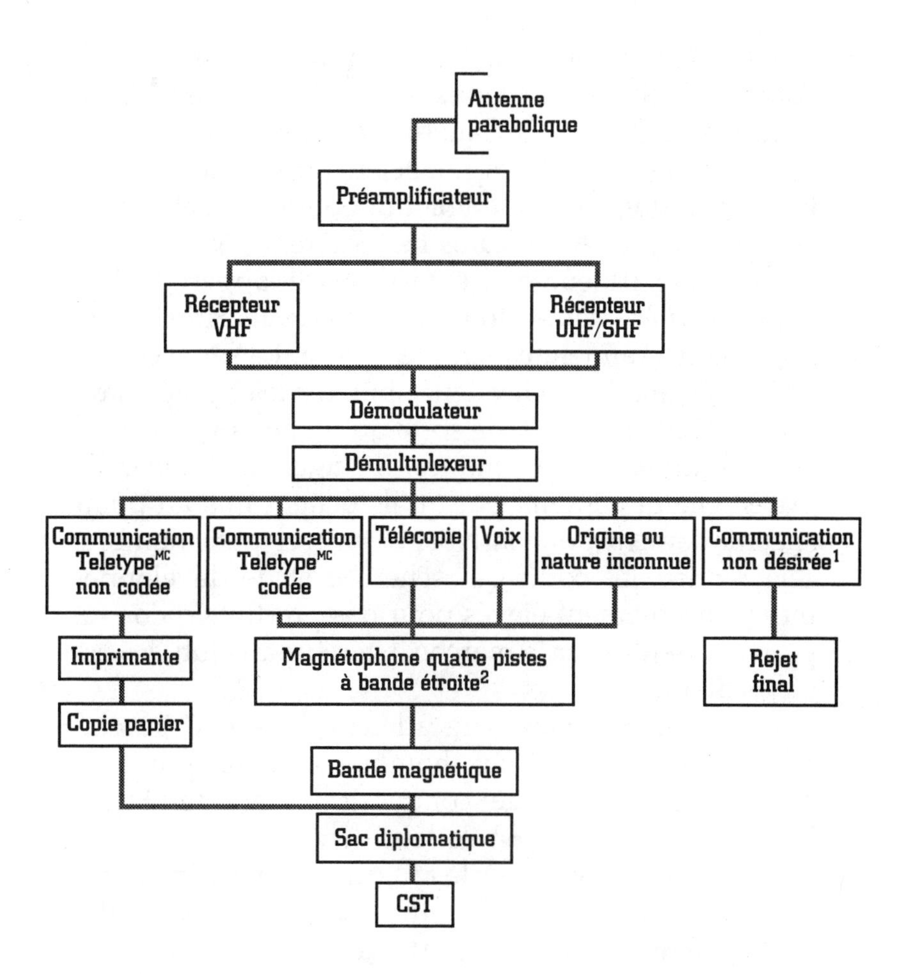

1. Radio, télé, presse écrite, etc.
2. Trois de ces pistes servaient aux signaux interceptés. Sur la quatrième, on enregistrait un signal de référence interne.

(Diagramme: David Frost)

ils brûlaient d'impatience de passer à l'action. Ils allaient s'amuser.

■

La NSA fit tout en son pouvoir pour s'assurer que l'«accouchement» de Stephanie se ferait sans problème ni douleur. Quand les Canadiens se plaignirent de ne pas avoir les ressources financières pour monter une telle opération sans une volonté politique réelle pour les appuyer, les Américains ne tardèrent pas à venir à la rescousse. Ils leur «prêtèrent» tous les appareils électroniques nécessaires, tous conçus et construits par la NSA, sans vraiment espérer les revoir. La seule condition: les Canadiens devaient oblitérer les numéros de série de l'équipement, de sorte qu'on ne puisse jamais en déterminer la provenance. Il s'agissait d'appareils extrêmement coûteux puisqu'ils étaient mis au point spécifiquement pour la NSA et en très petit nombre; cela rendait les coûts de recherche et de développement extrêmement élevés pour des produits qu'on ne pouvait vendre sur le marché extérieur au club des espions alliés.

Frost et Bowman s'installèrent dans leur bureau du chemin Heron. Deux hommes et deux pupitres, avec pour mission de conquérir le monde. Frank Bowman trouva moyen de leur dénicher un peu plus d'espace de travail... sur le toit du quartier général du CST, dans la «chambre à fournaise». (On peut également y entrer par une porte coupe-feu de couleur blanche, qu'on peut voir de la rue.) Bowman obtint la permission d'y ériger un mur en blocs de ciment pour créer une pièce où il installerait les appareils utilisés pour Stephanie afin que son équipe puisse les tester. Ni Bowman ni Frost ne se doutaient à ce moment-là que cette même pièce et l'équipement qu'on y installerait serviraient plus tard à des opérations difficilement justifiables de la part du CST.

Le premier problème à résoudre était de rendre les appareils électroniquement «silencieux» (*tempest-proof*), c'est-à-dire d'empêcher l'émission d'irradiations qui pourraient facilement être décelées par les agents de contre-espionnage soviétiques. L'équipement de la NSA, même s'il était hautement spécialisé, ne satisfaisait pas à ces normes. Car les Américains avaient leur propre façon de fonctionner. Partout où ils installaient un poste d'écoute diplomatique, ils modifiaient la pièce en entier pour bloquer toute irradiation. Ils pouvaient donc être moins prudents avec leurs appareils. Les Canadiens, par contre, ne pouvaient entreprendre de telles rénovations dans leur ambassade à Moscou sans alerter le reste du personnel diplomatique et les Soviétiques.

Frost et Bowman tentèrent en vain d'isoler individuellement tous les appareils destinés à Moscou. Ils s'arrachaient les cheveux afin de trouver une solution quand, soudain, ils la trouvèrent juste sous leurs yeux. Entre leurs deux pupitres trônait un majestueux coffre-fort gouvernemental. Avec les modifications nécessaires, ils pourraient y installer tous les appareils et se contenter d'isoler les murs intérieurs du coffre-fort.

«En quelque sorte, c'était là un éclair de génie, raconte Frost. À la fin de leur journée de travail, tout ce que nos agents avaient à faire était de refermer la porte du coffre, de tourner le bouton de combinaison et l'équipement disparaissait illico. La pièce ressemblait dès lors à un bureau bien ordinaire.»

Les ingénieurs du CST modifièrent le coffre en y installant des tasseaux pour porter l'équipement et laisser suffisamment d'espace pour donner accès aux antennes d'écoute. Ils transformèrent ainsi deux coffres-forts. L'un était la «boîte à surprises de Moscou»;

FIGURE B

Le coffre-fort contenant l'équipement utilisé pour Stephanie

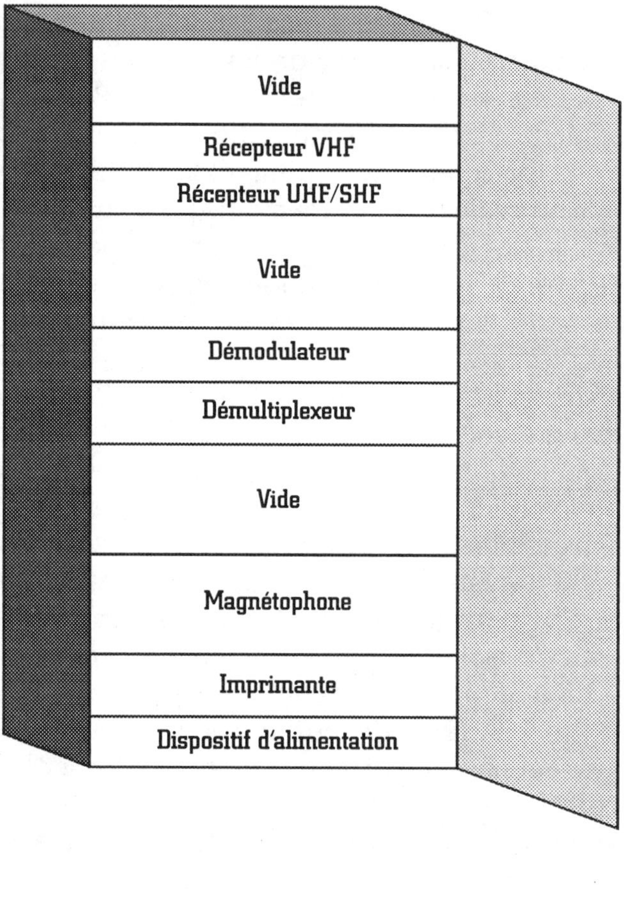

Vide

Récepteur VHF

Récepteur UHF/SHF

Vide

Démodulateur

Démultiplexeur

Vide

Magnétophone

Imprimante

Dispositif d'alimentation

(Diagramme: David Frost)

l'autre devait rester à Ottawa, au CST, au cas où l'expertise des ingénieurs serait requise pour effectuer des réparations une fois derrière le rideau de fer. En fait, pour cette raison, il existait un double de toutes les pièces d'équipement.

Tout cela représentait certaines complications, mais c'était relativement facile comparativement à ce qui attendait Frost et Bowman. Faire parvenir le coffre-fort à Moscou sans attirer l'attention ne serait pas une mince affaire. Ils ne pouvaient quand même pas utiliser les voies habituelles du courrier diplomatique. On ne met pas un coffre-fort dans une poche rouge!

Il leur fallait aussi trouver un motif pour justifier l'envoi du coffre-fort, puisqu'il était toujours possible d'en acheter un à Moscou. Mais il n'y avait pas que les Russes; Frost et Bowman essayaient à grand-peine d'expliquer leurs activités aux bureaucrates des Affaires extérieures.

Les deux lascars trouvèrent finalement une explication plutôt crédible: l'attaché militaire à Moscou avait des documents qui ne pouvaient être rangés que dans un coffre-fort répondant aux normes des Forces armées canadiennes. Il n'y avait pas de coffre-fort de ce type en URSS, ni ailleurs dans le monde; il devait donc être envoyé d'Ottawa. On les a crus. Quand à l'attaché militaire à Moscou, il se réjouissait de l'importance qu'on semblait soudain lui accorder. Deux nouveaux assistants et un coffre-fort tout neuf... Et lui qui croyait que le cheval de Troie était une légende!

Restait à savoir quel moyen de transport on utiliserait pour apporter le coffre. On ne voulait pas utiliser l'avion: trop de gens impliqués, trop de documents à remplir pour un colis si lourd qu'il ne pourrait qu'éveiller les soupçons. Le moyen le plus sûr était le bateau. Ainsi, la pièce d'équipement d'espionnage la plus importante utilisée par le Canada en pays étranger à ce jour fut transportée au port de Montréal par camion et prit la route de l'URSS sur un bon vieux cargo transatlantique.

Avant le grand voyage, Frost avait pris soin de faire tapisser l'intérieur du coffre avec des panneaux de plomb semblables à du papier d'aluminium. Car, même si les appareils électroniques devaient être envoyés en URSS séparément, Frost voulait masquer les trous qu'on y avait percés pour les tasseaux. Si les Soviets décidaient de passer le coffre-fort aux rayons X, ils verraient immédiatement que quelque chose de louche se tramait.

Au bout de deux ou trois mois, après la traversée de l'Atlantique et de la mer Baltique, jusqu'au port de Mourmansk, où il fut déchargé sous le nez de la flotte militaire soviétique, le coffre-fort prit le train à destination de la capitale russe pour arriver enfin à l'ambassade canadienne. À Ottawa, Frost et Bowman poussèrent des soupirs de soulagement. Leur quiétude fut toutefois de courte durée. Une fois rendu sur place, le coffre devait être transporté à l'étage supérieur, et la seule façon d'y parvenir était l'ascenseur. Frost n'avait jamais songé à vérifier cet aspect de l'opération auparavant, et le coffre était trop lourd pour risquer de le mettre dans l'ascenseur vieillissant sans en briser les câbles. Il était tout aussi impossible de le transporter par l'escalier. Le coffre-fort resta donc là pendant des semaines, dans le hall d'entrée de l'ambassade, telle une curieuse statue, jusqu'à ce que le technicien du centre des télécommunications, exaspéré, décide de prendre le risque de le mettre dans l'ascenseur… seul.

Les câbles tinrent le coup et le coffre-fort se retrouva finalement dans la pièce qu'on devait aménager pour l'écoute électronique.

La saga ne s'arrêta pas là. Quand les ingénieurs du CST avaient modifié l'intérieur du coffre, ils avaient délibérément omis de faire un changement majeur: il fallait un trou au fond de la boîte d'acier pour permettre de passer les fils des antennes. Comme on ne pouvait expédier un coffre-fort présumément conforme aux normes militaires avec un trou au fond, Frost avait donné instruction au technicien de l'ambassade de le faire une fois que le coffre serait sur place. Un message codé parvint au CST de Moscou: il n'y avait pas, à l'ambassade, de perceuse assez puissante pour perforer ce métal.

Frost et Bowman commençaient à s'habituer à cette course à obstacles. Ils allèrent à une quincaillerie acheter une perceuse «aussi grosse qu'un marteau-piqueur». Cette fois, pas de fantaisie. Ils mirent la perceuse dans une poche diplomatique — en fait, deux poches cousues ensemble — et l'expédièrent à Moscou.

Enfin, ils reçurent la confirmation que le coffre-fort était prêt à recevoir l'équipement électronique. Les deux agents du CST quittèrent Ottawa à destination de la capitale soviétique dans leurs uniformes d'aides militaires. Une fois rendus sur les lieux, l'une de leurs premières tâches fut d'expliquer à l'attaché militaire la véritable raison de leur présence. Le colonel, qui avait rêvé de son nouveau personnel, dut signer des documents l'endoctrinant au projet Stephanie.

Une pièce à la fois, les appareils électroniques furent expédiés à Moscou dans des poches diplomatiques. L'antenne leur causa d'autres maux de tête. Après avoir consulté les experts de la NSA, Frost et Bowman en étaient venus à la conclusion que le meilleur engin pour le travail à accomplir était une antenne parabolique d'un mètre et demi de haut. Il était impossible de dissimuler un appareil semblable dans un sac diplomatique en espérant éviter la détection. Ils n'avaient par ailleurs aucunement l'intention de lui faire faire un voyage en bateau. On avait déjà perdu suffisamment de temps avec le coffre-fort. Frost suggéra de découper l'antenne en pointes de tarte et de l'envoyer par morceaux. L'opération était délicate, car rien ne garantissait qu'une fois les «pointes de tarte» recollées, l'antenne serait toujours en mesure de fonctionner. Ce fut là un autre risque qu'ils acceptèrent de courir; l'antenne fut taillée en douze morceaux qui furent expédiés en trois semaines, quatre à la fois, par courrier diplomatique.

Finalement, un autre message codé arriva de Moscou: les appareils électroniques et l'antenne étaient tous là. Tout allait bien. Mais Frost n'oubliera jamais la dernière phrase: «En passant, comment diable fait-on pour mettre une antenne d'un mètre et demi dans un grenier ayant un mètre de haut?»

Pour être efficace, l'antenne parabolique devait être située le plus haut possible tout en étant à l'abri des regards indiscrets. On avait déjà décidé que le grenier de l'ambassade serait l'endroit parfait où l'installer. Sauf que personne n'avait pris la peine de mesurer la hauteur de l'espace déjà limité.

Frost et Bowman avaient réussi à improviser jusque-là. Ils n'allaient quand même pas lâcher alors qu'ils étaient si près du but! L'isolant utilisé dans le grenier de l'ambassade n'était rien d'autre que de la bonne vieille terre, une pratique courante en Russie. L'espion canadien sur place entreprit donc de creuser un trou de 30 centimètres entre les poutres du grenier et réussit tant bien que mal à y insérer l'antenne. Autre problème, cependant: une fois en place, on ne pouvait la faire tourner, car elle était prise comme dans un étau. Frost et Bowman avaient choisi une antenne parabolique qu'on devait faire tourner manuellement, parce qu'ils voulaient éviter que les agents de contre-espionnage soviétiques ne perçoivent le bruit d'un moteur rotatif. On soupçonnait fortement que l'ambassade, malgré des inspections régulières, était remplie de micros d'écoute du KGB. Une autre communication parvint de l'agent de Moscou: «Vers quel degré de l'azimut voulez-vous diriger l'antenne?»

Frost et Bowman se dévisagèrent, consternés. Ils n'en avaient pas la moindre idée. Ils répondirent simplement: «Choisis-le toi-même.»

L'agent s'exécuta. L'antenne fut branchée aux récepteurs et le jour J arriva enfin. Ces mois de frustrations et de délais allaient finalement porter fruit. Le chef de l'équipe du CST à Moscou s'installa devant ses appareils, mit ses écouteurs et, fébrile en ce moment historique, actionna le commutateur de Stephanie.

Son estomac lui tomba dans les talons. Il venait d'intercepter quelque chose qui ressemblait à un «chhhhhhhhhhhhhhhh...». Rien d'autre. Même pas un chauffeur de taxi. Une fois le moment de déception extrême passé, Frost et ses collègues entreprirent de trouver le problème. C'était assez simple au fond. Les signaux à très haute fréquence sont aussi très directionnels. Plus les ondes se rapprochent de la fréquence de la lumière, plus elles sont directionnelles. Il faut une grande précision pour pouvoir les intercepter. L'antenne doit être sur le bon azimut, les récepteurs doivent être parfaitement réglés, et la polarité doit être exacte. Pour vous donner une idée de la précision requise, il suffit de penser à une bonne vieille antenne télescopique portative sur un téléviseur. Voyez ce qui arrive à la réception lorsque vous la remuez. Multipliez cette distorsion une centaine de fois pour vous faire une idée des hautes fréquences que Frost et ses collègues cherchaient à intercepter. L'antenne était tout simplement tournée du mauvais côté. Les agents de Moscou avaient fait leur possible en creusant un trou dans le grenier comme ils le pouvaient, mais n'avaient malheureusement pas misé sur un bon angle.

Pas question de démissionner pour autant. Frost et Bowman donnèrent des ordres exigeant de leurs agents un effort qui les condamnait pratiquement à travailler dans une mine de sel. Pendant que l'un des agents était installé au récepteur, l'autre était dans le grenier avec une pelle et une scie. Il avait la tâche de faire tourner l'antenne elle-même 5 degrés à la fois, puis de la faire tourner sur son axe, là aussi 5 degrés à la fois. Pour chacune des 72 positions des 360 degrés de l'azimut, il y avait également 72 polarités possibles. Au total, ils allaient devoir écouter et cataloguer ce qu'ils captaient environ 5 000 fois. Et ce, en espérant que les tas de terre dans le grenier et les poutres qu'ils devaient scier ne provoqueraient pas un effondrement. L'agent installé au récepteur vérifiait toutes les fréquences et cataloguait chaque position. Quand il avait terminé, il cognait sur le plafond et l'homme dans le grenier bougeait l'antenne d'un autre 5 degrés.

Les conditions de travail dans le grenier étaient épouvantables. Il n'y avait ni chauffage ni climatisation; l'isolant était comme de la poussière lunaire, obstruant les narines et les poumons au moindre mouvement. Impossible de se tenir debout. Et il n'y avait personne avec qui converser; c'était un peu comme vivre dans une cheminée pendant des jours. Les deux agents ne pouvaient se parler entre eux que par signes, au cas où les Russes auraient été à l'écoute. Quant au bruit de la scie contre les poutres, ils n'avaient tout simplement pas le choix.

À la fin de la journée, ils devaient tant bien que mal enlever la poussière et la saleté de leurs vêtements, de leurs visages, de leurs cheveux et de leurs mains, car, au sein de l'ambassade, seulement quatre personnes connaissaient l'existence de cette satanée Stephanie. D'autres membres du personnel n'auraient pas manqué de se poser des questions sur ce qui se tramait à l'étage supérieur. Malgré leurs efforts, ils ne pouvaient toutefois effacer leurs allures hagardes quand venait le temps de quitter l'édifice.

Une fois cet affreux travail terminé, Frost étudia leur rapport et choisit le degré de l'azimut qui lui semblait avoir le plus de potentiel. Le chef de l'équipe à l'ambassade était surpris du choix car le degré sélectionné faisait directement face à un mur de briques: apparemment, les ondes émises par la fameuse tour Ostenkino de Moscou faisaient ricochet contre le mur et vers l'ambassade canadienne.

On ne pouvait faire mieux. Stephanie était née. L'accouchement avait été beaucoup plus difficile que prévu, mais les Canadiens pouvaient enfin dire à leurs mentors de la NSA: mission accomplie! Leurs appareils fonctionnaient et ils ne s'étaient pas fait prendre.

En fait, Stephanie battait son plein lors d'une des confrontations sportives les plus mémorables entre le Canada et l'URSS, en 1972. Quand les hockeyeurs canadiens, forts d'une leçon d'humilité subie dans leur propre pays, se rendirent en URSS pour les quatre derniers de la série de huit matches contre l'équipe nationale soviétique, Stephanie écoutait. Le but des espions-recrues du CST dans l'électronique était tout aussi important que celui de Paul Henderson, qui donna une victoire à la Pyrrhus au Canada, trente-quatre secondes avant la fin de la dernière partie. Quoique Stephanie n'eut pas plus de succès que les joueurs à trouver la faiblesse de Vladislav Tretiak dans les filets. Il est pour le moins ironique de se rappeler que, durant leur séjour à Moscou, les hockeyeurs canadiens ne cessèrent de se plaindre que les Russes les espionnaient dans leur hôtel et un peu partout. Pendant que les médias canadiens s'indignaient des méthodes soviétiques, les espions du CST faisaient de même sous le couvert de l'immunité diplomatique. Quant à Frost et Bowman, Stephanie leur fut fort utile à Ottawa; le jour du dernier match de la supersérie de 1972, les deux hommes s'installèrent dans la «chambre à fournaise» pour écouter le match à la radio, ce qui n'aurait normalement pas été permis d'après les règlements stricts du CST.

À Moscou, en fait, les appareils d'écoute durent être débranchés pendant quelques jours, à cause de la visite d'un haut dignitaire canadien. La politique du CST, calquée sur celles des Américains et des Britanniques, était en effet de ne pas faire d'interception quand des politiciens du pays étaient de passage.

Frost n'a jamais été d'accord avec cette politique, particulièrement dans le cas d'une visite du premier ministre. Selon lui, le poste d'écoute pouvait aider à la protection du dignitaire. Mais les politiciens, de leur côté, voulaient demeurer en mesure de nier l'existence d'un poste d'écoute si jamais pareille question leur était posée.

■

Stephanie capta nombre de communications, surtout vocales, mais également des dépêches de l'agence TASS et plusieurs bulletins de météo.

À ce stade embryonnaire de l'histoire canadienne de l'écoute électronique en terre étrangère, très peu de l'analyse des communications interceptées était faite sur place. Les agents canadiens avaient reçu l'ordre d'avertir l'ambassadeur si jamais ils apprenaient quelque chose d'urgent et de renversant, mais la quasi-totalité du fruit de leur travail était mise sur bande sonore ou imprimée sur papier et expédiée au Canada dans des poches diplomatiques. Frost avait créé un système identifiant les sacs destinés au CST par des numéros. Quand le courrier diplomatique arrivait aux Affaires extérieures, les poches contenant le produit de l'espionnage restaient scellées et étaient envoyées directement au CST pour analyse. Le tout était ensuite refilé à la NSA aussi tôt que possible.

L'immunité du courrier diplomatique fut aussi utilisée à des fins encore plus insidieuses par un des agents du CST. Quelques mois après le début de l'opération, un nouvel agent avait été affecté à Moscou pour remplacer l'un des deux premiers arrivés et découvrit littéralement une occasion en or de devenir riche. À l'insu des douanes et des contrôles des deux pays, l'espion canadien abusa de sa position en expédiant dans les poches diplomatiques, avec les bandes sonores et les documents résultant de l'espionnage, de coûteux samovars russes en or massif.

Frost et Bowman étaient évidemment au courant, mais choisirent de ne rien faire. Frost, en bon militaire, était d'avis que c'était à son supérieur de faire quelque chose s'il s'y opposait. En fait, il enviait un peu l'esprit imaginatif et la chance de l'agent en question, même s'il était pleinement conscient qu'il transgressait les lois du Canada et de l'URSS.

On ne pouvait imaginer de crime plus parfait. Personne, sauf une poignée de gens impliqués dans une opération ultrasecrète, n'était au courant, puisqu'ils étaient les seuls à voir le contenu des poches diplomatiques dans une capitale comme dans l'autre. Et puis, qui donc Frost ou Bowman devaient-ils alerter? La police? Le gouvernement? Trop de questions seraient posées et Stephanie pourrait bien mourir prématurément. Les fougueux espions canadiens avaient l'habitude de garder le silence. De toute façon, ils étaient convaincus qu'ils violaient à peu près toutes les lois eux-mêmes avec leur opération de Moscou.

Les samovars continuaient d'arriver chaque semaine. Au moins un des deux ou trois sacs destinés au

CST contenait de l'or. Frost et Bowman rangeaient soigneusement les samovars dans les deux derniers tiroirs d'un classeur fermé à clé. Cette contrebande dura trois ou quatre mois, jusqu'à ce que les deux tiroirs fussent presque pleins. Puis, soudainement, les envois cessèrent. Frost ne posa pas de questions, et n'en était que soulagé. D'abord, les activités illicites de l'agent rendaient cette opération déjà délicate encore plus périlleuse et exposaient les Canadiens à des représailles certaines. L'agent en question s'était également placé dans une position idéale pour être victime de chantage de la part du KGB, par exemple. Car c'est ainsi qu'on recrute les agents doubles.

Quand l'agent quitta Moscou pour rentrer au Canada, il se rendit plusieurs fois à son bureau du CST avec une mallette vide. Lorsqu'il quittait l'édifice, elle était remplie de samovars. Il n'aurait jamais pu réussir un coup de ce genre à la NSA, les procédures y étant beaucoup plus strictes. Mais au CST, aucune vérification n'était faite à la sortie.

Dans les annales du CST et du gouvernement canadien, le crime des samovars n'existe pas.

■

Stephanie ronronna sans trop de problèmes au cours de sa première année. Puis un incident totalement inattendu vint compromettre toute l'opération. Frost reçut un message de Moscou l'informant que l'équipement électronique, qui était pourtant dans une pièce interdite d'accès au personnel de l'ambassade, avait été vu par un chauffeur membre des Forces armées canadiennes. Le militaire était «accidentellement» arrivé face à face avec Stephanie et les agents du CST. L'alerte fut donnée au CST et on décida de mettre la GRC au fait de l'opération. Frost et Bowman apprirent, horrifiés, que le chauffeur en question était soupçonné d'être un agent double du KGB. Peu de temps après, le chauffeur fut mystérieusement muté à une autre ambassade... à Beijing.

Frost avait beau essayer de comprendre, il ne voyait pas la logique d'une telle décision. Pourquoi relocaliser un agent du KGB à l'ambassade canadienne en Chine? Qui était-il vraiment? Est-ce que cette histoire de KGB était vraie? Peut-être était-il à l'emploi du service de contre-espionnage de la GRC? Ou était-ce que la police lui tendait un plus gros piège? Il apprit quelques années plus tard que le «chauffeur», de retour au Canada, était devenu un homme d'affaires prospère.

Si le KGB était au courant de Stephanie, ses agents ne posèrent aucun geste pour le laisser entendre aux Canadiens. L'opération dura presque trois ans. Mais malgré leur persévérance et leur travail acharné, les espions du CST durent en venir à la conclusion qu'ils ne pouvaient rien trouver que les Américains ne captaient déjà avec Broadside, ou les Britanniques avec Tryst. Les deux opérations alliées, mieux rodées, produisaient plus de matériel pertinent que ce que le Canada pouvait offrir. Pour Frost et Bowman, Stephanie avait tout de même été un succès. Ils avaient commis des erreurs stupides en cours de route, mais, comme leur disaient leurs «professeurs» américains, ils commençaient à apprendre. Ils avaient été incapables de combler les vides dans l'écoute électronique dont parlait Frank Bowman lors de sa rencontre initiale avec Frost sur ce projet, mais là n'était pas leur objectif personnel. Leur but avait été atteint: ils avaient réussi à tromper la vigilance des Soviétiques en faisant entrer leur équipement clandestinement; ils avaient fait fonctionner leurs appareils dans des conditions extrêmement difficiles et avaient quand même intercepté des messages.

Et pendant trois ans, quatre de leurs espions avaient accompli le travail sans se faire découvrir.

La NSA leur demanda d'en finir avec Stephanie. Les agents rentrèrent au pays et chaque pièce d'équipement fut renvoyée au Canada par voie diplomatique, sauf le coffre-fort, qui est probablement toujours là, avec un trou au fond.

Ainsi prenait fin la première aventure du Canada dans le monde de l'écoute diplomatique. Ce ne serait pas la dernière.

Chapitre IV

LA SAISON DE LA CHASSE

Au cours des années 1970, et jusqu'à la fin de la guerre froide, le CST concentrait la majeure partie de ses ressources et de ses énergies à Ottawa, à traquer les espions soviétiques qui voyaient dans la capitale canadienne une cible idéale pour leurs opérations d'espionnage contre les pays de l'Ouest. Quoique la dissolution de l'URSS et du bloc de l'Est ait refroidi quelque peu l'ardeur des chasseurs d'espions, il est plus que probable que l'ambassade russe au Canada fasse toujours l'objet d'une surveillance étroite de la part de la GRC, du SCRS et des spécialistes de l'écoute électronique du CST, où l'on est persuadé que les anciens agents du KGB et du GRU opèrent tout simplement sous de nouveaux parapluies. Les agents de contre-espionnage étant ce qu'ils sont, le «jeu» de ces prédateurs de renseignements et des chasseurs qui les guettent continuera encore pendant un bon bout de temps.

Le CST aurait bien aimé exercer une meilleure surveillance sur l'ambassade chinoise au cours de la même époque, mais il avait décidé d'abandonner cette tâche aux Américains, n'ayant ni l'expertise de la langue ni les ressources pour courir deux si gros lièvres à la fois.

Il est important de mentionner pourquoi le Canada, et particulièrement le CST, essayait de contrer la menace soviétique au cours des années 1970 et 1980. Ces opérations de contre-espionnage à Ottawa ont en fait servi de terrain d'entraînement principal aux employés du CST qui devaient plus tard mener eux-mêmes des missions d'espionnage en terre étrangère, contre les Soviétiques et d'autres pays. Aussi, c'est en participant à ces activités que le CST s'éloigna de son mandat d'organisme voué à la prévention et à la protection des communications canadiennes, pour s'impliquer activement dans des activités de contre-espionnage — qui sont vraiment l'affaire du SCRS et de la GRC. Autrement dit, la menace soviétique, réelle ou imaginée, contribua à transformer le rôle défensif et analytique du CST pour en faire une agence d'écoute électronique de plus en plus dynamique et audacieuse.

■

Peu après la fin de Stephanie, Mike Frost fut affecté à la section N1A du CST, un groupe d'une quinzaine d'employés responsable de l'analyse des renseignements touchant l'URSS. Le travail ne manquait pas. En plus des renseignements obtenus par le Canada, le CST faisait aussi de l'analyse pour les Américains, dont celle des informations recueillies par les satellites espions de la NSA (*Keyhole*) et de la CIA (*Talent*). Car l'un des problèmes de ces satellites hautement efficaces est qu'ils produisent trop de données. Les Américains, débordés d'informations à traiter, crurent donc bon de conclure une entente avec les Canadiens:

ils partageraient leurs renseignements si le CST les aidait à les analyser.

Frost a été l'un des premiers employés de l'agence canadienne à être endoctriné pour Talent-Keyhole qui, dans les années 1970, était l'un des mandats les plus secrets de l'agence. À l'époque, l'existence même de ces mystérieux satellites n'était encore que spéculation ou même fiction.

C'est aussi vers le milieu de cette décennie que Frost se vit confier la mission de découvrir comment fonctionnaient les satellites espions utilisés par les agents soviétiques. En 1975, les États-Unis et la Grande-Bretagne savaient que les agences d'espionnage de l'URSS utilisaient un réseau de satellites de communications pour transmettre et recevoir les messages de leurs agents à travers le monde. Mais ils ignoraient toujours où exactement se trouvaient les appareils orbitaux et comment ils fonctionnaient. L'expertise de Frost fut donc mise à contribution afin de résoudre ce casse-tête. Lorsqu'on connaît le mode de fonctionnement des satellites, on peut plus vraisemblablement intercepter leurs communications. Et au terme de longues et pénibles journées — voire de mois — de travail, on peut éventuellement trouver le destinataire des messages en question. On a alors capturé un espion.

Il ne fallait que les appareils électroniques adéquats pour y parvenir. Ces nouvelles techniques annonçaient la fin de l'ère des espions à la James Bond et contribuèrent à l'expansion phénoménale du pouvoir d'agences comme le CST, la NSA et le GCHQ.

■

Mike avait à résoudre le mystère des deux réseaux de satellites de communications soviétiques dont les noms de code, choisis par les Américains, étaient «Amherst» (le réseau de l'agence civile KGB) et «Yanina-Uranium» (celui de l'agence militaire GRU). Les partenaires de l'entente CANUKUS mirent à peu près un an à résoudre l'énigme.

Frost avait été choisi en raison de ses connaissances dans le domaine de l'écoute dite technique, c'est-à-dire tout ce qui n'était pas émis en morse, et à cause de son expérience avec Stephanie. Il fut promu directeur de l'une des deux sous-sections de la N1A, où il était également responsable de l'interception de signaux plus conventionnels en haute fréquence, entre l'Union soviétique et ses agents postés en Amérique du Nord.

Amherst fut le premier réseau à livrer ses secrets. Il s'agit de huit satellites déployés à distance égale les uns des autres sur une orbite de 64 degrés relativement à l'équateur et permettant au KGB de communiquer avec ses agents n'importe où dans le monde.

«Les Soviétiques ne faisaient que commencer à utiliser leurs satellites à ce moment-là, explique Frost. Ils s'en servaient pour ajouter à ce qu'ils émettaient déjà par communications HF (en haute fréquence). Ils n'avaient pas suffisamment confiance en cette nouvelle technologie de l'espace pour éliminer totalement leurs méthodes traditionnelles... Nous en savions très peu sur ces satellites, mais il fallait absolument découvrir comment ils s'en servaient, et le plus vite possible.»

Amherst fonctionne ainsi: la ceinture de huit soucoupes permet au KGB de toujours avoir un satellite capable d'émettre ou de capter un message à n'importe quel moment du jour, n'importe où sur la planète. Ces satellites voyagent sur une orbite basse, donc relativement près de la Terre; ils ont une longévité d'à peu près six mois et sont constamment remplacés par de nouveaux engins, habituellement parce qu'ils viennent à court de carburant.

Moscou envoie et emmagasine les messages destinés à ses agents lorsqu'un des satellites est à sa portée. En même temps, l'ordinateur d'Amherst est programmé pour «larguer» l'information une fois celui-ci arrivé au-dessus d'une partie spécifique du globe. Quand l'agent du KGB, d'origine soviétique ou autre, reçoit l'information, il doit en faire la confirmation à Moscou en émettant une «transmission éclair» par radio HF, qui est extrêmement difficile à intercepter puisqu'elle ne dure que quelques secondes.

Les communications HF n'exigent pas l'utilisation du satellite. Elles se font par radios sans fil conventionnelles. Mais une transmission éclair, même par une méthode traditionnelle, est un stratagème plutôt astucieux.

L'émetteur comprime son message HF de telle façon qu'il ne se mesure souvent qu'en millièmes de secondes, ou tout au plus, en secondes. C'est un peu comme écouter une bande sonore en avance rapide (*fast forward*). L'heure et la date de la transmission éclair sont prédéterminées de sorte que le destinataire, à Moscou, peut enregistrer le message puis en ralentir l'écoute pour le déchiffrer.

«Pour un espion, c'est une affaire de routine, explique Frost. Il sait exactement à quel moment on s'attend à recevoir sa transmission.»

Pour les agents de contre-espionnage, localiser la provenance exacte de messages aussi brefs est extrêmement difficile. Le seul moyen d'y parvenir est de cibler au préalable ce qu'on croit être le site d'opération de l'espion, de placer des appareils d'écoute le plus près possible de ce site et d'être en ondes au moment de la transmission.

C'est là que l'interception des messages envoyés par satellite prend de l'importance. Quand l'appareil orbital largue ses renseignements, il laisse ce qu'on appelle dans le métier d'espion une «empreinte» grâce à laquelle on sait à quelle région de la planète le message est destiné. Sauf que, si on prend l'exemple du Canada, cette empreinte peut s'étendre de Québec à Winnipeg. Le signal transmis est comparable au faisceau lumineux d'une lampe de poche. Plus la lumière s'éloigne, plus le cercle devient diffus. Les signaux d'un satellite sont toutefois suffisamment puissants pour atteindre la Terre, alors que la lumière d'une lampe de poche se perd dans la nuit. De sorte que, si vous captez une seule de ces transmissions, tout ce que vous pourrez conclure est qu'il y a un agent du KGB quelque part entre la péninsule de Gaspé et la baie d'Hudson.

Tous les messages émanant d'agences soviétiques sont transmis dans un code qui n'est utilisé qu'une seule fois — connu en anglais sous l'expression *one-time-padcode*. (Pour les érudits et les cryptographes amateurs, un exemple de ce genre de codes est illustré à la p. 107.) Pendant la vingtaine d'années où Frost travailla au CST, ni l'agence ni ses alliés ne parvinrent à déchiffrer un seul de ces codes — pour la simple raison qu'il est pratiquement impossible d'y arriver. Ce qui veut dire qu'intercepter une transmission éclair n'apporte pas nécessairement grand-chose. Mais les agences de contre-espionnage persistaient tout de même, car l'immense empreinte laissée par la transmission dans l'espace rendait théoriquement possible d'en trouver la destination et, éventuellement, d'en localiser le récepteur.

«La solution, explique Frost, est d'intercepter suffisamment de ces communications pour pouvoir les superposer. Tôt ou tard, les satellites orbitaux étant ce qu'ils sont — un peu erratiques dans leurs

FIGURE C
La scructure du code *one-time-pad*

Série de nombre aléatoires à 5 chiffres connus de l'émetteur et du récepteur:

97410 36982 12501 22473 71802 14580
80143 91029 87871 48954 87101 23587 etc.

Pour encoder la phrase «Have a nice day» (Bonne journée), remplacer chacune des lettres par son équivalent numérique selon la convention suivante:

A = 11	F = 16	K = 21	P = 26	U = 31	Z = 36
B = 12	G = 17	L = 22	Q = 27	V = 32	Espace = 37
C = 13	H = 18	M = 23	R = 28	W = 33	Point = 38
D = 14	I = 19	N = 24	S = 29	X = 34	Virgule = 39
E = 15	J = 20	O = 25	T = 30	Y = 35	Point d'interrogation = 40

h	a	v	e	es	a	es	n	i	c	e	es	d	a	y
18	11	32	15	37	11	37	24	19	13	15	37	14	11	35

Soustrayez des nombres aléatoires du *one-time-pad* les nombres obtenus par substitution de lettres, en simulant seulement l'opération de soustraction (en omettant les retenues):

97410 36982 12501 22473 71802 14580
18113 21537 11372 41913 15371 41135
89307 15455 01239 81560 66531 73455

Ces faux restes arithmétiques constituent la message à transmettre[1].

Pour décoder le message qu'il a reçu, le destinataire simule à son tour une opération de soustraction (les nombres du *one-time-pad* moins les restes reçus):

97410 36982 12501 22473 71802 14580
89307 15455 01239 81560 66531 73455
18113 21537 11372 41913 15371 41135

Substituer les lettres aux nombres:

18	11	32	15	37	11	37	24	19	13	15	37	14	11	35
h	a	v	e	es	a	es	n	i	c	e	es	d	a	y

1. L'émetteur prend habituellement soin d'indiquer clairement au destinataire le format (nombre de rangées et de colonnes par page) qu'il a utilisé.

(Diagramme: David Frost)

mouvements —, vous découvrez que toutes ces transmissions couvrent toujours au moins une petite région donnée.» En d'autres mots, l'empreinte n'est jamais exactement la même que la précédente, mais une partie de celle-ci touche toujours au même endroit. C'est, d'une certaine façon, comme de dessiner une série de cercles un peu partout sur une page, en s'assurant tout de même que tous les cercles englobent au moins le même petit point au centre de la page. Parfois, l'intercepteur gagne le gros lot et il ne lui faut que deux empreintes pour déterminer où est le point en question. Mais, la plupart du temps, il faut des douzaines, des centaines et même des milliers de transmissions pour y parvenir.

Le CST embaucha un ingénieur dans la section N1A avec mission d'élaborer un programme informatique qui faciliterait l'analyse des empreintes de satellites espions. Amherst fut relativement facile à résoudre, car ses huit satellites émettent constamment un signal identifiable qui sert à confirmer son bon fonctionnement. Toutefois, lorsque l'appareil largue ses renseignements à un agent en pays étranger, ce signal cesse immédiatement. L'intercepteur sait dès cet instant qu'une communication est imminente. Le problème à l'origine était précisément que ni le CST ni ses alliés ne savaient précisément quand le contact espace-Terre aurait lieu. Ils entreprirent de surveiller les satellites vingt-quatre heures sur vingt-quatre, après avoir compris qu'il s'agissait en fait d'une ceinture de huit appareils. Tous les sites «officiels» d'écoute électronique du CST, de la NSA et du GCHQ (comme Inuvik et Alert) étaient constamment à l'affût de tels messages. Les postes d'écoute clandestins l'étaient aussi. Ils cherchaient à déterminer la fréquence utilisée, l'heure du jour où la communication avait lieu et qui la recevait.

Les satellites d'Amherst sont programmés pour rembobiner et réémettre le message si, pour une raison ou une autre, leur espion l'a raté quand l'un d'eux est passé à sa portée. Une fois la réception confirmée, l'émetteur en URSS rembobine à son tour et efface ledit message.

Si, par hasard, l'agent soviétique en terre étrangère a une longue communication à faire parvenir à Moscou, il utilise lui aussi le satellite. Il n'a qu'à brancher son émetteur-récepteur et à attendre le signal identifiant un des appareils d'Amherst. Il transmet alors son message sur VHF, une fréquence qui, contrairement à la fréquence HF, sort de l'atmosphère et s'en va directement dans l'espace. Le satellite visé enregistre et emmagasine le message. Les opérateurs radios du KGB interrogent tour à tour chacun des huit appareils orbitaux quand ceux-ci passent au-dessus de Moscou pour savoir s'ils ont une communication à transmettre. Si la réponse est affirmative, on appuie sur un bouton et le satellite largue sa marchandise.

Le réseau du GRU, Yanina-Uranium, ne livra pas ses secrets aussi librement. C'est un réseau de satellites beaucoup plus «silencieux» qu'Amherst. Il est également contrôlé de Moscou, mais ses satellites n'émettent pas de signal continuel qui pourrait aider à les localiser. Une autre différence majeure dans ce réseau dit passif, composé de seulement trois ou quatre satellites, est que son orbite est hautement elliptique, à un angle de 45 degrés de l'équateur. Cela signifie que les appareils ne passent suffisamment près de la Terre pour larguer ou emmagasiner des messages électroniques qu'une fois de temps en temps. Cette orbite inhabituelle fait que le satellite passe à portée des récepteurs-émetteurs terrestres à toute vitesse pour ensuite s'éloigner dans l'espace, là où son ellipse l'emporte.

Le message envoyé de Moscou avait comme nom de code Yanina, alors que celui de l'espion à l'étranger était surnommé Uranium. Les agents de contre-espionnage alliés crurent bon de leur donner des noms distincts afin de pouvoir isoler plus facilement les deux signaux. Le message transmis par le quartier général du GRU à Moscou était emmagasiné sur le satellite, mais contrairement au réseau Amherst, il n'était pas programmé pour être largué à un endroit précis. Cette tâche revenait à l'agent qui, ayant reçu un message HF de Moscou l'avertissant de l'arrivée imminente d'une «cargaison», interpellait le satellite au bon moment par ondes VHF et captait le message.

Le CST et les autres agences impliquées dans cette mission en vinrent à la conclusion évidente que l'espion devait posséder une espèce d'horaire des satellites — tel un horaire d'autobus — qui lui permettait de savoir quand il pouvait communiquer avec l'appareil. L'agent soviétique, comme ceux qui le traquaient, ne pouvait savoir autrement où était le satellite.

Les agents du CANUKUS avaient l'impression de chercher une aiguille dans une botte de foin quand ils entreprirent de résoudre le mystère de Yanina-Uranium. Ils n'avaient aucune idée de la trajectoire ou du nombre de satellites utilisés et ignoraient quelle fréquence l'agent utilisait pour communiquer avec eux. Ils ne pouvaient que supposer, en 1975, que l'espion utilisait des transmissions éclair sur VHF pour faire son travail, ce qui ne faisait que compliquer leurs recherches.

La première étape était de trouver la position exacte de ces foutus satellites et à quelle distance ils se situaient les uns des autres sur la même orbite. Une fois que les agences de contre-espionnage eurent résolu cette partie du casse-tête, elles savaient à tout le moins quand l'un de ces appareils serait à portée de Moscou ou du territoire soviétique et concentraient toutes leurs ressources d'écoute électronique à en isoler la moindre transmission.

«Finalement, nous avons pu intercepter des transmissions Uranium (de l'espion), confirme Frost. Avec le temps et beaucoup de patience, nous avons trouvé de quelles villes elles provenaient et, en bout de ligne, de quels édifices.»

À ce moment, les agents de contre-espionnage avaient un espion soviétique dans leurs filets.

■

Le CST travaillait alors — et encore aujourd'hui — de près avec le Service de sécurité de la GRC, maintenant transformé en l'agence civile qui porte le nom de Service canadien du renseignement de sécurité (SCRS). Ce service spécial de la GRC était chargé de surveiller les allées et venues des personnes suspectées d'espionnage, compte tenu que leurs déplacements étaient cruciaux dans l'interception des messages.

Tous les employés du CST affectés au contre-espionnage dans la région d'Ottawa se voyaient remettre une petite carte semblable à une carte de crédit qui indiquait les lettres et numéros de certaines plaques diplomatiques rouges. Toute plaque identifiée par un nombre compris entre 800 et 999 suivi des lettres CDA jusqu'à Z, XTR jusqu'à Z, ou CCA jusqu'à Z (la troisième lettre pouvant être n'importe laquelle de l'alphabet) identifiait des véhicules appartenant à des diplomates des pays du bloc de l'Est. À l'endos de la carte se trouvait un numéro de téléphone où l'on pouvait appeler à frais virés vingt-quatre heures sur vingt-quatre si jamais un de ces véhicules était remarqué à un endroit insolite ou dans des déplacements louches. Les instructions se lisaient comme suit, en anglais et en français:

«Identifiez-vous. Donnez le numéro de la plaque. Donnez l'emplacement et l'heure de l'observation. Si possible: la série, le modèle, la couleur, le nombre d'occupants, activité inhabituelle, etc.» Les employés auxquels on donnait cette carte étaient sommés de l'avoir avec eux en tout temps et de s'en servir à la moindre alerte.

La fameuse carte et le sens du devoir de Mike Frost lui valurent presque un accident d'auto. Alors qu'il roulait tranquillement sur la route 16, au sud d'Ottawa, avec sa famille, il aperçut, loin devant lui, deux autos arrêtées sur la chaussée. La première avait précisément une plaque diplomatique rouge. Ses instincts s'éveillèrent d'un coup sec et, en effet, c'était bel et bien une automobile appartenant à une ambassade communiste. L'autre véhicule, par ailleurs, portait une plaque de l'Ontario. Deux hommes, vraisemblablement les conducteurs des voitures, étaient debout au bord de la route, au milieu de nulle part, entretenant ce qui semblait être une longue conversation.

Frost se mit à dire à haute voix devant les membres de sa famille ahuris: «Il faut que je trouve un téléphone! Il faut que je trouve un téléphone!» Il en dénicha un et donna ses renseignements, livrant une description détaillée des deux automobiles et de leurs plaques respectives.

L'incident était d'autant plus étrange que non seulement les deux hommes avaient choisi un bien drôle d'endroit pour tenir une réunion, mais le diplomate en question enfreignait les règlements canadiens lui défendant de s'éloigner à un rayon de plus de 20 km à l'extérieur d'Ottawa sans une autorisation spéciale.

Frost ignore quel a été le résultat de son intervention, mais, si l'on exclut la mince possibilité qu'il s'agissait d'un agent double conversant avec un Canadien affecté au contre-espionnage, ces deux hommes ont dû se retrouver très haut sur la liste des suspects du Service de sécurité de la GRC.

Frost se souvient de trois cas fort intéressants où les services du CST furent essentiels à la capture d'agents étrangers. En 1975 et 1976, la section N1A consacrait tout particulièrement ses ressources à traquer les communications des espions soviétiques.

Le premier cas concerne un scientifique soviétique du nom de Khvostantev, qui était au Canada dans le cadre d'un programme-échange avec le Conseil national de recherches. Il avait apparemment approché un scientifique canadien du CNRC dans le but d'acheter certains documents. Le Canadien avait immédiatement averti la GRC. On demanda au CST de tenter de déterminer si des messages étaient reçus ou transmis depuis la résidence du scientifique russe. La section N1A ne mit pas de temps à découvrir qu'il se servait du réseau de satellites Amherst, ce qui signifiait sans l'ombre d'un doute qu'il était à la solde du KGB. Non seulement les agents du CST parvinrent-ils à intercepter nombre de transmissions éclair, mais le suspect était toujours à la maison lorsqu'elles se produisaient. Avec cette preuve en main, la GRC monta une opération piège contre le scientifique. Il fut expulsé du pays suite à cette enquête, en 1977.

Un autre Soviétique, le lieutenant-colonel Smirnov, fut également la cible d'une opération CST-GRC à cette époque. Il avait tenté d'acheter des documents secrets de la compagnie Bell-Northern. Les Soviets avaient l'habitude de faire ce genre d'espionnage auprès de compagnies de télécommunications ou d'informatique dans le but de copier le fruit de leurs recherches. Une fois de plus, l'employé de Bell-Northern alerta les autorités. La GRC demanda l'aide du CST, qui parvint à capter des communications de l'agent soviétique au réseau de satellites Yanina-Uranium, ce qui en faisait un espion du GRU. Lui aussi fut piégé et escorté hors du Canada en 1977.

Ce qu'il y a d'intéressant dans ces deux cas est que le CST aida à capturer les espions en utilisant des appareils et une salle de contrôle qui n'auraient jamais dû exister. Les signaux des satellites avaient été captés de la «chambre à fournaise» située sur le toit du quartier général du CST, que Frank Bowman et Mike Frost avaient aménagée pour la mission d'écoute diplomatique Stephanie une demi-douzaine d'années plus tôt. Il faut se rappeler qu'en théorie, les appareils électroniques n'avaient été installés là que pour tester leur fiabilité. C'est aussi dans cette pièce que Bowman et Frost avaient écouté le dernier match de la série URSS-Canada de 1972. En passant devant l'édifice principal du CST, on peut voir sur le toit ce qui ressemble à une petite cabane, avec une porte de couleur blanche. Juste au-dessus de cette porte, plusieurs petites antennes sont jointes à des câbles qui descendent le long du mur extérieur jusqu'à une boîte de dérivation arrimée au mur de briques. Ce sont ces antennes qui servent à intercepter les signaux des satellites, des téléphones cellulaires, des tours à micro-ondes et à peu près tout ce qu'on peut tirer des ondes.

«C'était clairement hors de notre mandat, affirme Frost. Nous n'étions pas censés faire de l'interception directement du CST. Notre tâche était d'analyser, et nous devions obtenir nos données par d'autres moyens. La "chambre à fournaise" nous permettait de faire de l'écoute électronique sans dépendre de nos postes officiels, comme Moncton, Inuvik ou Alert. Nous pouvions ainsi faire des opérations clandestines sans que trop de gens ne soient au courant.»

Quant aux espions qu'on tente de prendre en flagrant délit, ils ne peuvent bien évidemment pas se servir d'antennes installées en permanence: les localiser deviendrait un jeu d'enfant. Ils utilisent souvent de petites antennes paraboliques portatives. Avec un bon équipement, il devient possible de faire une transmission satellite du balcon d'un appartement ou même de son salon, puisque les ondes VHF traversent très facilement le béton et la plupart des matériaux utilisés en construction. Une simple antenne HF est un peu moins pratique. Il s'agit finalement d'un fil, télescopique ou autre, qu'il faut installer à l'extérieur pour que la transmission réussisse. Certains espions ont l'habitude de déguiser leur antenne HF en bonne vieille corde à linge qu'ils peuvent allonger ou raccourcir à volonté. L'antenne doit être également calibrée à la bonne fréquence (longueur et diamètre du fil). Somme toute, puisqu'ils n'utilisaient pratiquement que des transmissions éclair de quelques secondes, le travail des espions soviétiques était relativement facile.

Pour comprendre la différence entre les ondes VHF et HF, prenons l'exemple de votre radio AM-FM. Les stations FM diffusent en VHF (très haute fréquence), ce qui explique pourquoi leur réception est aussi claire et bonne à l'intérieur d'un édifice ou d'une auto. Les stations AM émettent en MF (moyenne fréquence) ou HF (haute fréquence), ce qui explique une certaine distorsion à l'intérieur d'un édifice ou lorsqu'une automobile traverse un tunnel.

Curieusement, même s'ils peuvent se transmettre dans l'espace intersidéral, les signaux VHF ne voyagent pas aussi bien ou facilement à l'intérieur de l'atmosphère que les signaux HF. Il s'agit d'un signal hautement directionnel qui, s'il vise le ciel, continuera en ligne droite jusqu'à épuisement de la force d'émission; dans le cas des radios FM, les signaux sont dirigés sur des cibles terrestres pour desservir un marché particulier.

Mike Frost se souvient particulièrement de la troisième aventure de chasse à laquelle il prit part, probablement parce que le suspect était en fait un citoyen canadien. La GRC avait fait savoir au CST qu'elle soupçonnait un agent à la solde des Russes d'opérer depuis un édifice à appartements de la promenade Prince of Wales, dans la banlieue d'Ottawa. Le CST savait déjà que des transmissions éclair étaient émises et reçues dans ce quartier de la ville grâce à l'écoute qu'on faisait depuis la «chambre à fournaise», mais ce n'était pas suffisant comme preuve. Cette fois, le CST décida d'utiliser l'un de ses deux camions blancs pour se rapprocher le plus possible du domicile du suspect. Il leur fallut deux ou trois ans pour accumuler suffisamment de preuves contre l'agent qui était effectivement à la solde du KGB, pour l'incriminer. Les transmissions HF sont lentes à localiser parce qu'on n'en sait que très peu au début sinon qu'elles sont dirigées vers l'hémisphère Nord — et les Soviétiques transmettent des centaines de messages de ce genre à leurs agents tous les jours.

«C'était un travail de bénédictin, qui demandait énormément de temps», commente Frost.

Alors que les renseignements accumulés par le CST furent à un moment suffisamment éloquents pour convaincre la GRC qu'ils avaient cerné un citoyen canadien à la solde du KGB, Frost soutient qu'on ne prit aucune action contre cet espion. L'homme n'a pas été appréhendé, quoiqu'il n'est pas impossible que la GRC se soit servie des renseignements obtenus pour le faire chanter et le transformer en agent double. Comment peut-on monter un dossier à ce point accablant contre un citoyen canadien, pour ensuite tout simplement le laisser continuer ses activités? «Il vous faut des années pour traquer un espion, explique Frost. Quand vous le trouvez, si vous le traînez devant les tribunaux, les Soviets vont tout simplement en acheter un autre et vous recommencez à zéro. Par ailleurs, si vous suivez l'agent et que vous interceptez ses communications, même si vous ne pouvez déchiffrer le code qu'il utilise, vous pouvez savoir quel genre de renseignements il recherche, ce qu'il fournit à l'ennemi et en évaluer l'impact. Il devient même possible de l'alimenter avec de la désinformation... Je dois avouer que j'ignore qui décide s'il y a des accusations à porter ou non... Évidemment, un autre avantage est qu'il est ensuite facile de persuader l'espion de devenir agent double.»

■

Frost soulève un autre point à la fois intrigant et inquiétant, celui de la forte probabilité que le CST ait été infiltré par une taupe.

«J'en suis sûr à cent pour cent. Il y a même probablement plus d'une taupe au sein du CST maintenant. S'il n'y en a pas, cela signifie que nous avons la seule agence de renseignements au monde qui n'ait pas été infiltrée par les Soviétiques. C'est insensé. La NSA, le GCHQ, le DSD en Australie ont tous été pénétrés.»

Comment le KGB forme-t-il des taupes? Ses agents commencent habituellement au niveau secondaire ou collégial — préférablement au secondaire. Ils choisissent un candidat qui est exceptionnellement intelligent et qui a idéalement des tendances gauchisantes. Ils lui font une offre d'emploi dans un pays étranger, sans préciser lequel, ou encore pour une firme prestigieuse du Canada. Ce travail est accompli par des agents soviétiques ou parfois par des citoyens canadiens à leur solde.

Il faut des années pour créer une taupe. Graduellement, l'agent recruteur devient ami avec l'individu, sa famille, son époux ou son épouse. Il lui suggère de prendre certains cours spécifiques à l'université, en prétendant avoir de l'influence dans un pays étranger qui cherche à embaucher une personne avec telle et telle formation. La prochaine étape implique de l'argent; on aide à payer les frais universitaires ou ceux d'un cours en particulier. On l'emmène en voyage à l'étranger et on assume toutes les dépenses. C'est tout simplement une question de faire en sorte que la taupe en puissance en vienne à se sentir redevable envers son bienfaiteur. «Après un bout de temps, le candidat a non seulement confiance en l'espion, mais il croit avoir une dette envers lui.»

Quand la taupe obtient finalement son diplôme de l'université, l'agent du KGB lui glisse quelque chose comme: «Nous avons besoin de tes services pour quelque temps. Essaie de te dénicher un emploi chez Bell-Northern, au CST ou au SCRS...» Le recruteur ne dit toujours pas à son protégé qu'il est sur le point de devenir un espion. Il suggère seulement qu'il pourrait être facile pour lui d'obtenir un emploi au sein de telle compagnie ou de telle agence gouvernementale. Si l'agent du KGB a bien fait son travail, la taupe fait une demande d'emploi qui répond à toutes les exigences d'un poste donné grâce aux cours qu'il a suivis. Toujours inconscient qu'il deviendra un espion, le candidat est embauché par le CST.

La séduction graduelle de la taupe exige patience et subtilité. L'agent soviétique lui pose des questions apparemment insignifiantes sur son travail, ou lui demande comment tel ou tel individu se porte. Peu à peu, des bribes de renseignements commencent à émerger. Quand le maître espion décide que la taupe est finalement prête, il frappe le grand coup. Il dit à son protégé quelque chose comme: «Si tu peux me trouver tel ou tel renseignement et m'en faire une copie, je te donnerai un certain montant d'argent...» Le temps est venu de régler les comptes. Si la taupe refuse d'obtempérer, l'agent laisse alors tomber la bombe, lui dit qu'il est membre du KGB et dresse la liste des informations que sa recrue lui a déjà révélées. Elles semblaient peut-être sans importance lorsque la taupe les laissait glisser au cours de conversations intimes, mais quand l'agent les énumèrent toutes ensemble, elles donnent le portrait de quelqu'un qui, bien que contre son gré, a tout de même révélé une série de secrets de première importance. L'argent versé pour les cours universitaires et les voyages à l'étranger est mentionné. L'agent menace de le dénoncer. Habituellement, à ce point, la taupe est prise à la gorge et n'a d'autre choix que de coopérer.

Le CST existe maintenant depuis suffisamment de temps — au moins depuis l'après-guerre — pour convaincre Frost que les Soviétiques sont parvenus à l'infiltrer. Il serait intéressant, cependant, de spéculer sur le travail qu'accomplit maintenant une taupe avec la dissolution de l'URSS et la disparition du communisme dans les pays de l'Est. Il est plausible que la taupe ait gravi les échelons du CST et soit maintenant en position de commande.

■

Frost est quasi certain qu'au cours des deux à trois années où il a travaillé au sein de l'équipe de contre-espionnage, la GRC et le CST tentaient de traquer au moins une vingtaine d'espions à la solde de l'URSS qui n'étaient pas des Soviétiques mais bien, pour la plupart, des citoyens canadiens. Si jamais des accusations ont été portées ou des procès intentés contre eux, les médias ne l'ont jamais su — ce qui est pratiquement impossible et soulève de sérieuses questions quant au sort de ces espions.

En 1978, cependant, le gouvernement Trudeau expulsa treize diplomates de l'ambassade soviétique d'un seul coup de balai et sans réaction de la part de

Moscou. Au mois de janvier suivant, l'éphémère gouvernement de Joe Clark devait en escorter trois autres hors du pays. Cette fois-ci, le Kremlin avait réagi en expulsant l'attaché militaire du Canada à Moscou, le colonel Harold Gold, «pour des raisons reliées à l'espionnage». La secrétaire d'État aux Affaires extérieures de l'époque, Flora MacDonald, affirma qu'il n'y avait pas d'espions canadiens à Moscou. Peut-être pas à ce moment-là. Mais rappelons-nous que Stephanie n'avait cessé d'opérer que cinq années plus tôt.

Les renseignements qui menèrent à l'extradition des Soviets furent obtenus en grande partie par le CST, en collaboration avec le Service de sécurité de la GRC. Mike Frost a une bonne idée des moyens qu'on a pris pour y parvenir.

■

Quand Frost se joignit à la section N1A, il fut immédiatement endoctriné pour une opération dont le nom de code était «Capricorn». Non seulement la GRC et le CST étaient-ils impliqués dans cette opération, mais un géant corporatif canadien collaborait aussi étroitement à cette opération d'espionnage contre un pays étranger.

Capricorn était en fait le nom de code pour l'interception par la GRC de toutes les communications transmises sur les lignes CN-CP (Canadien National et Canadien Pacifique) entre l'ambassade soviétique à Ottawa et Moscou — la plupart d'entre elles étant faites par télex. (Le télécopieur existait déjà en 1975, mais on n'en faisait pas encore un usage courant dans les communications.) Ces communications se faisaient par ce qu'on nomme dans le monde diplomatique un «transporteur commun». Il s'agit d'un service que les ambassades partout dans le monde utilisent lorsque leurs propres systèmes sont surchargés et qu'elles doivent utiliser les moyens du pays hôte pour communiquer avec leur pays.

Tous les jours, un messager de la GRC se présentait aux bureaux de CN-CP pour emporter des boîtes de documents contenant toutes les communications entre l'ambassade d'Ottawa et Moscou utilisant ce transporteur commun. CN-CP ne faisait que remettre le tout, apparemment sans poser de questions. En fait, chaque fois que les Russes transmettaient un message par cet intermédiaire, CN-CP en faisait automatiquement deux copies: une pour la transmission et l'autre pour les services de contre-espionnage. «Les documents arrivaient à la tonne», se souvient Frost.

Était-ce conforme à l'éthique? Disons seulement que les Canadiens n'hésitaient pas — et n'hésiteraient toujours pas — à s'indigner quand les pays communistes agissaient de la sorte contre eux. Pour la GRC, c'était simplement rendre la monnaie de la pièce. Il est quand même renversant de voir que CN-CP collaborait aussi allègrement avec la police dans une opération de cette envergure sans que les autorités n'aient à se justifier légalement et publiquement. Il faut se rappeler qu'à l'époque, cependant, les Soviets représentaient pour plusieurs le mal incarné.

La GRC ou, aujourd'hui, le SCRS ont-ils utilisé la même source, de la même manière, pour obtenir des renseignements contre des citoyens canadiens qui n'avaient rien à voir avec l'espionnage? Frost n'en sait trop rien. La possibilité de commettre de tels abus, cependant, était réelle.

Le matériel reçu des communications CN-CP était si volumineux que son analyse monopolisait toute une section du CST. Certains messages étaient rédigés en code, d'autres non. Toutefois, on peut déchiffrer un code en accumulant suffisamment de messages pour y déceler un pattern. On ignore si les cryptographes du CST ont jamais réussi à interpréter ces codes, plus simples que les *one-time-pad* (voir diagramme, figure C, p. 107). Et si oui, ils ne l'auraient dit à personne — sauf aux endoctrinés — de toute façon.

Pour Frost, Capricorn a ouvert la voie à une autre opération secrète qui faisait un peu plus appel à son expertise technique. Il souscrivit à un autre endoctrinement, cette fois pour un projet connu sous le nom de code «Kilderkin» — nom qu'il porte probablement toujours.

«C'était une opération qu'on ne mentionnait qu'à voix basse, ultrasecrète», commente Frost à propos de Kilderkin. Il s'agissait d'un poste d'écoute que la GRC et le CST avaient aménagé dans une maison située au coin des rues Charlotte et Laurier, juste devant l'ambassade soviétique. La maison était typique des demeures du secteur plutôt huppé de la Côte-de-Sable, où se trouvent maintenant plusieurs ambassades et résidences diplomatiques. Kilderkin avait pour mission de capter toute irradiation d'appareils électroniques provenant de l'ambassade, laquelle était encerclée par une clôture haute de presque 3 mètres.

«Nous voulions intercepter n'importe quoi qui aurait pu irradier, raconte Frost. Il fallait être tout près pour réussir.»

Frost a la nette impression que le site de Kilderkin existe encore aujourd'hui. L'un des indices révélateurs est que les rideaux de la maison en question semblent constamment tirés. Puisque l'endroit serait encore bourré d'appareils électroniques, et que la maison est dans le champ de vision des Russes, il ne serait que normal de ne pas leur permettre d'épier l'intérieur à l'œil nu.

Malgré la proximité de l'ambassade soviétique, les efforts des intercepteurs du CST et leur panoplie d'appareils, on décida à un moment donné que Kilderkin n'était pas assez efficace pour espérer remplir son mandat. Pour mieux permettre le succès de l'opération, le CST et la GRC décidèrent de se rapprocher encore plus de l'édifice visé. Il y parvinrent en plaçant des antennes dans le garage de ce qui est maintenant une maison du patrimoine et un site touristique d'Ottawa, la maison Paterson, située au 500, rue Wilbrod, une résidence majestueuse de style Queen Anne qui fut habitée par le sénateur canadien Norman Paterson de 1941 à sa mort, en 1983. Le garage est pratiquement collé sur le mur de l'ambassade soviétique.

Quand, en juin 1994, Mike Frost remit sa cape d'espion et alla faire un tour à la maison Paterson, il sourit lorsqu'il se rendit compte qu'en plus de faire maintenant partie du patrimoine, elle était devenue le domicile de la Corporation du Maharishi pour le développement du paradis sur Terre (*Maharishi Heaven on Earth Development Corporation*), un organisme voué à la méditation transcendantale. La brochure distribuée aux visiteurs ne mentionne pas que le garage fut à une certaine époque un site d'écoute électronique du CST. D'après Frost, il serait fort douteux que les antennes soient toujours là aujourd'hui. En fait, même à l'époque où on tenta l'expérience, elles ne restèrent dans le garage que pendant quelques mois, puisqu'il était un peu trop risqué d'être aussi près de l'ambassade et qu'elles ne semblaient pas capter quoi que ce soit de plus que l'autre site.

On peut se demander pourquoi les gens du contre-espionnage canadien investissaient autant de ressources dans cette opération. La réponse est simple: si l'on peut capter des irradiations d'appareils électroniques, il devient possible d'intercepter ce qui est en fait des voix, donc des conversations. Lorsqu'on intercepte des émanations de ce genre, ce n'est pas seulement comme si on captait un courant électrique; on peut les déchiffrer en se servant d'appareils hautement sophistiqués que le CST a à sa disposition.

Le CST conclut d'autre part que les Soviets, eux aussi, écoutaient le Canada. Certaines irradiations ne faisaient pas de doute: il s'agissait d'équipement d'interception. Les Russes avaient donc un poste d'écoute dans leur ambassade. Le premier indice qui mena le CST à cette conclusion fut la surtension de courant qui se produisait quand les Soviétiques branchaient leurs appareils. On intercepta les irradiations d'un oscillographe, qui fait partie du matériel normal de l'écoute électronique, et on nota que certaines des surtensions de courant électrique se produisaient en dehors des heures normales de travail. Cependant, ils ne purent jamais détecter d'antennes sur le toit ou ailleurs.

Un incident fit bondir de joie les agents de Kilderkin, lorsqu'ils se rendirent compte qu'ils avaient intercepté une émanation vidéo sur fréquence UHF provenant de l'ambassade. «Nous pensions avoir capté quelque chose de vraiment *hot*», se souvient Frost. Il leur fallut plusieurs mois pour déterminer exactement ce qu'était leur prise, car ces signaux ne sont pas faciles à démoduler ou à reproduire. Inutile de souligner la déception et l'impression de ridicule qui les envahirent quand ils comprirent qu'ils avaient capté les signaux d'une caméra de sécurité qui montrait tout simplement une vue de la rue Charlotte — une caméra comme toutes les ambassades en ont.

Quant à Frost, après tant d'années passées avec l'unité de contre-espionnage, Kilderkin ne faisait pas ses frais. Ils n'obtinrent jamais de renseignements diplomatiques renversants de ce poste d'écoute pourtant si sophistiqué, et malgré une surveillance aussi rapprochée et assidue. Les opérations d'interception des réseaux de satellites Amherst et Yanina-Uranium avaient été, comparativement à Kilderkin, beaucoup plus efficaces. Le site de la rue Charlotte ne pouvait contribuer à attraper des espions non plus puisque, comme le savaient fort bien les agents canadiens, les Soviétiques ne transmettaient pas ces communications de leur ambassade.

Enfin, un dernier détail montre bien jusqu'à quel point le CST était conscient qu'il excédait son mandat à cette époque: les sites des rues Charlotte et Wilbrod, pourtant commandés depuis le quartier général du CST, utilisaient du personnel militaire de la base de Leitrim. Le CST voulait, une fois de plus, être en position de nier toute participation directe si jamais une question trop précise lui était posée.

■

Le CST n'a pas hésité à excéder son mandat de façon encore plus outrageante quand venait le moment d'obéir aux ordres qui arrivaient d'«en-haut». Un jour, en 1975, à brûle-pourpoint, Mike Frost fut convoqué au bureau de son supérieur à la section N1A, Steven Blackburn.

— Mike, je me demandais si tu ne pourrais pas faire un travail d'écoute pour le Service de sécurité contre un individu qui demeure dans la région d'Ottawa...

Frost sentit tout de suite que quelque chose n'allait pas. Son supérieur semblait un peu mal à l'aise et hésitait à divulguer les détails de cette opération réclamée par la GRC.

— Pourquoi ne demande-t-on pas à Leitrim de le faire? interrogea Mike.

— Oh non... Celle-ci doit se faire seulement d'ici.

— Bon. Mais on pourra utiliser des opérateurs de Leitrim pour le faire?

— Oh non... Ça doit rester à l'intérieur des murs du CST.

— Pourquoi?

— Parce que... il s'agit de la femme du premier ministre.

Frost faillit tomber de sa chaise.

— Quoi! J'ai dû mal comprendre... La femme du premier ministre?

Blackburn prit une grande respiration et continua, non sans réticence:

— Le Service de sécurité m'a demandé si le CST pouvait faire quelque chose pour les aider à établir si Margaret Trudeau achète et fume de la marijuana...

— Steve, qu'est-ce que j'en ai à cirer, moi, qu'elle fume ou non! s'exclama Mike.

— Je ne sais pas. Je ne sais vraiment pas... Peut-on écouter des conversations téléphoniques, n'importe quoi?

— Je ne saurais pas par où commencer.

— Peux-tu au moins essayer?

— Bien sûr, que je peux essayer... Mais pour l'amour de Dieu, on parle de la femme du premier ministre! Je ne sais même pas ce que je dois essayer de trouver.

— La GRC a tout simplement demandé si nous pouvions faire quelque chose. Peux-tu vérifier?

— Techniquement, oui. Je peux aller dans la «chambre à fournaise» et voir ce qu'on peut capter...

— Eh bien, fais-le, je te le demande.

— O.K.

Mike Frost était éberlué lorsqu'il sortit du bureau. Il avait l'habitude d'obéir aux ordres sans rechigner, mais cette fois, c'était aller un peu trop loin. Le CST outrepassait déjà bien suffisamment son mandat en utilisant le poste d'écoute sur le toit de son quartier général pour intercepter les conversations de simples citoyens canadiens sous prétexte qu'on testait le matériel. Maintenant, on lui demandait de pourchasser Margaret Trudeau au cas où elle fumerait de la mari! Cela n'avait tout simplement plus de sens, peu importe comment on pouvait essayer de se justifier. Elle n'était quand même pas soupçonnée d'espionnage! Pourquoi la GRC insistait-elle tellement? Essayait-on de s'en prendre à Pierre Trudeau lui-même? Ou de le protéger? Est-ce que les policiers recevaient leurs ordres du pouvoir politique?

Nous étions alors à l'époque qui précéda la fameuse enquête de la commission McDonald sur les activités illicites de la GRC — l'incendie d'une grange, les vols par effraction, etc. La Gendarmerie jouait plus les fortes têtes à l'époque qu'elle ne le fait aujourd'hui. Son Service de sécurité, d'ailleurs, fut transformé en l'agence civile SCRS sur la base des recommandations de la Commission.

Pour la première et peut-être la seule fois de sa carrière, Frost ne fit qu'un effort symbolique. Mais il s'exécuta quand même. Les ordres étaient les ordres.

«Je suis monté à la "chambre à fournaise", j'ai branché des récepteurs VHF, quelques spectrographes, des magnétophones et je me suis mis à intercepter méthodiquement toutes les conversations téléphoniques provenant d'automobiles que je pouvais capter.» En d'autres mots, il écoutait aussi bien d'autres Canadiens qui ne s'en doutaient nullement — ce qu'il abhorrait.

«Je rentrais travailler le soir et les week-ends, poursuit-il. Je ne rentrais pas tôt le matin, car je ne croyais pas que Margaret Trudeau était du genre qui se lèverait tôt pour effectuer ce genre de transaction du téléphone de son auto. À vrai dire, je ne cherchais pas vraiment. Je ne pensais pas que c'était justifiable, je n'aimais pas cela. Je le faisais plus pour faire plaisir à mon patron qu'autre chose, je dirais, parce que je ne suis pas du genre à dire non.

«Ça a duré un mois ou deux... Je surveillais les journaux pour savoir quand elle serait au 24, Sussex, ou à la résidence d'été du lac Harrington. Le Service de sécurité nous renseignait sur ses déplacements, les endroits d'où elle aurait pu utiliser son téléphone cellulaire. Je me souviens d'avoir dit à Steve que la GRC devrait nous renseigner sur ses déplacements lorsqu'elle n'était pas accompagnée du premier ministre, parce que si elle avait à faire quelque chose, ce serait dans des moments comme ceux-là qu'elle le ferait. Nous avons donc concentré nos efforts sur les moments où elle voyageait seule dans la région d'Ottawa. Si c'était en soirée ou durant le week-end, je rentrais au travail et je vérifiais la gamme des fréquences que je savais utilisées par des téléphones cellulaires. Franchement, je trouvais cela un peu ridicule de penser qu'elle pourrait acheter de la mari à partir d'un tel téléphone.

«Il n'y avait aucun doute dans mon esprit que cette écoute était illégale, ajoute Frost. Mais c'était facile à faire. Si jamais elle s'était servie d'un de ces téléphones pour acheter de la drogue, nous l'aurions su. Mais qu'est-ce qu'on aurait fait de cette information?»

Au début de l'opération Margaret Trudeau, Frost faisait rapport à son supérieur quotidiennement. Avec le temps, ce fut tous les deux ou trois jours et puis aux deux semaines, toujours pour dire qu'aucun progrès n'avait été fait.

«Franchement, je pense que Blackburn s'en fichait et qu'il ne voulait pas le faire plus que moi. Si le CST ou moi-même avions vraiment voulu la capter en flagrant délit, nous aurions pu le faire. Nous voulions tout simplement conserver de bonnes relations avec le Service de sécurité. Nous ne savions pas non plus de quel niveau d'autorité provenaient les ordres... Je suis content et soulagé de dire que nous n'avons rien trouvé.»

En fait, Margaret elle-même devait admettre avoir fumé de la marijuana au 24 de la promenade Sussex dans son livre à sensation *Beyond Reason*, publié en 1979. Quoi qu'il en soit, l'aspect le plus important de cette histoire réside dans cette question: jusqu'où le CST est-il prêt à aller pour s'ingérer dans la vie privée des citoyens du pays qu'il est censé protéger? S'il a l'audace de s'en prendre à l'épouse du premier ministre, où se situe le reste de la population sur la liste des cibles de l'écoute électronique?

Est-ce que d'autres Canadiens, nullement soupçonnés d'être des agents du KGB, furent ainsi espionnés par le CST? Nul doute que certains Québécois parmi les plus en vue et les mieux connus l'ont été.

Car il existe au sein du CST une section mystérieuse surnommée *The French Problem* (Le Problème français), et qui se consacre uniquement à l'analyse de renseignements touchant la séparation éventuelle du Québec. Ses employés se contentaient-ils de faire de l'analyse ou, comme Frost — qui était lui aussi «techniquement» un analyste —, ont-ils été appelés à faire de l'écoute exceptionnelle? Il y a fort à parier que tel fut bien le cas. Nous verrons d'ailleurs dans les chapitres suivants à quel point le CST était déterminé à intercepter les communications Québec-France dans d'autres coins du monde.

«J'ai toujours eu la nette impression, comme mes collègues du CST, qu'il allait de soi que nous fassions de l'écoute électronique contre le Québec», confie Frost. Il n'a cependant aucun témoignage direct à offrir sur une quelconque opération qui aurait pu être montée contre le gouvernement québécois à partir du quartier général du CST. «Toutefois, je ne peux vous dire que personne ne l'a fait, ajoute-t-il. Nous parlons de l'ère Trudeau et d'un homme qui était prêt à tout pour gagner la bataille contre les séparatistes. D'un autre côté, je n'ai jamais vu de mes yeux quelqu'un faire de l'interception de ce genre au quartier général, ni de documents à cet effet.»

Frost, en fait, soupçonne fortement que la section du *French Problem* ait demandé aux Américains, à la NSA, d'intercepter (avant les années 1980 du moins) les signaux France-Québec à l'aide de leurs satellites Talent-Keyhole.

«Je n'en suis pas sûr. Mais si quelqu'un devait me dire aujourd'hui que c'était effectivement le cas, je répondrais simplement que je m'en doutais. Enfin, si on m'a demandé d'espionner la femme du premier ministre...»

■

Mike Frost n'avait toujours pas trouvé ce qui allait être sa véritable vocation, cependant. Mais elle l'attendait juste au prochain tournant. Le contre-espionnage et l'écoute à Ottawa avaient bien sûr toute leur importance, mais c'était du menu fretin comparativement à ce que le CST avait en tête pour son avenir. Après l'expérience de Stephanie, le CST avait mis le projet d'écoute diplomatique sur les tablettes. Le projet Pilgrim allait le dépoussiérer de façon éclatante.

Chapitre V

«AUX OISEAUX»

— Grouillez-vous le cul, nous voulons vous voir à Beijing!

Si elle n'était pas venue de la personne devant eux et là où ils se trouvaient, les Canadiens seraient morts de rire devant une telle suggestion. Pas de problème, une petite aventure d'espionnage chez les Chinois. Un jeu d'enfant!

Mais on faisait rarement des blagues sur des sujets de ce genre à l'intérieur du quartier général de la NSA, à Fort Meade. Et des hommes comme Patrick O'Brien, grand responsable de l'écoute diplomatique et de toutes les interceptions spéciales à la NSA, n'étaient pas d'humeur à rire. L'écoute électronique était sa principale, sinon sa seule préoccupation dans la vie: traquer l'«ennemi» et trouver un moyen, n'importe quel moyen, d'intercepter ses communications les plus clandestines, en aussi grand nombre et autant de fois que possible, pour servir la cause américaine, le «bon bord».

Ne fût-ce qu'en raison de son aspect physique, O'Brien était un homme de grand charisme. Alors dans la quarantaine, il en imposait, du haut de son mètre quatre-vingt-dix, avec sa carrure de lutteur et sa voix de baryton à la James Earl Jones. On sentait sa présence dès qu'il entrait dans une pièce, même s'il y avait foule. Quand il vous disait que quelque chose allait être fait, il vous laissait avec la nette impression qu'il ne pourrait en être autrement.

Mike Frost, Frank Bowman et le nouvellement nommé chef du CST, Peter Hunt, avaient tous visité l'agence d'espionnage américaine plusieurs fois auparavant. Mais cette visite, en 1977, était exceptionnelle. Le Canada étudiait sérieusement la possibilité de se lancer à nouveau dans l'écoute diplomatique.

O'Brien n'avait aucunement l'intention de décourager les espions canadiens, ou plutôt de laisser le poisson qu'il avait au bout de sa ligne s'échapper. Non seulement avait-il une idée bien précise quant aux méthodes à employer et aux endroits à cibler pour les aspirants espions canadiens, mais l'homme de confiance de la NSA avait aussi la ferme intention de rendre leur tâche le plus facile possible. Cette fois-ci, ils s'embarqueraient pour de bon, sans jamais plus pouvoir reculer.

On s'était amusé avec Stephanie. Eh bien, le *fun* était fini. La NSA ne lésinait plus. Les Américains voulaient que le Canada plonge tête première dans le réseau d'espionnage le plus sophistiqué et le plus important de la planète. Et ils étaient prêts à tout pour s'assurer que les Canadiens réussissent.

■

Au cours de la décennie précédente, une menace maintenant familière avait plané au-dessus de la tête du CST. Les Américains se plaignaient constamment que les Canadiens ne faisaient pas leur juste part dans l'espionnage en terre étrangère, qu'en fait ils n'en faisaient pas du tout, alors que le pays bénéficiait sans cesse des renseignements obtenus par la NSA et le GCHQ dans des opérations souvent dangereuses.

Stephanie, on se souvient, était née du résultat de ces plaintes, lorsque les Américains avaient menacé de cesser de fournir des renseignements clandestins au Canada gratuitement, ou en retour de services beaucoup moins importants, voire insignifiants. Pour les vétérans du CST, les lamentations continuelles des Américains étaient devenues un peu comme les colères d'un père qui menace d'enlever les clés de la Cadillac à son fils s'il ne fait pas le plein une fois de temps en temps. Le fils hausse les épaules en se disant qu'il s'agit de paroles en l'air. Mais en 1977, quatre ans après la mort de Stephanie, la NSA ne prenait plus cela à la légère. L'écoute diplomatique était vite devenue le moyen le plus efficace et le moins coûteux d'obtenir des renseignements que des pays hostiles ne voulaient pas voir entre les mains des Américains ou de leurs alliés.

En 1977 toujours, le directeur de la NSA, Bobby Inman, s'impatientait face aux hésitations et au laisser-faire des Canadiens. Le chef Peter Hunt apprit que son homologue de la NSA avait la ferme intention — et était plus que capable — d'exercer des pressions auprès de gens en position de pouvoir à Ottawa. Hunt était du groupe L dans l'aventure de Stephanie. Quant à lui, les pressions d'Inman étaient non seulement fondées, mais il les attendait impatiemment depuis longtemps. Il n'allait certainement pas essayer d'entraver les plans de la NSA. Il était même prêt à collaborer en indiquant quelles personnes en haut lieu devaient être approchées pour que le CST aille de l'avant dans ce dossier.

Hunt fit appel à Frank Bowman.

— La NSA fait vraiment monter la vapeur sur l'écoute diplomatique, dit Hunt. Ils ont sérieusement l'intention de nous couper les vivres si nous n'embarquons pas.

Bowman n'était pas surpris, et était peut-être même un peu excité, malgré son calme légendaire. Hunt continua:

— Trouve-toi quelqu'un pour t'assister et fais une étude de rentabilité... Tu me remettras un rapport écrit.

— D'accord, mais je veux Frost.

Mike Frost n'était peut-être pas à Alert cette fois-là, mais il ne raffolait pas pour autant du travail qu'il faisait au CST. Après Stephanie, avec ses peines et ses moments d'euphorie, un travail de bureau — même au contre-espionnage — ne voulait pas dire grand-chose pour lui.

Bowman n'eut pas, cette fois, à écrire une lettre mystérieuse pour convoquer Frost. Il l'appela informellement dans son bureau et Frost crut déceler l'esquisse d'un sourire sur les lèvres de Bowman lorsque celui-ci lui dit:

— Je viens de parler à Peter Hunt. Il veut que nous fassions un autre essai d'écoute diplomatique.

Frost avait toujours rêvé secrètement de cette journée, mais il lui arrivait souvent de penser que ses plus beaux jours dans le monde de l'espionnage étaient déjà révolus.

Il hésita autant qu'un jeune garçon auquel on vient d'offrir une carte de base-ball originale de Mickey Mantle à sa première saison.

— Allez, on fonce! Dis-moi ce que je dois faire... Est-ce que ça veut dire que nous allons avoir notre propre bureau et deux pupitres pour partir à la conquête du monde, comme autrefois? lança Frost en riant.

— Exactement! rigola Bowman. Mais cette fois, oublie le coffre-fort.

Les deux hommes se dévisagèrent et Frost interrogea:

— Quel nom de code allons-nous lui donner?

Ce genre d'opération doit toujours avoir un nom de code. Un caprice d'espion peut-être, mais un nom semble ajouter au mystère, à l'importance de la mission. C'est éventuellement aussi une relique des jours où les combattants de la Résistance obtenaient leurs messages en écoutant des poèmes à la radio.

— Pourquoi pas «Julie»? suggéra Bowman.

— Julie?

— Ouais... C'est le nom de l'autre fille de Peter.

Stephanie avait appris à marcher. Julie s'entraînerait à la course! Julie apprendrait aussi très vite que vouloir courir et le faire étaient deux choses très différentes et particulièrement dans un pays comme le Canada, où les autorités préfèrent qu'on ne brasse pas trop la chaloupe, surtout pas une chaloupe du genre de Julie.

■

Alors qu'ils discutaient dans leur bureau, Frost et Bowman en vinrent à se demander comment la mission de leurs rêves, qu'incarnait Julie, avait bien pu renaître de ses cendres. Ils savaient que les pressions exercées par Inman avaient été très fortes. Mais comment diable en étaient-ils venus à pénétrer l'antre le plus secret de la NSA, où on leur ferait la démonstration de méthodes et d'appareils d'espionnage dont la portée dépassait même leur imagination?

L'écoute électronique était officiellement relancée, bien que d'une façon quelque peu nébuleuse. Frost et Peter Hunt se rendirent à Fort Meade pour discuter de leur étude de rentabilité avec ceux qui voulaient à tout prix les embarquer dans l'écoute diplomatique. Ce fut l'un des moments les plus importants de la carrière de Mike Frost. Il était assis sur la banquette arrière de l'auto alors que son patron immédiat, Frank Bowman, et le chef du CST, Peter Hunt étaient devant. Frost se sentait un peu comme un porteur de valises, mais il s'en fichait. Il connaissait Peter Hunt depuis ses années passées à St. George's. Hunt, qui le devançait de quatre années à l'école, était un homme distant et de style aristocrate, *pseudo-british* d'allure et de langage, un homme qui ne côtoyait pas habituellement ses subalternes.

La veille de leur rencontre avec O'Brien, les trois agents du CST dînèrent à l'hôtel *Howard Johnson,* à Laurel. Le restaurant offrait une table d'hôte incluant un verre de vin. Frost commanda une eau minérale; il traversait une de ses périodes de sobriété. Bowman, qui ne buvait jamais d'alcool, prit un café. Hunt, par contre, voulait son verre de vin.

— Lequel désirez-vous? Le rouge, le blanc ou le rosé? lui demanda la serveuse.

— Je prends un verre de rosé, répondit-il.

La serveuse le regarda, l'air sérieux, et lui demanda:

— Un rosé rouge ou un rosé blanc?

Le visage pourpre, Hunt rétorqua avec son accent britannique le plus prononcé:

— Je veux un rosé rosé!

Même dans ces moments de détente, les trois hommes restaient conscients du fait que la rencontre du lendemain changerait éventuellement le rôle du Canada sur la scène internationale de l'espionnage. Les mois précédents avaient été remplis de discussions en coulisse et de prises de contact en vue de l'opération Julie. De sorte que, lorsque les Canadiens se présentèrent au bureau de Patrick O'Brien, celui-ci avait une autre bombe à leur larguer sur la tête.

■

«Donnez-nous les coordonnés des ambassades que vous visez, leur avait dit O'Brien, et nous enverrons nos "oiseaux" prendre des photos et voir s'ils peuvent trouver quelque chose.»

Les «oiseaux» (*birds*) en question sont en fait les satellites espions de la NSA et de la CIA. De les mettre ainsi à la disposition des Canadiens indiquait à quel point les Américains voulaient absolument que le Canada aille de l'avant dans cette affaire. Les deux agences américaines utilisent abondamment leurs deux satellites. Cependant, ils ne les déplacent pas pour n'importe qui ou sans une très bonne raison. D'abord, ils ont leurs propres préoccupations. Ensuite, il est extrêmement coûteux de déplacer un de ces satellites. Mais voilà que Patrick O'Brien offrait de «faire voler les oiseaux» pour venir en aide aux Canadiens, et ce, sans même qu'ils n'en aient fait la demande.

C'était l'époque où le public était au courant de l'existence de ces satellites. On avait entendu des histoires fantastiques sur leur efficacité. On racontait par exemple que, de l'espace, ils prenaient des photos si précises qu'on pouvait y lire la plaque d'immatriculation d'une automobile. Mais *Talent* et *Keyhole*, quant à l'utilisation qu'on en faisait, restaient un secret bien gardé, un secret qui, somme toute, collait mieux aux romans d'espionnage à la Tom Clancy qu'à la réalité.

L'offre de O'Brien, tout comme son insistance, n'était pas un hasard. Depuis des mois, un agent du CST du nom de Stew Woolner (qui était appelé à devenir chef du CST au cours des années 1980) avait préparé le terrain pour cette réunion cruciale. Woolner était l'officier de liaison entre le CST et la NSA (cet officier est aussi connu sous l'acronyme anglais CANSLO). Il travaillait à l'agence, quoiqu'il ne prît pas directement part à ces opérations. La tâche de Woolner étant de maintenir de bonnes relations entre le CST et la NSA, il devint une cible facile pour les pressions de Bobby Inman.

Woolner avait lui-même fait discrètement sa propre enquête à la NSA pour essayer de trouver les agents qui pourraient le mieux aider le Canada dans son projet d'écoute diplomatique. Ainsi espérait-il satisfaire aux exigences persistantes d'Inman. Ce n'était pas un travail de tout repos. Le CANSLO n'était nullement perçu comme les autres employés de l'agence, surtout lorsque des dossiers top secrets étaient en jeu. Il devait être très prudent dans le genre de questions qu'il posait et prendre bien garde aux gens qu'il approchait, parce que la paranoïa régnait au sein de la NSA — beaucoup plus qu'au CST — quant à la présence possible d'une taupe. Et il n'y a rien comme un espion pour repérer un autre espion. Cependant, Woolner était un peu comme un fantôme inoffensif pour les Américains. Ceux-ci savaient qu'il fouinait dans leurs affaires, mais ils savaient aussi qu'il ne pouvait pas leur faire de tort. Cela ne l'avait pas empêché de découvrir que O'Brien était l'homme que les Canadiens recherchaient, étant responsable non seulement de l'écoute diplomatique, mais aussi de toutes les interceptions spéciales faites par la NSA — une énorme responsabilité. Avec O'Brien, les Canadiens jouaient vraiment de chance. En effet, leur candidat avait passé trois ans au CST dans un programme-échange, comme agent de liaison et connaissait ainsi déjà les méthodes et le personnel de l'agence canadienne. De plus, O'Brien avait des agents de la CIA travaillant à son compte, sans parler du fait que l'homme avait toute une réputation derrière lui au sein du monde des renseignements (connu en anglais sous l'acronyme SIGINT, qui veut dire *Signals Intelligence*).

Woolner avait appris à O'Brien que le Canada songeait à se lancer à nouveau dans l'écoute diplomatique. Ravi, O'Brien lui avait dit: «Quand vos gars seront prêts à en parler sérieusement, dites-leur de venir ici et nous en discuterons.»

Le message que livra O'Brien à Hunt, Bowman et Frost était on ne peut plus clair et précis: «Peu importe ce dont vous avez besoin, nous vous le donnerons. Nous vous prêterons de l'équipement, nous vous fournirons même du monde, si vous le voulez!» La dernière remarque paraissait avoir été lancée à la blague mais qui sait, peut-être O'Brien était-il sérieux.

Encore une fois, il indiqua clairement que la NSA aimerait bien voir les Canadiens s'installer à Beijing. «Nous voulons vous voir là-bas», avait-il dit, sur un ton qui n'admettait pas de réplique.

■

Tout au long de leur voyage de retour au Canada, les hommes du CST étaient aussi enthousiastes que des enfants en route vers Disneyworld. Les Américains les avaient convaincus que l'entreprise était possible. Mieux encore, ils les avaient assurés qu'ils pourraient convaincre leurs propres dirigeants qu'elle l'était. Les trois hommes avaient-ils momentanément oublié qu'ils travaillaient pour une agence canadienne? Ils ne tarderaient pas à revenir à la réalité.

■

Suite à leur voyage aux États-Unis, Frost et Bowman se rendirent outre-Atlantique. Leur visite au

GCHQ britannique ne fut pas aussi concluante que leur voyage à la NSA, mais ils apprirent tout de même beaucoup des Britanniques. Leur plus grande leçon fut de constater que les Américains, malgré leur apparente coopération avec les Canadiens, avaient gardé pour eux bon nombre de leurs secrets. Ces secrets tenaient surtout aux tactiques de fausses identités ou de faux prétextes qu'ils utilisaient pour leurs agents et aux méthodes d'acheminement du matériel électronique à l'étranger, surtout dans des pays hostiles.

Aussi réservés soient-ils, les Britanniques fournirent à Frost et à Bowman des renseignements cruciaux sur ces méthodes, renseignements qui allaient être très utiles au CST. Ils contribuèrent aussi à convaincre les autorités canadiennes qu'elles n'avaient pas nécessairement besoin d'investissements massifs en matière de technologie ou de ressources humaines pour atteindre les mêmes objectifs que les Américains.

■

Assis dans leur bureau, songeant à leur secrète Julie, Frost et Bowman étaient comme deux alchimistes qui viennent de découvrir comment transformer le plomb en or. Paranoïaques au possible quand on les interrogeait publiquement sur leurs activités, ils étaient en revanche tout excités lorsqu'ils pouvaient en discuter en privé. Leurs conversations avec les agents de la NSA et du GCHQ avaient rendu la rédaction de leur rapport relativement facile. Trois semaines après leurs deux voyages à l'étranger, ils recommandaient fortement que le Canada s'implique activement dans l'écoute diplomatique, sans quoi le pays serait vite dépassé dans un domaine des services de renseignements qui prenait constamment de l'ampleur.

Une telle proposition aurait assurément fait l'objet de débats publics houleux si elle avait été soumise à la population canadienne. À tout le moins, elle aurait provoqué une vive controverse, à la fois chez les libéraux gauchisants et chez les farouches nationalistes canadiens. Mais des espions comme Frost et Bowman ne se souciaient guère de ce genre de questions. Ils n'étaient préoccupés que par le travail à accomplir. Ils étaient pleinement conscients qu'en dépit des formidables progrès technologiques réalisés depuis Stephanie, particulièrement l'utilisation des communications par micro-ondes, la seule façon de faire de l'écoute efficace était d'être le plus près possible de la source. La seule voie rentable pour eux était l'écoute diplomatique. Du point de vue militaire, économique et politique, si le gouvernement canadien voulait se donner un certain avantage face à ses alliés, il n'avait pas le choix, il lui fallait aller de l'avant.

Frost et Bowman en vinrent d'abord à la conclusion qu'il faudrait dorénavant impliquer un plus grand nombre d'employés du CST dans l'étude sur la rentabilité de Julie. Le premier sur la liste était le chef de la sécurité interne, Victor Szakowski, un ancien policier de la GRC aux allures de bull-dog. Cela n'enchantait guère Mike Frost car il savait que Szakowski était l'archétype même d'un chef de la sécurité. Mais il fallait se rendre à l'évidence, on aurait besoin de Szakowski pour régler des questions qui touchaient son domaine: la fausse identité des agents, les autorisations d'accès spéciales et d'autres opérations clandestines essentielles au succès du projet. Frost et Bowman le convoquèrent donc pour un *briefing*.

— Nous avons obtenu le feu vert pour installer des postes d'écoute électronique dans nos ambassades à l'étranger, lui dit Bowman d'entrée de jeu. Nous aurons besoin de ton aide pour inventer des faux prétextes, des autorisations spéciales... Les choses habituelles, quoi.

Szakowski était sidéré. Il fit son premier commentaire sur un ton que seul un ex-policier peut employer:

— Jamais les Canadiens ne feront ça!

— Puis-je te demander pourquoi? interrogea Bowman.

— Il est tout simplement impossible que les Canadiens aillent en sol étranger pour faire de l'espionnage. C'est aussi simple que ça... Les gens qui travaillent au CST sont embauchés pour faire l'analyse de renseignements que d'autres leur fournissent, pas pour devenir de maudits espions, ou des James Bond!

— Tu ne penses pas que nous en sommes capables? demanda Frost.

— Je pense que vous voulez jouer dans une ligue trop forte pour vous. Vous n'avez pas le mandat de le faire, vous n'obtiendrez pas l'approbation pour le faire, vous n'avez pas l'équipement électronique pour le faire et vous n'en avez pas l'expertise non plus!

— Autre chose? demanda Bowman.

— Oui. Le risque est trop grand. Vous allez vous faire prendre.

Bowman resta étonnamment calme et dit finalement:

— Veux, veux pas, ça va marcher. Alors, de ton côté, assure-toi que tout va bien dans ce qu'on te demande de faire.

■

Après leurs rencontres avec la NSA et le GCHQ, Frost et Bowman avaient conclu qu'il leur faudrait temporairement procéder à des essais dans certaines ambassades avant de s'embarquer dans une opération permanente. Cette décision, incontournable, leur posait toutefois un problème de plus. Il leur fallait maintenant dévoiler le secret de leurs activités aux gens du ministère des Affaires extérieures puisqu'ils opéreraient sur leur terrain. Pour eux, qui avaient été entraînés à tout cacher à leurs propres collègues, c'était loin d'être la situation idéale. Mais ils se rendraient compte, au cours des mois à venir, que leur réticence à cet égard était le fruit de leur paranoïa et de leur imagination trop fertile.

Le chef du CST, Peter Hunt, crut bon de tenir une rencontre privée avec le secrétaire d'État aux Affaires extérieures de l'époque, Don Jamieson. Étant donné la possibilité que l'affaire ait des répercussions politiques, Hunt était d'avis qu'il ne pouvait en discuter avec un subalterne, fût-il un haut-fonctionnaire. Jamieson fut coopératif. Il donna à Hunt le nom de deux fonctionnaires des Affaires extérieures. C'étaient des hommes de confiance, des hommes qui étaient capables de garder un secret. Coïncidence extraordinaire, l'un d'eux était Guy Rankin, ex-technicien en communications à l'ambassade de Moscou. Rankin aida les agents du CST dans leur première opération. L'autre, Greg Smythe, était technicien en communications au ministère. Celui-là deviendrait vite une épine au pied de Mike Frost.

La nouvelle équipe, composée maintenant de quatre joueurs, tint une première réunion. Déjà, Bowman et Frost travaillaient sous de faux prétextes, puisque pour arriver à opérer à l'intérieur des murs des Affaires extérieures, on avait dû leur fournir une carte qui en faisait des membres de la sécurité.

Ils donnèrent aux deux nouveaux un bref exposé sur le projet que le CST avait en tête.

— C'est super! s'exclama Rankin, qui se souvenait des moments enlevants de l'affaire Stephanie. Allons-y! lança-t-il encore. C'est pas de la merde! Nous allons utiliser notre personnel, entraîner nos techniciens en télécommunications et mener toute l'affaire pour vous.

— Vous voulez le faire vous-mêmes? demanda Bowman, incrédule.

— Non, non. Le CST dirigera bien sûr l'opération. Mais nos gens s'en occuperont sur le terrain, puisque ce sont nos ambassades.

Bowman et Frost se jetèrent discrètement un regard qui en disait long. Des espions expérimentés et entraînés pour le métier venaient de se faire dire que des diplomates allaient faire de l'espionnage à leur place. La réaction de Rankin et de Smythe avait sans doute beaucoup à voir avec le réflexe du bureaucrate qui s'enthousiasme en voyant un nouvel empire en formation, mais Bowman et Frost ne voulaient rien entendre. À la suite de cette première réunion, ils se dirent que les fonctionnaires des Affaires extérieures pouvaient bien rêver de châteaux en Espagne s'ils le voulaient, les gars du CST les tasseraient tout simplement le moment venu. Cela, ils se l'étaient juré. L'écoute diplomatique avait toujours été leur affaire et elle le resterait.

Cependant, les préparatifs pour le projet Julie commencèrent bientôt à ressembler au jeu des serpents et des échelles: à un moment donné, vous êtes sur le point de gagner et un coup plus tard, vous vous retrouvez à la case de départ.

L'une des plus grandes frustrations que connut Frost survint lorsqu'il essaya d'obtenir — en vain — les coordonnées des ambassades visées afin que les satellites Américains puissent faire leur travail. Il s'agissait évidemment d'ambassades canadiennes, mais pour des raisons que Frost ne comprend toujours pas, les Affaires extérieures étaient incapables de déterminer l'emplacement géographique exact de leurs propres édifices à l'étranger. Cette tâche, qui leur semblait herculéenne, avait été confiée à Greg Smythe.

— Pourquoi voulez-vous ces coordonnées? demanda Smythe.

— Nous en avons besoin et c'est tout ce que tu peux savoir.

Smythe, n'étant pas membre de la communauté des espions, ne pouvait être renseigné sur l'usage que les Américains faisaient de leurs satellites. Frost n'avait aucunement l'intention de lui donner même une bribe d'information sur le sujet.

Jour après jour, ils attendaient les fameuses coordonnées, mais Smythe n'arrivait toujours pas à les produire. Un bon matin, dans le bureau de Frank Bowman, Frost finit par exploser: «Ce gars-là est l'un des plus drabs, des plus innocents, des plus niaiseux, des plus idiots que j'aie jamais rencontrés! Et c'est tout ce que je trouve de bien à dire de lui.»

Bowman s'esclaffa devant la frustration de son collègue. Mais il s'empressa de lui rappeler que les gars de la NSA avaient aussi leurs problèmes avec le State Department, à Washington. Il fallait s'y attendre, avec des bureaucrates... Mais les espions ne sont pas des bureaucrates. Ce sont des aventuriers.

Au bout de quelques mois, Smythe finit par trouver les fameuses coordonnées. La NSA programma alors ses satellites, tel que promis, et le CST eut ses photos — photos que Greg Smythe ne vit jamais, ce qui fut une douce vengeance pour Frost.

Les photos ne montraient pas grand-chose de plus que ce qu'on pouvait voir en se rendant sur place, mais les Américains avaient prouvé une chose: ils tenaient parole. Cela voulait aussi dire qu'ils s'attendaient à la même chose de la part du Canada.

■

Comme toujours, les choses se détériorèrent avant de s'améliorer. Frost et Bowman n'avaient plus le choix d'accroître les effectifs de leur comité. La plupart des nouveaux venus provenaient des Affaires extérieures, ce qui était plutôt alarmant pour les employés du CST, habitués à fonctionner à l'intérieur du cercle de loyalistes qui comprenaient bien ce genre d'opérations. L'élargissement du comité n'alla pas sans difficultés. Quand on connaît la dynamique des comités, on sait que, comme dans tous les gouvernements de tous les pays, plus il y a de monde, plus les décisions deviennent difficiles à prendre.

Au Canada, le ministère des Affaires extérieures est aux prises avec un problème aux proportions immenses: ses employés n'aiment pas travailler avec des intrus, c'est-à-dire avec des non-diplomates, fussent-ils fonctionnaires. L'une des raisons de ce désir d'isolement est que les gens des Affaires extérieures gardent jalousement leurs petits secrets, qu'ils ne tiennent pas à partager avec le reste du monde, surtout en ce qui a trait aux avantages sociaux qui accompagnent les affectations à l'étranger.

Frost et Bowman leur avaient clairement fait savoir qu'ils ne devaient même plus songer à utiliser leur personnel pour faire de l'écoute diplomatique. Mais les fonctionnaires disposent toujours de moyens pour obvier aux directives et ils finissent habituellement par vous mettre des bâtons dans les roues. Ainsi, lors d'une des rencontres du comité, alors que les hommes du CST ne voulaient que discuter des détails de l'opération et des méthodes à employer, quelqu'un leva inopinément un drapeau rouge.

— Il nous faut obtenir une opinion du ministère de la Justice là-dessus, objecta le bureaucrate qui avait levé le drapeau.

Frost et Bowman étaient totalement pris au dépourvu.

— Oui, mais ce n'est pas comme si n'avions pas fait ce genre d'écoute auparavant, défendit Bowman. Vous êtes tous au courant de l'opération Stephanie...

— Oui, mais c'était différent. Les Américains veulent notre pleine participation, cette fois. Nous savons à qui Inman a parlé. Il nous faut une opinion du ministère de la Justice.

La patience de Frost et Bowman avait déjà été poussée à ses limites. Le fait d'avoir été forcés à travailler avec ces diplomates, qu'ils surnommaient les «*pinstripers*» (en faisant allusion à leurs habits trois-pièces rayés), les exaspérait. Et maintenant, voilà qu'on leur mettait des avocats dans les pattes!

Tout, pourtant, paraissait si simple après leurs voyages à la NSA et au GCHQ. Ils étaient revenus au Canada convaincus qu'ils pourraient mettre un premier site d'écoute diplomatique en place au bout d'un an. Maintenant, les choses semblaient se compliquer énormément et inutilement.

Frost téléphona à ses amis de la NSA pour pleurer un peu sur leurs épaules. Il fut surpris de leur réaction. Loin de se montrer furieux ou impatients, ils comprenaient exactement de quoi il parlait: «Ne lâchez pas, c'est tout ce que nous pouvons vous dire. Nous traversons à tout bout de champ le même genre de merde avec le State Department. Mais nous finissons toujours par gagner», lui avait confié Patrick O'Brien.

Ce qu'ils craignaient le plus arriva. L'opinion du ministère de la Justice allait compromettre toute l'opération: «Il pourrait y avoir un soupçon d'illégalité dans cette affaire.»

On ne leur avait rien dit de cela du temps de Stephanie, alors que le même gouvernement, le gouvernement Trudeau, était au pouvoir.

C'est tout ce qu'il fallait aux gens des Affaires extérieures pour suggérer qu'on arrête tous les travaux préparatoires jusqu'à ce qu'on obtienne une décision légale finale.

C'était au printemps de 1979. Comme si Frost et Bowman n'en avaient pas déjà plein les bras, un autre obstacle allait leur barrer la route: une élection fédérale et un changement de gouvernement. Joe Clark, alors chef du Parti progressiste conservateur, infligea la défaite au gouvernement Trudeau, qui dirigeait le pays depuis onze années. Ce qui voulait dire que de nouveaux chefs politiques, comme Flora MacDonald, nouvelle secrétaire d'État aux Affaires extérieures, devraient être «briefés» sur les activités précises du CST et persuadés de leur importance pour le Canada. C'était précisément le genre de champ de mines dans lequel le gouvernement Clark, en position de minorité parlementaire, ne voulait pas s'aventurer. Les progressistes-conservateurs furent au pouvoir pendant neuf mois, avant que Trudeau ne fasse son retour quasi miraculeux, en février 1980.

Au cours du bref mandat de Joe Clark, et même dans les mois qui suivirent sa défaite, laquelle avait amené la nomination d'un autre secrétaire d'État aux Affaires extérieures, personne ne semblait vouloir régler cette question de «soupçon d'illégalité».

Frost et Bowman, pour leur part, continuaient leurs préparatifs. Ils espéraient toujours que leur projet réussisse, même s'ils commençaient un peu à croire qu'ils n'en verraient pas la réalisation de leur vivant.

Le découragement les gagnait. Deux ans déjà s'étaient écoulés depuis que la NSA les avait gonflés à bloc pour leur mission — qu'ils considéraient parmi les plus honorables du métier d'espion — et ils avaient à peine avancé d'un pouce depuis.

Un jour, Frost lança à Bowman:

— Une fois de plus, on patauge, mon vieux... Une fois de plus le Canada se laissera dépasser à cause de ces foutus *pinstripers* qui ne cherchent qu'à se couvrir les fesses.

Cette fois-là, Bowman ne riait pas. Frost continua:

— Ces gars-là sont tellement à genoux! Ils sont incapables de prendre une décision sans en parler avec leur patron!

La frustration de Frost et Bowman devint si forte qu'ils commencèrent à penser qu'utiliser d'autres locaux que ceux de l'ambassade pour faire leur écoute électronique en pays étranger était peut-être la seule solution. Ils feraient leur travail d'une chambre d'hôtel, d'un appartement, n'importe quel endroit où les Affaires extérieures n'avaient pas juridiction leur conviendrait. Mais ils savaient bien que quelque part dans l'édifice politico-bureaucratique, des plans de ce genre seraient également bloqués.

En désespoir de cause, ils se tournèrent finalement vers ceux qu'ils croyaient être leurs véritables alliés: les gens de la NSA. Frost alla rencontrer Patrick O'Brien à Fort Meade.

— Patrick, pouvez-vous faire quelque chose pour que les Affaires extérieures se bougent le cul?

— J'ignore ce que je pourrais faire, répondit O'Brien, mais je peux toujours parler au State Department.

Bowman rendit aussi visite à O'Brien. Il se plaignit de la même chose, mais il devait au moins lui expliquer que le CST n'était pas responsable des délais.

Comme par magie, environ un mois après ces deux entretiens, une chose étrange se produisit lors d'une réunion du comité aux Affaires extérieures. Le chef de la délégation du ministère annonça qu'il avait un message important à livrer de la part du sous-secrétaire d'État aux Affaires extérieures, Allan Gotlieb (qui serait nommé plus tard ambassadeur à Washington sous le gouvernement de Brian Mulroney). Gotlieb donnait son aval au projet malgré le «soupçon d'illégalité». Les hommes du CST purent voir la lettre que le sous-secrétaire avait signée à cet effet. La présence de cette lettre signifiait que le premier ministre Trudeau avait aussi donné son approbation. Sans doute ne l'avait-on informé du projet que verbalement, pour le protéger d'éventuelles attaques politiques. De cette manière, si les choses tournaient mal, le premier ministre pourrait toujours prétendre qu'il ne savait rien de l'affaire. Pendant ce temps, un homme qui serait élu premier ministre en octobre 1993, Jean Chrétien, venait d'hériter du portefeuille du ministère de la Justice. C'était le 3 mars 1980.

La directive de Gotlieb imposait cependant des limites. Elle spécifiait que le CST avait la permission de faire des essais temporaires sur huit sites (ou ambassades) mais qu'au terme de ces essais, Gotlieb souhaitait réévaluer le tout. Pour les gens du CST, cela signifiait certes que Gotlieb ouvrait la porte, mais qu'il était prêt à la refermer au premier problème qui se présenterait. Étant donné la fameuse question du «soupçon d'illégalité», les gens du CST étaient également conscients que la décision avait dû être extrêmement déchirante pour le sous-secrétaire et le premier ministre. Ni l'un ni l'autre n'était naïf, et tous deux savaient à quel point le projet du CST était révolutionnaire pour le Canada. Un pays perçu partout comme docile allait s'engager dans l'espionnage à l'étranger, avec des agents clandestins et tous les *gadgets* qu'impose ce genre d'activité.

Admirant le courage de Gotlieb, Frost confia à Bowman: «La décision a dû être agonisante pour lui... Il a dû penser que des vies pourraient être en danger en bout de ligne.»

Les deux espions du CST avaient finalement eu ce qu'ils voulaient. Ils pouvaient aller de l'avant.

■

La NSA et le GCHQ attendaient cette bonne nouvelle depuis longtemps. En fait, les deux agences avaient déjà leurs «listes de souhaits» comprenant les sites où ils auraient aimé voir le Canada faire de l'écoute diplomatique. Elles se doutaient probablement qu'à la fin, le Canada n'aurait pas le choix d'aller de l'avant. Quand Frost et Bowman jetèrent un coup d'œil sur les listes respectives des Américains et des Britanniques, ils se demandèrent si ces gens vivaient sur la même planète qu'eux. Ils n'étaient pas trop surpris de voir Beijing figurer en tête des choix de la NSA. Mais les Britanniques, qui les avaient bien aidés avec leurs judicieux conseils — quoique pas tellement du côté des ressources —, leur avaient réservé une joyeuse surprise: comme premier site pour les travaux des Canadiens, ils ne réclamaient rien de moins que Bagdad. (C'était une dizaine d'années avant la guerre du Golfe.)

Au sujet de la liste de sites de la NSA, une chose avait toujours intrigué Frost: les Américains refusaient de les laisser opérer en Israël. «N'y allez pas, avait dit O'Brien. Nous avons ça bien en main.» La NSA leur permettait d'aller dans n'importe quelle autre capitale du monde même si elle-même avait déjà des postes d'écoute dans la plupart d'entre elles. «Ils doivent avoir une entente particulière avec le Mossad (les services secrets israéliens), parce qu'ils se font vraiment insistants. Ils ne veulent absolument pas nous voir là», pense Frost.

Les Canadiens présentèrent également leur liste de sites envisagés. En tête figuraient les villes d'Oslo (Norvège) et de Vienne (Autriche). Frost raconte:

«Nous voulions aller dans une ville où nous pourrions nous mouiller et peut-être commettre de graves erreurs sans trop de conséquences... Je ne pensais pas que Bagdad ou Beijing étaient de bons terrains d'entraînement.

La décision quant au choix du site pour le premier essai appartenait ultimement à Frost et Bowman. «Pas question!» avaient-ils répondu à la NSA et au GCHQ, lorsque les deux agences leur avaient soumis leurs demandes prioritaires.

Aussi, avant de se lancer dans une autre aventure à l'étranger, Frost et Bowman avaient déjà décidé de faire une simulation d'écoute diplomatique à Ottawa même. Cela se passait à l'été de 1979, alors qu'ils attendaient toujours d'avoir le feu vert pour l'opération majeure. Ils feraient comme s'il s'agissait d'une véritable opération, mais elle aurait lieu non loin de leur quartier général, aux abords du canal Rideau.

C'est à peu près à ce moment que Mike Frost, croyant qu'il avait fait preuve de beaucoup de patience et d'endurance au cours des préparatifs, demanda à son collègue Bowman:

— Est-ce que ça te dérangerait si je choisissais le nom de code pour ce projet?

— Vas-y... Comment veux-tu l'appeler?

— Que penses-tu de «Pilgrim» (pèlerin)? C'est le nom de mon bateau. Et un pèlerin, c'est un aventurier, un voyageur...

— C'est parfait, répondit Bowman.

Le projet Pilgrim devait prendre forme dans l'un des emplacements les plus inusités qu'on puisse imaginer, tout juste à l'extérieur des limites de l'enclave francophone de Vanier, à Ottawa.

■

Ils essayèrent sans succès de faire la simulation à partir du quartier général du CST sur le chemin Heron. Frost dit finalement à Bowman:

— Écoute, il est impossible de mettre nos opérateurs dans l'ambiance de ce que ce sera vraiment. Ça ne marche pas, c'est trop factice. Nous déménageons des appareils d'un étage du CST à un autre en prétendant monter une opération d'écoute diplomatique. Ça n'a pas de sens. Comment peut-on préparer ces hommes à s'installer dans un pays étranger, dans une ambassade où ils travailleront sous de faux prétextes, si nous les entraînons dans un édifice où ils travaillent tous les jours?

Bowman n'offrit aucune résistance:

— Que penses-tu que nous devrions faire?

— Peut-être louer un appartement, quelque part à Ottawa, pour voir vraiment de quoi nous sommes capables.

Ils firent ce que tout bon espion est entraîné à faire: ils consultèrent d'abord les annonces classées, puis ils se rendirent, en couple, inspecter les logements qui offraient un certain potentiel.

Ils avaient besoin d'un logement avec au moins deux chambres à coucher. L'une des chambres serait utilisée pour entreposer l'équipement et servirait en même temps de bureau; l'autre serait un centre de communications où l'information interceptée pourrait être encodée et expédiée aux Affaires extérieures. Le salon serait le site de la table d'écoute. Ils inventèrent une histoire pour le propriétaire. Ils lui racontèrent qu'ils devaient travailler à Ottawa pendant deux ou trois mois et qu'ils avaient besoin d'un endroit meublé. D'autres employés de la compagnie (fictive) pour laquelle ils travaillaient viendraient aussi à l'appartement.

L'exercice ne visait pas vraiment à vérifier s'ils pouvaient intercepter des signaux. Cela pouvait très bien se faire à partir du CST, où c'était une opération de routine. Frost et Bowman voulaient plutôt voir s'il était possible de monter une opération en plein jour, dans un endroit qui leur était étranger, sans être découverts. L'emplacement choisi devait être situé dans un quartier relativement tranquille et sécuritaire. Il devait aussi être à la portée de tours à micro-ondes, comme celles qui longent le boulevard Saint-Laurent à Ottawa, qui véhiculent de grandes quantités de communications de toutes sortes. Ils ne voulaient pas être logés dans un édifice en hauteur: trop de gens auraient pu remarquer leurs allées et venues. Par contre, il leur fallait un ascenseur, et pas de n'importe quel type. L'ascenseur qu'il leur fallait ne devait pas être à la vue des passants, de sorte qu'on puisse dissimuler le mieux possible l'équipement qu'on y rentrerait. Enfin, le logement devait être situé à environ 50 mètres de la rue, parce qu'on voulait aussi vérifier si les appareils provoquaient des irradiations ou étaient *tempest-proof.*

Un propriétaire leur loua finalement un logement sur la rue Presland. C'était une femme de courte taille qui semblait toujours porter un tablier. Elle vivait au rez-de-chaussée de l'édifice qui s'élevait sur quatre étages. Frost et Bowman préféraient un appartement situé dans un coin et à l'étage supérieur, pour que l'interception des communications provenant des tours à micro-ondes du boulevard Saint-Laurent soit le plus efficace possible. Quand ils trouvèrent enfin ce qu'ils cherchaient, ils signèrent un bail de deux mois, bien que leur plan était de travailler vraiment pendant environ deux semaines.

Les agents du CST se présentaient au logement à l'heure où les gens qui ont des emplois normaux se rendent habituellement au travail. À l'heure du retour à la maison, après leur journée au CST, Bowman et Frost se rendaient à l'appartement, marchaient un peu partout, faisaient du bruit, actionnaient la chasse de la toilette, faisaient couler l'eau de la douche et laissaient traîner de la vaisselle sale sur le comptoir de la cuisine. Ni l'un ni l'autre ne suggéra de coucher là, cependant. «Comment vais-je expliquer à ma femme que je ne rentre pas ce soir?» avait demandé Frost à Bowman. Les épouses, comme d'habitude, étaient tenues dans l'ignorance des opérations en cours. Cela n'empêcha pas Frost et Bowman de passer parfois des journées entières au logement de la rue Presland. Ils y regardaient la télévision, y sirotaient un drink et y faisaient même la cuisine. Ils entraient et sortaient de l'endroit avec des sacs polochons. Tous les moyens étaient bons pour avoir l'air des locataires les plus ordinaires, les plus ennuyeux de l'endroit.

À cette époque, le problème technique majeur était que l'équipement n'était toujours pas à l'épreuve des irradiations. Une fois de plus, ils se rendirent à la NSA pour trouver la solution. On leur prêta une tente spéciale dite RFI, qui ressemblait à une tente en moustiquaire, mais qui était en fait tissée de fils de cuivre. Le plancher et le toit de la tente étaient en cuivre et les portes en étaient doubles, de sorte qu'en entrant on refermait la première derrière soi avant d'ouvrir la deuxième. Il y avait aussi sur le côté un accès spécialement aménagé pour les fils électriques et ceux des antennes d'écoute. En principe, l'invention de la NSA était silencieuse, *tempest-proof*, et aucun signal ne devait pouvoir s'en échapper.

Il est difficile de concevoir que les agents du CST installèrent cette tente de 4 mètres par 4 mètres dans le salon, mais ils le firent. (La NSA leur avait dit que ses propres agents le faisaient continuellement.) Le salon de l'appartement était en forme de L, de sorte que si jamais un étranger venait à la porte, tout ce qu'il pourrait entrevoir était un téléviseur et un divan. Quant aux fenêtres, les rideaux en furent toujours fermés. Frost et Bowman s'étaient d'ailleurs assurés qu'ils étaient faits avec un matériel qui ne bloquerait pas l'interception des signaux. Tout ce qui manquait pour rendre l'opération tout à fait réelle était les sacs diplomatiques rouges des Affaires extérieures. À Ottawa, ils auraient sûrement attiré l'attention.

Il leur fallut deux jours et quatre ou cinq voyages en voiture pour emmener tous les appareils — dissimulés dans des sacs à dos — à l'appartement. Bowman et Frost rencontrèrent ensuite les deux agents qui feraient partie de la simulation pour leur dire qu'ils devaient agir exactement comme s'ils arrivaient en pays étranger et se rendaient à l'ambassade pour faire fonctionner l'équipement. Les agents devaient tenir un journal où toute l'information sur leurs activités, leurs problèmes et leurs succès serait rigoureusement consignée. Ils devaient aussi vérifier que les appareils utilisés avaient passé le test obligatoire du CST, qui exigeait que chaque pièce électronique, minutieusement empaquetée pour l'occasion, résiste à une chute de 2 mètres. Le pourquoi de cette procédure tenait à ce qu'on ne pouvait espérer que les bagagistes d'à peu près n'importe où dans le monde manipuleraient le matériel électronique avec la délicatesse requise. Et le CST ne pouvait quand même pas écrire le mot FRAGILE en grosses lettres sur ses paquets.

L'opération dura effectivement deux semaines. Avec l'approbation du propriétaire, des serrures spéciales avaient été posées sur la porte du logement. Le soir, des détecteurs de mouvements étaient utilisés pour déceler la présence d'espions éventuels. Autre volet important de l'opération, on demanda aux techniciens en communications du CST de vérifier, en utilisant l'un des deux camions blancs, si des irradiations pouvaient être captées de l'extérieur ou si quoi que ce soit d'anormal semblait se dérouler à l'intérieur de l'édifice. Les techniciens ne captèrent pas d'irradiations, mais ils découvrirent que, lorsque les appareils étaient branchés, la surtension de courant électrique était marquante. Ce qui voulait dire qu'une agence étrangère de contre-espionnage pourrait les repérer en surveillant tout simplement le courant électrique. Ils rectifièrent ce défaut en branchant dorénavant les appareils graduellement plutôt que tous en même temps. Finalement, ils les laissèrent branchés vingt-quatre heures sur vingt-quatre en acceptant les risques d'incendie — minimes il est vrai — qu'impliquait cette décision.

Ils apprirent beaucoup. Par exemple, certains appareils avaient survécu à la chute de 2 mètres, d'autres non. Il fut décidé que l'équipement de chaque mission véritable serait expédié en double. Car une fois sur place, il était hors de question que les agents se rendent au *Radio Shack* du coin pour acheter des pièces de remplacement. Suite à cette décision, ce qui représentait au début quelques centaines de kilos d'équipement atteignait désormais un peu plus d'une tonne.

D'un point vue technique, l'opération dite de Vanier (on la nommait ainsi, même si elle avait eu lieu dans le quartier voisin d'Overbrook) fonctionna à merveille. L'interception produisit énormément de matériel: des appels téléphoniques, des communications par télécopie, mais aussi des signaux de pagettes de réseaux d'escortes — une formule polie pour désigner des réseaux de prostitution.

Mais quelque chose ne tournait pas rond pour Mike Frost. Pour la deuxième fois de sa carrière seulement, il se sentait coupable. Viser l'ennemi était une chose, écouter les conversations des citoyens canadiens en était une autre, ce que les agents du CST ne s'empêchaient pourtant guère de faire. Étant farouchement patriotique, Frost n'était pas vraiment d'accord avec de telles pratiques. Il ne pouvait s'empêcher de ressentir quelque chose d'étrange en écoutant toutes ces conversations entre d'honnêtes citoyens. Il comprit l'ampleur des abus dont le CST pouvait facilement se rendre coupable, et cela ne lui plaisait guère.

Frost et Bowman craignaient également que leurs agents ne trébuchent sur quelque chose comme un attentat terroriste, une tentative d'assassinat ou même la fomentation d'un vol de banque. Il s'agissait de questions morales auxquelles ils n'avaient pas réfléchi. Ils n'en vinrent jamais à une décision sur ce qu'ils auraient fait si un cas semblable s'était présenté. Leur instinct leur aurait dicté d'en aviser immédiatement les autorités, mais le code de conduite du CST, lui, leur dictait de prétendre n'avoir jamais rien entendu.

Ils réalisèrent à quel point ils enfreignaient les droits individuels des personnes qu'ils étaient censés protéger contre une agression extérieure, et ils ne pouvaient s'empêcher de penser qu'une ingérence aussi indue dans la vie privée des gens pourrait être utilisée contre eux un jour, autant qu'ils le faisaient contre d'autres honnêtes citoyens. Et tout ça, sans que personne ne soit au courant.

Au fond, cependant, Frost et Bowman se fichaient royalement des renseignements qu'ils interceptaient. Ils voulaient seulement savoir si, techniquement, la chose était possible. La réussite fut telle qu'ils parvinrent même à intercepter des signaux vidéo et à les visionner. L'une des conclusions les plus importantes de l'essai de Vanier était qu'ils pouvaient plutôt efficacement déterminer à quel moment de la journée se faisaient le plus grand nombre de communications et quelles en étaient les plus importantes. De 9 h 30 à 11 h 30 le matin, par exemple, les deux agents étaient en devoir, car c'était la période la plus achalandée. Mais ce qui comptait le plus, somme toute, était qu'ils avaient la conviction de pouvoir réussir: rentrer, sortir, intercepter des communications sans se faire prendre, telle était la première clef du succès.

Ils étaient maintenant prêts pour une aventure en terre étrangère.

■

— Vanier s'est bien passé, avait dit Frank Bowman lors de la réunion qui avait suivi les essais. Maintenant, avait-il ajouté, il faut s'aventurer en pays étranger... Mais il faut choisir un endroit pas trop dangereux, un endroit où ça ne fera pas trop de vagues si nous nous faisons prendre.

Frost eut alors un éclair de génie.

— Pourquoi pas la Jamaïque?

Après tout, même pour le Canadien qu'il était devenu, la Jamaïque restait sa mère patrie. Il en connaissait la capitale, Kingston, comme la paume de sa main. De plus, le climat du pays était idéal. Certes, le fait que le premier ministre au pouvoir, Michael Manley, avait des tendances socialistes représentait un problème sur le plan politique. Mais c'était un problème mineur, les hommes du CST ne s'en inquiétaient pas trop. Manley était un bon ami du Canada et du premier ministre Pierre Trudeau. Enfin, en s'installant en Jamaïque, on courait aussi la chance d'intercepter des communications en provenance de Cuba, ce qui aurait ravi la NSA.

Frost se porta évidemment volontaire. Mais il dut se raviser. Pas parce qu'il n'était pas le meilleur homme pour l'opération, mais parce qu'en 1980, le service militaire obligatoire était toujours en vigueur en Jamaïque. Frost, qui avait quitté le pays à l'âge de treize ans, n'avait jamais répondu à cette exigence. En d'autres mots, si on découvrait qu'il était originaire de Kingston, on pourrait bien le garder là pendant un bon bout de temps. Peut-être même le mettrait-on en prison.

C'est finalement Frank Bowman qui se rendit à Kingston pour discuter de l'opération avec le haut-commissaire. Il lui fit savoir que ses agents essaieraient de nuire le moins possible au travail normal du haut-commissariat, qu'il ne s'agissait pas d'un véritable poste d'écoute diplomatique mais seulement d'un autre test qui mènerait à des opérations plus importantes. Le haut-commissaire se contenta de dire: «Ne me dites tout simplement pas ce qui se passe.»

L'opération en Jamaïque reçut le nom de code «Egret». Frost ignore toujours le pourquoi de ce nom. Les deux agents qui avaient effectué l'essai de Vanier furent envoyés à Kingston. Leurs instructions: intercepter tout ce qu'ils pouvaient, c'est-à-dire l'ensemble des communications gouvernementales, militaires, commerciales ou autres.

Mais Frost se devait d'abord de trouver un moyen sûr d'expédier l'équipement en Jamaïque, dans les poches rouges diplomatiques des Affaires extérieures, sans trop se faire remarquer. Les collaborateurs du ministère, devenus plus avenants, lui dirent simplement: «Faites-nous parvenir tout le matériel d'un seul coup et nous l'enverrons pièce par pièce.» Bonne idée. Mais les gens du CST n'avaient pas l'habitude de faire parvenir des cargaisons de ce genre aux Affaires extérieures. Ils cherchaient un moyen de le faire sans avoir à traiter avec les manutentionnaires du quai de débarquement et être forcés de remplir des formulaires officiels, ce qui ne faisait qu'ajouter à leurs maux de tête. Frost décida que la meilleure façon était d'utiliser sa propre voiture, une *Renault* familiale. Aux Affaires extérieures, un des fonctionnaires de l'équipe du projet Egret recevrait l'équipement; il ne poserait ni ne répondrait à aucune question. Ainsi, tout irait comme sur des roulettes.

Mike Frost était sur le point de goûter à la balade en auto de sa vie. D'abord, il lui fallut obtenir une autorisation spéciale de Victor Szakowski pour emmener son auto à l'intérieur du périmètre clôturé entourant le quartier général du CST. Seuls le chef et ses directeurs supérieurs pouvaient stationner à cet endroit. Déjà, Frost brisait son propre code selon lequel il lui fallait être le moins visible possible. Mais il ne pouvait quand même pas transporter le matériel jusqu'au stationnement général à la vue du public et des gens de l'édifice de Radio-Canada, juste à côté. Frost et un autre agent de l'opération Egret chargèrent l'auto avec les appareils top secrets enfouis dans des sacs diplomatiques rouges et prirent le chemin des Affaires extérieures.

Ils ne se rendirent pas bien loin. Sur la promenade Riverside, juste en face du centre de loisirs des employés de la fonction publique, les lois de la physique déjouèrent leur plan, en apparence parfait. L'équipement était si lourd que l'un des pneus de la voiture en creva. Ils se trouvaient alors sur l'une des artères les plus passantes d'Ottawa. Normalement, quand on a une crevaison, on ouvre le coffre du véhicule, on en sort le cric et la roue de secours et on débarrasse l'endroit le plus vite possible. Mais Frost avait un problème assez unique: avant de pouvoir atteindre le cric et le pneu, il devait d'abord sortir tous les sacs diplomatiques du coffre, les déposer à la vue de tous sur le bord de la rue. L'agent Murray et lui s'empressèrent tant bien que mal de sortir le matériel et de changer le pneu avant que trop de gens ne remarquent l'étrangeté de leur cargaison. Mais avant même d'avoir changé le pneu, ils avaient replacé tout l'équipement dans le coffre. Autre brillante manœuvre. L'auto était redevenue si lourde que le manche du cric cassa comme une branche.

— Fuck! s'écria Frost. Qu'est-ce qu'on fait, maintenant?

Il avait à peine prononcé ces mots qu'une voiture de police qui passait par là s'arrêta derrière eux. Un agent en sortit et s'approcha lentement des deux énergumènes.

— Que diable faites-vous là? demanda sévèrement le policier.

— Nous avons une crevaison, répondit Frost.

— Eh bien, changez le pneu! d'enjoindre le flic.

— Je ne peux pas. Mon cric s'est brisé.

Le policier jeta un coup d'œil dans la familiale et demanda, d'un air soupçonneux:

— Qu'est-ce que c'est que tout ça?

— Je ne peux pas vous le dire, bredouilla Frost.

Avant que le policier ne sorte son revolver et leur demande d'écarter les jambes et de poser les deux mains sur l'auto, Frost sortit sa carte d'identité du CST.

— Je suis un messager diplomatique, dit-il. Il s'agit de matériel secret qu'il faut que j'emmène aux Affaires extérieures.

Le policier le crut. Il sortit même le cric de la malle de son auto et les aida à installer la roue de secours.

Pour le reste du trajet, soit une dizaine de kilomètres, Murray dut s'asseoir avec un pneu crevé sale sur les cuisses. Rouges de honte, les deux hommes avaient tout de suite abandonné l'idée de décharger et de recharger leur marchandise pour mettre le pneu crevé dans la malle.

— Voilà ce que j'appelle passer inaperçu, commenta Frost. Des espions à la gomme, voilà ce que nous sommes!

Ils ne purent s'empêcher de rire aux éclats.

Mais ils n'étaient toutefois pas au bout de leurs peines. Guy Rankin, qui devait les attendre aux Affaires extérieures, n'y était plus quand ils arrivèrent enfin. Il avait tout simplement pensé qu'il y avait eu un changement à l'horaire. En son absence, Frost refusa de se conformer à la procédure et de révéler ce qu'il allait décharger. Le contremaître du quai de débarquement était de mauvaise humeur. Il s'exclama:

— Qu'est-ce que c'est que ces histoires? Vous vous montrez dans une automobile non gouvernementale, chargée à bloc de sacs diplomatiques classés secrets et vous ne voulez seulement pas me dire ce que vous faites ici! Je ne vous connais même pas!

Frost lui dit de trouver Guy Rankin et que tout s'arrangerait. Puis il précisa:

— C'est tout simplement de l'équipement de télécommunications. Nous travaillons dans le domaine, nous en transportons tout le temps.

— Bien sûr! Et moi je suis Allan Gotlieb!

Rankin arriva finalement avec un chariot. Frost et Murray y déchargèrent leur cargaison en espérant ne jamais la revoir. À son retour au CST, Frost ne put s'empêcher de penser à ce qui les attendait en Jamaïque si les choses pouvaient tourner aussi mal dans leur propre capitale.

■

Les deux agents qui rempliraient la mission Egret furent envoyés au haut-commissariat de la Jamaïque sous un faux prétexte plutôt vague. Ils prétendaient être des spécialistes en communications du ministère de la Défense. Ils disaient se présenter sur les lieux avec une tonne d'équipement pour voir si les communications entre Ottawa et la Jamaïque pouvaient être améliorées. Cela ne souleva pas de problème. En grande partie parce que les Jamaïcains ne s'attendaient jamais à ce que le Canada monte une opération d'espionnage contre eux, mais aussi parce qu'ils n'avaient aucune raison de croire que le prétexte des agents canadiens était faux. Egret fut un franc succès. Les agents canadiens interceptèrent toutes sortes de communications: de la police, des militaires, du gouvernement et même des conversations diplomatiques en haut lieu. Mais ils n'obtinrent rien de renversant du côté des renseignements proprement dits. Le CST fit quand même parvenir toutes les transcriptions de son écoute à la NSA pour s'assurer qu'on n'avait rien manqué.

Les deux agents rentrèrent au pays après deux semaines, de même que l'équipement. Pour des raisons qui se passent d'explications, Frost changea le mode de transport du matériel. Au lieu d'essayer de ramener le tout en un seul chargement, les Affaires extérieures expédièrent seulement quelques pièces à la fois dans des sacs diplomatiques, par la voie du courrier régulier entre le ministère et le CST.

■

Le temps était venu d'examiner les listes de souhaits des trois agences. Les Américains et les Britanniques voulaient que les Canadiens s'attaquent immédiatement à des cibles de gros calibre, mais Frost et Bowman n'étaient pas prêts à prendre un trop grand risque à leur première véritable mission.

Après en avoir discuté longuement, le groupe de Pilgrim décida qu'on inspecterait trois sites possibles: Mexico, Caracas et La Havane. Les trois avaient le potentiel de fournir des renseignements utiles. La Havane représentait un certain danger, même si Cuba ne croyait pas le Canada capable d'espionnage électronique. En fait, le CST l'avait incluse sur la liste plus pour plaire à la NSA — les Américains n'entretenant pas de relations diplomatiques avec Cuba. Mais les chances que les agents de Pilgrim choisissent La Havane comme lieu de leur première mission étaient extrêmement faibles.

Frost et Bowman se partagèrent le travail. Mike se rendit à Mexico et Frank à Caracas, avec un arrêt au retour à Cuba.

Le voyage de Frost à Mexico fut tout aussi tragicomique que sa crevaison sur la promenade Riverside. Quand il descendit de l'avion au Mexique, il s'attendait à une partie de plaisir. Le technicien en communications de l'ambassade le rencontra à l'aéroport et le conduisit à son hôtel. Frost passa une agréable soirée à siroter des *rhum and coke,* en écoutant un orchestre mexicain.

Le lendemain matin, il avait rendez-vous avec l'ambassadeur. C'était la première fois que Frost avait à jouer le rôle du simple bureaucrate qui doit expliquer à l'ambassadeur qu'il est vraiment un espion susceptible de gâcher sa vie dans les semaines à venir. L'exercice était loin d'être aisé. D'abord, la conversation devait, d'après la stricte procédure du CST, avoir lieu sur la rue, jamais dans l'ambassade, où pouvaient toujours être cachés des micros miniatures. Quiconque s'est déjà promené dans les rues de Mexico peut se faire une petite idée des difficultés qu'entraîna cette procédure: des automobiles par milliers klaxonnant sans arrêt, un taux de pollution supérieur à celui d'à peu près n'importe quelle capitale de la planète, une chaleur torride et une humidité écrasante. Comme pour compliquer la tâche, l'ambassadeur marcha si rapidement que Frost eut peine à le suivre et fut constamment à bout de souffle.

Ils arrivèrent finalement à l'ambassade. Frost jeta un regard vers l'édifice et dit:

— Est-ce notre seule chancellerie ici?

— C'est l'orgueil des ambassades canadiennes de partout dans le monde, lui répondit fièrement l'ambassadeur. C'est notre perle.

— Oui, mais elle est faite entièrement de verre, commenta Frost sombrement.

— En effet, dit le diplomate, n'est-ce pas beau?

— Elle est splendide, mais comment croyez-vous que nous puissions mener une opération d'espionnage dans une maison de verre? Monsieur l'ambassadeur, j'ai le regret de vous dire que nous avons perdu notre temps.

Frost eut la nette impression que le diplomate était plutôt soulagé, surtout qu'il ne lui avait pas semblé être très enthousiaste au départ. Frost n'en revenait tout simplement pas: pourquoi les gens des Affaires extérieures ne lui avaient-ils pas donné ces renseignements avant qu'on mette Mexico sur la liste des sites possibles? Ces gars-là commençaient vraiment à lui taper sur les nerfs. Mais cette expérience lui rappela une nouvelle fois qu'il leur faudrait encore mieux faire leurs devoirs avant d'agir.

De son côté, Bowman revint de La Havane en confirmant que l'endroit était «un trou infernal». L'édifice de l'ambassade se comparait presque à une hutte de paille: la plomberie y était défectueuse, on y manquait d'espace, des boîtes étaient empilées partout jusqu'au plafond et il n'y avait aucun dispositif de sécurité. Dieu merci, il n'était plus question d'y aller seulement pour faire plaisir à la NSA.

Le premier essai véritable aurait lieu à Caracas. On donna à l'opération le nom de code «Artichoke». C'était en 1981, quatre ans après le début de Julie.

Chapitre VI

DE SIMPLES PÈLERINS

— Tu sais, Frank, on ne peut quand même pas simplement se contenter d'acheter un billet aller-retour, de prendre l'avion et de frapper à la porte de l'ambassade avec tout notre équipement électronique.

— Je sais, répondit Bowman. Ce n'est pas Stephanie.

— En effet, poursuivit Frost. Et il nous faut éviter à tout prix de nous faire prendre... Ce n'est pas si mal quand ça arrive aux gars de la NSA. Ils sont tellement gros qu'ils ne font que continuer comme si de rien n'était... Mais à ce stade-ci de la partie, tu sais fort bien ce qui nous attend si nous nous faisons prendre en terre étrangère.

— Oui. Les politiciens nous couperaient le cou.

— Et sans hésiter, ils nieraient notre existence. Ils s'assureraient que nous n'avons jamais existé et n'existerons jamais... Et c'est le Canada qui en paierait le prix, car nous n'aurions plus jamais le partage de renseignements que nous avions ou que nous pouvons obtenir maintenant avec les Américains et les Britanniques.

— Et nous finirons en rond-de-cuir...

Aussi informelle qu'elle était, cette conversation touchait un point très sensible: l'importance qu'avait Pilgrim pour les hommes du CST. Ils ne pouvaient se permettre d'erreurs, même si le projet était toujours à l'état embryonnaire. Il ne faudrait qu'un seul incident diplomatique pour que les autorités politiques le tuent dans l'œuf et laissent Frost, Bowman et Hunt se débrouiller avec les explications. Ils se l'étaient fait dire sans détour lors de l'aventure de Stephanie et ils étaient convaincus que la politique était toujours la même: faire croire à la population que le Canada ne menait tout simplement pas d'opération d'espionnage en pays étrangers. S'il survenait un incident, le premier ministre nierait catégoriquement en avoir eu connaissance. Tout document compromettant serait interdit d'accès au public pour des raisons de sécurité nationale ou serait tout simplement détruit.

Stephanie avait été une tentative isolée: une seule mission, un seul site, un seul mandat. Pilgrim était un projet à long terme et beaucoup plus vaste, qui embarquerait le Canada dans l'écoute diplomatique sur une base permanente et dans plusieurs pays du monde, là où ses alliés de l'entente CANUKUS auraient besoin de lui. Le CST ne pouvait survivre à un échec. C'est pourquoi même les préparatifs pour Pilgrim devinrent une opération cruciale. Frost et Bowman voulaient concevoir une stratégie qui serait aussi parfaite qu'il était humainement possible de le faire.

L'équipe de Pilgrim avait déjà décidé que la seule procédure à suivre était d'envoyer d'abord un éclaireur dans chaque ambassade visée avant de se lancer dans les essais permis par Allan Gotlieb. Frost fut nommé responsable de ces opérations et concentra surtout ses efforts sur les missions de reconnaissance. Ces dernières consistaient en des vérifications essentielles sur le site de l'ambassade même: la hauteur de l'édifice, l'emplacement, l'aération de la pièce qui servirait à l'écoute, le meilleur endroit où placer les antennes, la possibilité d'opérer à l'abri des regards du reste du personnel de l'ambassade, etc. Il fallait penser à tout. Frost devait également examiner les alentours. L'ambassade était-elle vulnérable au contre-espionnage? Les tours à micro ondes étaient-elles à la portée de leurs instruments? En somme, il fallait déterminer si le projet était trop dangereux ou s'il en valait le coup?

Mais avant même de prendre l'avion pour aller effectuer ces vérifications, ils durent résoudre plusieurs problèmes importants. Pour le profane, il ne peut s'agir que de détails insignifiants. Mais pour un espion, ces «détails» peuvent être une question de vie ou de mort ou, à tout le moins, faire la différence entre le succès et un échec désastreux. Parmi ces problèmes à solutionner avant d'envoyer leurs hommes en mission, étaient les suivants:

1. Le prétexte: Quel genre d'imposteurs seraient les espions? Quel serait leur statut au sein de l'ambassade? Comment expliquerait-on leurs promenades dans la rue avec l'ambassadeur?

2. L'équipement: Quels appareils utiliserait-on pour les tests et pour l'essai qui suivrait?

3. L'emplacement: Est-ce que l'écoute pourrait se faire à partir d'un site à l'extérieur de l'ambassade?

4. La durée: Combien de temps consacrerait-on aux tests? Quelle serait la durée de l'essai?

5. Le transport: Quel mode de transport les agents utiliseraient-ils pour se rendre sur le site? Qui, au sein du gouvernement, serait chargé de planifier les voyages? Qui paierait pour les voyages et comment?

6. La sécurité: Comment garder le secret total autour de Pilgrim? (C'était l'un de leurs problèmes les plus compliqués. Les agents de Pilgrim seraient appelés à vivre une double et même une triple et une quadruple vie.)

Chacune de ces questions devait être résolue avant la mission. Frost ne comptait plus les discussions où elles furent examinées à la loupe. Sans compter les nombreux voyages à la NSA et au GCHQ.

Pour comprendre la complexité de l'opération, il est essentiel d'examiner ces six problèmes en détail.

■

D'abord, le prétexte, ou la couverture, comme on dit couramment, d'après l'appellation anglaise *cover*. Comment cacherait-on le véritable travail des espions?

Les agents devraient dissimuler leur rôle véritable non seulement aux autorités étrangères de l'Immigration et du contre-espionnage, mais également à la quasi-totalité du personnel de l'ambassade canadienne. Il devint évident que les agents devraient avoir deux couvertures différentes. À l'Immigration, il était préférable de dire qu'ils étaient du ministère de la Défense et qu'ils venaient à l'ambassade pour tenter d'améliorer les communications entre la chancellerie et le Canada et pour discuter du sujet avec les techniciens en communications des Affaires extérieures sur place. Pour obtenir leurs visas, donc, ils admettraient être employés de la Défense — sans dire qu'ils étaient du CST. C'était plausible et relativement facile à expliquer.

Paradoxalement, le personnel de l'ambassade posait un problème plus sérieux. Les Affaires extérieures forment un cercle diplomatique plutôt hermétique où les commérages ont la valeur de l'argent. Tout le monde se connaît, peu importe le rang qu'on occupe dans la hiérarchie bureaucratique, le type de relations qu'entretient le patron avec sa secrétaire ou toute particularité du genre. Les employés des Affaires extérieures ne tolèrent pas facilement les intrus, particulièrement s'ils proviennent d'un autre ministère. Ils forment un cercle encore plus fermé dans les ambassades, où ils fonctionnent dans leur petit univers propre, en suivant des règles non écrites mais comprises de tous. C'est d'ailleurs l'une des raisons pour lesquelles ils deviennent extrêmement nerveux quand le premier ministre du Canada, par exemple, décide de visiter le pays où ils sont en poste. Lorsqu'il quitte, leur soulagement n'a d'égal que la nervosité qui les affligeait à son arrivée. Il est rare que des gens d'autres ministères aillent fouiner dans leurs ambassades; le cas échéant, ces «étrangers» sont remarqués dès leur arrivée et soulèvent un tas de questions et de discussions parmi les membres du personnel régulier qui se demandent comment ces intrus peuvent ainsi «s'inviter» chez eux.

Frost et Bowman eurent beau se creuser la cervelle à l'infini, ils ne purent concevoir un prétexte qui serait accepté partout et qui satisferait la curiosité des employés de l'ambassade. Les diplomates et leur personnel se parlent régulièrement et sont sans cesse mutés d'un pays à un autre. Si Mike Frost se présentait quelque part en prétendant être un expert en communications, puis se présentait ailleurs en se transformant en agent d'immigration, il était fort possible qu'un jour, quelqu'un dise: «Ce même Frost est venu ici pour améliorer les communications, il est étrange qu'il soit maintenant responsable de l'immigration.»

Après des heures de débat, ils abandonnèrent l'idée d'essayer de trouver le prétexte parfait.

Frost et Bowman optèrent pour une tout autre solution. L'ambassadeur, qui serait idéalement rappelé au Canada pour un *briefing* sur l'opération — plutôt que de se faire instruire en marchant dans la rue —, transmettrait une note de service à son personnel avant l'arrivée de l'éclaireur du CST. La note dirait simplement qu'un visiteur du ministère de la Défense nationale viendrait à l'ambassade, pour une raison que l'ambassadeur inventerait. Le personnel devait coopérer pleinement avec le secteur militaire, ce qui signifiait aussi ne pas poser de questions. L'équipe de Pilgrim savait qu'une telle note de service ferait froncer des sourcils, mais c'était un mal nécessaire. Cette procédure avait l'avantage de réduire le nombre de mensonges à raconter et à se remémorer. Elle fut érigée en norme. Dans les cas où Frost l'utilisa, elle sembla fonctionner; les employés ne lui posèrent pas de questions sur les raisons de sa présence.

Au prétexte utilisé se greffait la question des passeports diplomatiques. Malgré les objections catégoriques des gens des Affaires extérieures, Frost insistait pour qu'on lui fournisse un passeport diplomatique rouge. Les Affaires extérieures refusaient parce que cela allait à l'encontre des règlements. Le passeport diplomatique lui était refusé parce qu'il n'était pas un diplomate. D'après eux, il devait se contenter d'un passeport dit spécial, de couleur verte — par opposition au passeport bleu foncé qu'on fournit aux citoyens canadiens ordinaires. Une véritable bataille rangée éclata à propos de cette question, jusqu'au jour où Frost, exaspéré, s'exclama: «Si je n'obtiens pas ce satané passeport diplomatique, je n'y vais pas!»

Avec beaucoup de réticence, les fonctionnaires cédèrent.

Mais Frost n'avait pas fini de leur causer des ennuis. Après sa première mission de reconnaissance en

Afrique de l'Ouest (dont on reparlera plus loin dans ce chapitre), il se rendit soudainement compte qu'il s'était baladé en espion avec un passeport qui portait les sceaux des cinq pays qu'il avait visités au cours de l'année précédente. S'il continuait de voyager avec ce passeport, le moment viendrait où les autorités de l'immigration d'un certain pays se demanderaient pourquoi ce «technicien» voyageait autant. Frost recommanda donc que les agents du CST reçoivent un tout nouveau passeport diplomatique chaque fois qu'ils étaient envoyés en éclaireurs ou pour une opération d'essai dans un nouveau pays. On peut s'imaginer la controverse dans les bureaux des Affaires extérieures. Non seulement ces «infidèles», ces non-diplomates, leur volaient-ils leurs passeports rouges, mais ils en réclameraient un nouveau chaque fois. C'était absolument impensable.

— C'est contre les règlements, avait dit un membre de l'équipe rattaché aux Affaires extérieures.

— Eh bien, changez ces saloperies de règlements! répliqua Frost. Nos passeports leur donnent présentement tous les renseignements sur les sites visés. C'est insensé! Autant leur dire où sont nos antennes!

Avec le temps, cependant, Pilgrim acquit tellement de crédibilité que Frost gagna également cette bataille, même s'il fallut quelques mois et d'autres missions de sa part avant qu'il n'y parvienne. Il fut particulièrement flatté lorsque, faisant part de sa recommandation à la NSA, les Américains y virent un éclair de génie, une chose à laquelle ils n'avaient jamais pensé. L'agence d'écoute américaine utilise désormais la même procédure de passeport que le CST.

Il y eut d'autres confrontations éprouvantes avec les Affaires extérieures. Les diplomates étaient particulièrement conscients du statut qu'auraient les agents du CST à l'ambassade. Il faut comprendre un peu la mentalité du corps diplomatique canadien pour saisir l'importance d'un tel débat, qui pourra sembler ridicule aux yeux de la population en général. Quand vous détenez un certain titre au sein d'une ambassade (ou au sein de la fonction publique en général), cela vous donne droit à des privilèges. À Ottawa, par exemple, il peut s'agir de la grandeur de votre bureau, de la qualité du tapis dont on le recouvre, ou du nombre de tableaux qu'on vous donne pour accrocher aux murs. Toutes ces normes sont énumérées dans des livres de règlements de la bureaucratie que seuls les fonctionnaires les plus chevronnés peuvent déchiffrer. Ces normes sont encore mieux définies pour les missions diplomatiques et sont strictement respectées par ceux à qui elles s'adressent. Elles touchent l'importance des frais de représentation, la disponibilité des chauffeurs, et même le type et la valeur de l'automobile dont disposent les dignitaires du rang des diplomates. Même si, en principe, ces avantages devraient être du domaine public, ils restent un secret bien gardé du ministère des Affaires extérieures. Si les contribuables connaissaient vraiment l'étendue des privilèges qu'obtiennent les diplomates avec leur argent, une controverse serait plus que probable.

Les gens des Affaires extérieures sont très conscients de leur statut. Si tout le monde a ses privilèges, le secret reste parmi les membres du club. Donc, lorsque Mike Frost visitait une ambassade, même s'il prétendait être un simple technicien, il devait, selon les gens des Affaires extérieures, être traité d'après son rang — qui dans son cas équivalait à celui de lieutenant-colonel. Cela signifiait, par exemple, qu'il avait droit à un chauffeur vingt-quatre heures sur vingt-quatre. Les gars du CST durent user de beaucoup de persuasion pour faire comprendre aux gens du ministère qu'ils ne pouvaient accepter de tels privilèges car s'ils les acceptaient, ils seraient repérés immédiatement, leur couverture leur donnant un rang inférieur. Le problème revint constamment à la surface. Il prit encore plus d'ampleur quand les agents de Pilgrim furent envoyés en mission permanente et s'installèrent dans des capitales étrangères avec leurs familles. À quel genre de logement auraient-ils droit, par exemple? Pour ce qui est des missions de reconnaissance et des essais temporaires, les agents du CST jouèrent leur rôle de subalternes. Il était impossible de faire autrement sans éveiller les soupçons.

■

Deuxième problème: quels appareils devait-on utiliser en mission de reconnaissance?

Habituellement, les agents de la NSA étaient plutôt hardis dans leur façon de fonctionner. Ils emportaient avec eux des récepteurs et des antennes dans d'énormes porte-documents.

— Pour nous, le risque est trop grand, avait dit Frost à Bowman. Particulièrement en mission de reconnaissance, quand on ne sait même pas encore si nous allons monter une opération. Pourquoi risquer inutilement de se faire prendre?

— Je suis d'accord, approuva Bowman. Dans la plupart des pays où elle va, la NSA se fiche de se faire prendre. Mais pour nous, ça pourrait sérieusement compromettre tout le projet.

Dès qu'on branche un récepteur, il produit des irradiations. Or, les agents de Pilgrim étaient forcés d'admettre qu'ils étaient encore trop inexpérimentés à ce jeu pour tenter de traverser des douanes étrangères avec de l'appareillage électronique. Ils se contenteraient donc de faire un examen physique de l'endroit, en prenant des notes et peut-être des photos. Une caméra n'était pas une pièce d'équipement compromettante. D'un point de vue purement égoïste, c'était, pour Frost, une bonne décision: il préférait de loin voyager avec une mallette remplie de documents que d'avoir à trimballer de lourds appareils électroniques.

■

Le troisième problème à régler était celui du lieu: d'où ferait-on l'interception? Encore là, la NSA était plutôt téméraire dans son choix d'emplacements d'écoute. Ses agents louaient parfois un appartement dans une ville étrangère. En d'autres temps, ils travaillaient directement de l'hôtel. Pendant plusieurs années — et peut-être encore aujourd'hui — le site d'écoute diplomatique de la NSA à Mexico était situé à l'étage supérieur de l'hôtel *Sheraton*, qu'il occupait en entier. Frost ignore toujours comment ils purent éviter d'être repérés dans un tel endroit. Il en conclut que les Mexicains devaient être au courant, que cela ne les dérangeait guère ou qu'ils n'osaient rien faire pour les arrêter.

Quant aux Canadiens, ils en vinrent une fois de plus à la conclusion que le risque était trop grand pour eux d'opérer à l'extérieur de l'ambassade. À l'ambassade, au moins, si l'on s'en tient aux conventions internationales, ils étaient sur leur propre territoire — même si leurs activités étaient illégales dans le pays visé. Ils décidèrent donc que si l'écoute ne pouvait être faite des locaux de l'ambassade, il était inutile d'y penser.

■

Comparativement aux autres problèmes, celui de la durée des opérations était relativement facile à solutionner. Les Canadiens savaient qu'ils ne pouvaient, comme les Américains, aller en mission de reconnaissance pendant plusieurs mois. Jamais les autorités canadiennes ne l'auraient permis. Aussi, plus les reconnaissances et les essais étaient longs, plus il leur faudrait de temps pour en arriver à établir un site permanent quelque part. Les reconnaissances dureraient donc environ deux semaines et les essais ne dépasseraient pas deux mois.

■

C'était de loin le problème de la sécurité de l'opération et des préparatifs de voyage qui les inquiétait le plus. Les deux questions étaient intimement liées.

Les gens de Pilgrim étaient dans une situation quasi absurde. Au cœur du problème était l'absolue nécessité de garder le secret sur ce projet au sein du CST même. Au début, outre Peter Hunt, Frank Bowman, Mike Frost et Victor Szakowski, personne ne devait être au courant de leurs activités. Hunt et les autres avaient déjà été entraînés à cacher quel type de travail ils faisaient à leurs femmes et leurs familles. Mais cette fois, c'était différent. Par exemple, ils ne pouvaient même pas dire à leurs collègues qu'ils allaient voyager dans une capitale étrangère. Si Frost avait laissé glisser, disons, qu'il se rendait à Mexico ou, plus tard, à Bucarest, il aurait inévitablement suscité nombre de questions et de spéculations puisque tous savaient qu'il était un spécialiste de l'écoute. Le CST se méfiait aussi des taupes qui auraient pu infiltrer l'agence et qui auraient tout de suite soupçonné que quelque chose de gros et d'inhabituel se préparait avec ces agents qui voyageaient à travers le monde.

Paradoxalement, cependant, à l'extérieur des murs du CST, les déplacements de Frost étaient connus des gens des Affaires extérieures. Une demi-douzaine d'employés du ministère étaient dans le secret à ce moment-là. Frost et son équipe se trouvaient donc dans une situation singulière: ils ne pouvaient partager leurs préoccupations avec leurs collègues, mais ils devaient faire confiance à des bureaucrates qui évoluaient dans un monde bien à eux et qui auraient aimé contrôler l'opération eux-mêmes. L'organisation des voyages était assurée par les Affaires extérieures, et non par les employés qui s'occupaient normalement de ce genre de choses au CST. Puisque le faux prétexte utilisé devait être approuvé par les Affaires extérieures, de même que l'obtention du passeport diplomatique et le fait qu'on s'installerait dans «leurs» ambassades, le CST n'avait pas le choix.

La NSA fonctionnait différemment. Elle réaffectait tout simplement ses agents destinés à des missions à l'étranger du quartier général de Fort Meade à leurs installations de College Park, qui s'occupaient exclusivement de l'écoute électronique. L'agence américaine avait un si grand nombre d'employés qu'elle pouvait se permettre de les déplacer sans trop attirer l'attention. Le CST, lui, était trop petit pour pouvoir se livrer à ce genre de manœuvres; tout le monde s'y connaissait. Le stress était par moments insupportable pour Frost. Des amis personnels du bureau étaient parfois invités à la maison pour souper. Il avait insisté personnellement pour que sa femme sache au moins quelle serait sa véritable destination quand il irait à l'étranger. Ses patrons du CST étaient d'accord. Mais un soir, alors qu'il attendait un de ses amis du CST pour souper à la maison, Mike dit à Carole:

— Oh, en passant, ne mentionne pas que je m'en vais en Côte d'Ivoire.

— Pourquoi pas? demanda-t-elle.

— Ne dis simplement rien. Je ne peux pas t'expliquer.

— Où devrais-je dire que tu t'en vas?

— À la NSA.

Frost demanderait à ses fils de mentir de la même façon. Il vivait dans un monde de mensonges par devoir patriotique. Mentir à ses collègues, dire une partie de la vérité à sa femme, mentir aux pays étrangers, mentir au personnel de l'ambassade... Le plus important était de se rappeler à qui on avait raconté quel mensonge, parce que les explications variaient d'une personne à l'autre.

Les indiscrétions étaient inévitables: un jour, son fils s'était pavané avec un T-shirt arborant le nom de Bucarest, la capitale de la Roumanie. Il était à bord du bateau de Mike, le *Pilgrim,* avec un de ses collègues du CST. Mais l'homme n'était pas endoctriné pour l'opération d'écoute diplomatique.

À cela s'ajoutait la mission en terre étrangère, où il devait jouer un rôle pour le pays hôte et un autre pour les employés de l'ambassade. C'était assez pour le mener tout droit en psychiatrie pour un diagnostic de personnalités multiples. Quand Frost quitta le CST, en 1990, on n'avait toujours pas résolu ce problème à la satisfaction de tous. À son avis, il s'agissait du chaînon le plus faible de toute l'opération.

Mais comme ils en étaient toujours à leurs premiers pas, les agents de Pilgrim apprirent à accepter ces inconvénients, tout comme ils avaient accepté de travailler avec les Affaires extérieures. Il y eut des moments cependant où Frost ne put s'empêcher d'exploser:

— Pourquoi devons-nous travailler avec cette bande d'idiots? Je regrette, Frank, mais c'est le seul mot que je trouve pour les décrire.

— Avons-nous le choix?

— Peut-être que nous n'avons pas besoin d'eux...

Mais Frost savait qu'il était pratiquement impossible de les exclure. Il aurait tellement aimé pouvoir contourner ce problème, surtout que les Affaires extérieures comptaient maintenant plus d'employés affectés à Pilgrim que le CST. Un incident en particulier restera toujours gravé dans la mémoire de Mike Frost. Le groupe discutait des détails de l'opération, de la couverture, du statut et du passeport des agents qui seraient envoyés en mission, quand le chef de la délégation des Affaires extérieures sortit sa petite calculatrice de sa poche et se mit à vérifier l'état de son compte en banque. Frost et Bowman se regardèrent, incrédules. La réunion prit fin peu de temps après.

«Peux-tu croire ça? siffla Frost quand ils sortirent en trombe de la salle de conférences du CST. Quel enfant de chienne d'effronté! Nous voilà en train de discuter d'une opération d'espionnage où des vies pourraient être en jeu et il s'occupe de son maudit compte de banque!» Frost aurait voulu le tuer.

En fait, ce genre de geste était courant chez les gens des Affaires extérieures — à quelques exceptions près. Ces gens avaient voulu contrôler le projet dès le début et ils avaient grandement compliqué les choses pour les gars du CST, peu importe ce qu'en disait Allan Gotlieb. Avec le temps, Frost et Bowman apprirent à en rire. Au cours des années à venir, lorsqu'ils n'auraient pas le goût de faire quelque chose, ils se diraient: «Vérifions notre compte de banque!»

Même les explications précédentes ne rendent pas justice aux heures interminables investies par l'équipe Pilgrim pour s'assurer que tout irait bien. C'est un peu comme grimper l'Everest. Qui veut en connaître les détails, une fois le sommet atteint? Pourtant, l'attention portée à ces «détails» est ce qui a permis qu'on en sorte vivant.

Sans avoir réglé tous les problèmes à leur pleine satisfaction, mais forts de plusieurs leçons, les gars du CST étaient prêts pour leur premier véritable essai, qui aurait lieu à Caracas. Artichoke se mettait en branle.

■

Le CST n'eut aucun problème, en 1981, à convaincre les détenteurs du pouvoir à Ottawa que Caracas était une cible importante. D'autant plus que le ministre de l'Énergie et des Ressources, Marc Lalonde, présentait alors sa stratégie énergétique nationale. Du point de vue des renseignements, toutes les communications touchant le cartel de l'OPEP, qui avait provoqué la crise du pétrole des années précédentes, étaient prioritaires. Le Venezuela étant un grand exportateur de pétrole, il faisait partie de l'OPEP avec les pays arabes. Les Américains de la NSA étaient d'accord avec le choix du Venezuela, ayant eux-mêmes souffert de la crise.

Mais le CST cherchait aussi à intercepter tout ce qui pouvait être lié au marché de la drogue ou au terrorisme. Comme d'habitude, la NSA avait fourni une liste de mots clés. L'un d'eux apparaissait sur toutes les listes, celui de «Carlos».

Après l'avoir pourchassé pendant vingt ans, c'est la police française qui lui a finalement mit le grappin dessus, au Soudan, en août 1994. Au nom de Carlos, s'ajoutaient d'autres mots clés qui pouvaient fournir des indices sur son vaste réseau terroriste et ses bases d'opération. Personne ne savait où il se terrait, mais peut-être que le CST jouerait de chance en trouvant quelque chose d'extraordinaire de ce côté.

Donc, du point de vue des renseignements et des avantages qu'il pouvait apporter au Canada, Caracas était un site acceptable. Techniquement, l'emplacement était aussi idéal, comme l'avait révélé la mission de reconnaissance effectuée par Frank Bowman. Le Venezuela n'était pas considéré comme un pays hostile, contrairement aux pays du bloc de l'Est ou du Moyen-Orient, ce qui répondait aux normes de risque nécessaire auxquelles Frost et Bowman avaient choisi de se limiter.

Les espoirs étaient grands lorsqu'ils entreprirent de préparer l'équipement pour l'expédition. Ils y enverraient leurs deux meilleurs agents, Alan Foley et Tom Murray.

La NSA coopérait au-delà de leurs attentes. Les Américains leur apprirent quelles heures de la journée étaient les plus propices à l'interception et quels types de transmissions ils devaient traquer. Ils leur donnèrent aussi tous les renseignements techniques nécessaires — dans le jargon des services de renseignements, TEXTA *(Technical Extracts from Traffic Analysis)*. Ainsi, avant même d'arriver sur le site, les agents de Pilgrim avaient non seulement une liste de cibles spécifiques et de mots clés, mais aussi une liste de toutes les fréquences qui valaient la peine d'être interceptées. Ils savaient également quoi faire des signaux captés, comment les intercepter en entier pour ensuite les démultiplexer.

Les Américains avaient aussi livré aux agents de Pilgrim un des secrets les mieux gardés de la NSA — même au sein de l'agence. Ils les invitèrent à visiter leurs installations ultrasecrètes de College Park, où ils développaient des stratégies et inventaient des appareils de plus en plus perfectionnés dans le seul but de faire de l'écoute électronique à l'étranger et dans leur pays. College Park avait aussi une équipe qui travaillait dans ce qu'on appelait la *live room*. Il s'agissait d'une pièce spécialement aménagée avec des antennes qui parcouraient le plafond, où les ingénieurs de la

NSA pouvaient récréer l'environnement électronique de la ville — quelle qu'elle soit — où devait avoir lieu une opération. Quand Frost et les autres agents du CST se rendirent à College Park, pendant quatre jours, c'était exactement comme s'ils écoutaient Caracas.

C'était évidemment une simulation, mais les agents purent écouter toute la gamme des hautes fréquences: HF, VHF, UHF, SHF. Ils en vinrent à croire qu'ils étaient déjà dans la capitale vénézuélienne avec la différence que les ondes reproduites provenaient de l'écoute diplomatique que la NSA faisait déjà à Caracas ou de ses satellites. Ce qu'on intercepterait depuis l'ambassade canadienne serait probablement différent; on pourrait obtenir des renseignements que la NSA n'avait pas, à cause de l'emplacement géographique différent de l'ambassade canadienne. Mais les signaux étaient les mêmes, et les agents se familiarisaient avec le genre de communications qu'ils intercepteraient sur place. Cela économisait beaucoup de temps et d'efforts. À l'avenir, ces *briefings* de la NSA feraient partie de la procédure normale.

L'équipe de Pilgrim voulait tellement réussir son premier essai qu'elle exagéra un peu quant au nombre d'appareils expédiés: on avait quadruplé chaque pièce d'équipement électronique, des récepteurs aux démodulateurs. La cargaison totale, qu'on expédia graduellement, sur une période de plusieurs semaines, aux Affaires extérieures, pesait plus de 2 tonnes. L'équipement fut ensuite expédié au Venezuela par les Affaires extérieures, en entier et d'un seul coup. Dans la plupart des opérations futures, la procédure serait plus discrète; les appareils seraient alors envoyés une ou deux pièces à la fois, toujours dans des sacs diplomatiques.

Les appareils d'interception utilisés à Caracas étaient de loin supérieurs, en termes d'efficacité, à ceux dont on avait fait usage auparavant. Ils étaient en avance d'un siècle sur le coffre-fort de Stephanie. Après tout, dix années de progrès technologiques vertigineux s'étaient écoulées entre les deux projets, et la NSA était à l'avant-garde. Il n'était plus question d'antennes paraboliques d'un mètre et demi. Elles avaient été remplacées par des antennes de haute performance qu'on pouvait installer sur le coin d'un bureau, et donc dissimuler beaucoup plus facilement.

Après Artichoke, Frost et Bowman conclurent qu'ils avaient peut-être exagéré quant au nombre d'appareils. Une fois que l'équipement fut emmené aux Affaires extérieures par camion et reçu par l'équipe de Pilgrim, un messager des Affaires extérieures (payé par le CST) eut la tâche ingrate d'accompagner le tout du quai d'embarquement jusqu'à l'ambassade de Caracas. Le messager ne devait jamais quitter la cargaison des yeux, jusqu'à ce qu'elle soit dans le ventre de l'avion. Ses instructions étaient de surveiller les sacs diplomatiques pendant qu'ils seraient chargés dans l'avion et d'être le dernier passager à monter à bord. Il serait ensuite le premier à descendre de l'appareil pour veiller au déchargement. Et tout cela sur un vol commercial!

Ce fut un travail exigeant pour le messager, surtout que les bagages durent être transférés d'un avion à un autre plusieurs fois. Son unique consolation était de pouvoir voyager en première classe. Ces dispositions représentaient une autre faiblesse dans les opérations de Pilgrim car d'un essai à l'autre, les messagers changeaient et pouvaient en venir à discuter de leurs voyages entre eux. C'est pourquoi ils n'étaient renseignés que sommairement sur le contenu de la précieuse cargaison qu'ils protégeaient.

L'ambassadeur et l'un des techniciens du service des communications avaient déjà reçu un bon *briefing*

FIGURE D
Configuration technique du projet Pilgrim[1]

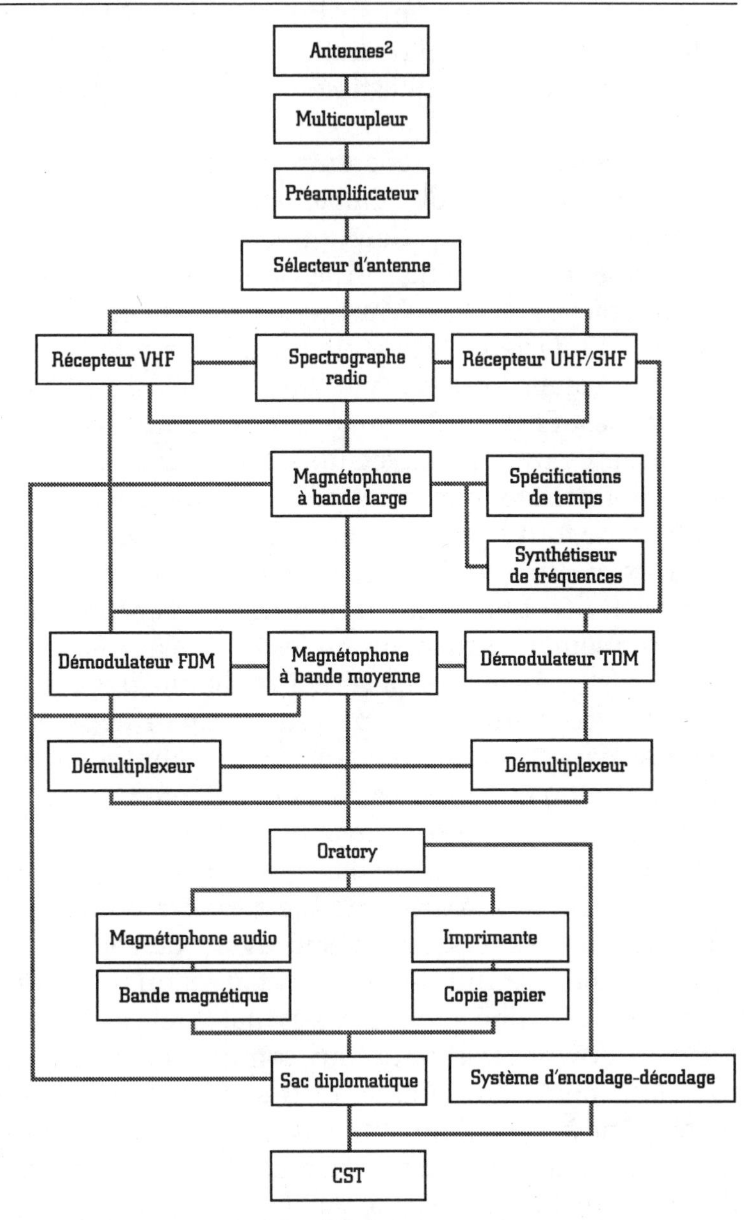

1. On pouvait configurer ce système de multiples façons. Nous n'en présentons ici qu'une configuration typique.
2. On utilisait des antennes de toutes sortes: en forme de cône, de soucoupe, de peigne, etc. Le plus souvent, ces antennes étaient munies d'un moteur à rotor. (Diagramme: David Frost)

sur l'opération avant l'arrivée de l'équipement. Si, pour une raison ou une autre, un employé de l'ambassade était considéré comme un risque, le CST avait donné l'ordre de tuer l'opération dans l'œuf ou d'envoyer l'employé en question en vacances pendant quelques semaines.

Une fois les appareils entreposés dans le centre des communications de l'ambassade à Caracas, le CST attendait délibérément deux ou trois semaines avant d'y envoyer ses agents. Trois jours après l'arrivée d'Alan Foley et de Tom Murray, le poste d'écoute était installé à l'intérieur de la tente tissée de cuivre.

Le message codé parvint au CST: «Artichoke est en marche.» Frost et Bowman se croisèrent les doigts. Le fait qu'ils traitaient avec un ambassadeur qui était très enthousiaste face au projet les aidait. Lui aussi voulait que tout se passe comme sur des roulettes.

L'essai dura environ trois semaines. À ce stade-ci du projet, l'écoute se faisait huit heures par jour, cinq jours par semaine, et ce durant les heures normales de travail, afin d'éviter que la véritable identité des agents ne soit découverte. Cette procédure serait appelée à changer dans les opérations à venir. Techniquement, Caracas fut un franc succès. Le matériel intercepté était si volumineux qu'on dut envoyer un messager spécial pour le rapatrier au Canada. Normalement, le messager des Affaires extérieures passait par d'autres ambassades de l'Amérique du Sud avant de rentrer au pays. Mais le produit de l'écoute était tel qu'il ne pouvait être acheminé par les voies habituelles. Quand Frost et Bowman se rendirent compte de l'amas de renseignements qui leur tombait sur les bras, ils demandèrent à Peter Hunt de leur fournir un analyste qui serait spécialement affecté à l'examen du matériel d'Artichoke. Hunt choisit le meilleur candidat, qui travailla ensuite pour eux sur une base permanente.

Frost, Bowman et l'analyste étaient maintenant tous entassés dans le même bureau avec trois pupitres. L'analyste avait fort à faire: il arrivait au travail avant le lever du soleil et ne quittait pas avant la tombée du jour. Afin de s'assurer qu'on n'avait rien manqué, tout le produit des interceptions de Caracas fut envoyé à la NSA, qui y affecta deux analystes. Les agents du CST avaient cependant pris soin de conserver les renseignements qui, d'après eux, profiteraient au Canada.

Il fallut de six à neuf mois pour digérer le produit d'Artichoke. Le CST fut alors confronté à une pénible réalité: on n'avait rien trouvé, ou rien qui n'avait une valeur quelconque du point de vue des renseignements. Que le matériel capté provienne de tours à micro-ondes, de téléphones cellulaires, de radios, de communications gouvernementales ou militaires: zéro. Il y avait beaucoup de communications touchant l'OPEP, mais aucune révélation renversante.

On ne put même pas produire un rapport valable pour le gouvernement canadien, les Américains ou les Britanniques.

Frost et Bowman étaient découragés. Ils ne pouvaient croire que toutes ces heures, tout cet argent et ces efforts s'avéraient totalement inutiles. Les conclusions de la NSA furent les mêmes, et Patrick O'Brien était tout aussi surpris qu'eux. Lui aussi croyait qu'ils auraient dû obtenir au moins quelques miettes de renseignements valables.

L'équipe de Pilgrim s'inquiétait particulièrement du fait que les gens en haut lieu, comme Allan Gotlieb, auraient éventuellement besoin de munitions pour justifier la poursuite du projet. Mais on n'avait rien à leur offrir et on ne pouvait quand même pas se mettre à fabriquer le matériel manquant. Le fait que le CST ait pu faire entrer et sortir les agents et l'équipement sans problème et ait prouvé être capable d'intercepter des tonnes de communications ne voulait pas dire grand-chose. Du point de vue de la qualité des renseignements recueillis, Artichoke était un échec terrible.

Ils continuaient à apprendre, cependant. D'abord, ils savaient avoir grossièrement exagéré sur le nombre d'appareils requis. Ensuite, ils avaient compris qu'être en ondes seulement huit heures par jour n'était pas nécessairement la méthode idéale, même s'ils avaient concentré leurs efforts sur les heures de pointe des communications. Ils n'avaient pas fait d'écoute, par exemple, durant la période qui correspondait aux heures de travail normales en Europe. La NSA les avait déjà avertis qu'elle choisirait éventuellement d'être en opération vingt-quatre heures par jour, sept jours par semaine. Mais les agents du CST avaient répondu que c'était tout simplement impossible pour eux. Il leur était maintenant évident qu'ils n'auraient éventuellement pas le choix.

Mais les déceptions faisaient partie du jeu. Ils avaient toujours le feu vert pour procéder à sept autres essais et n'avaient aucunement l'intention de ralentir le rythme des opérations. Après Caracas, cependant, leurs priorités commencèrent à changer. Ils étaient d'abord allés au Venezuela parce que ce n'était pas très dangereux et relativement facile comme première tentative.

— Peut-être devons-nous envisager une opération qui présenterait un peu plus de risques, suggéra Bowman.

— Je suis d'accord. Éventuellement, il nous faudra pénétrer derrière le rideau de fer, répondit Frost.

— Avant d'avoir terminé les huit essais, il faut absolument produire quelque chose de valable du point de vue des renseignements.

— Nous le ferons, dit Frost.

Il était plus faussement optimiste que confiant. Mais tôt ou tard, se disait-il, si on prenait de plus grands risques, on trouverait de l'or.

■

Il se produisit un incident plutôt bizarre peu après Caracas, avant que Pilgrim ne se mette à fonctionner plus rondement. La commande était venue sans que personne ne s'y attende, alors que le comité essayait de décider de la prochaine cible: la NSA voulait les voir à Alger le plus vite possible. Frost ne sait toujours pas quelle était la raison de l'empressement des Américains, mais il soupçonne fortement qu'elle avait beaucoup à voir avec le pays voisin de l'Algérie, la Libye. Le président Ronald Reagan, qui venait tout juste d'être assermenté, comptait mener une guerre sans merci au dictateur libyen Kadhafi. En 1981, le Moyen-Orient et le problème du terrorisme étaient au sommet de la liste de priorités de l'énergique président.

Frost fut choisi pour la mission de reconnaissance à Alger. Son passeport fut envoyé à l'ambassade d'Algérie à Ottawa et il obtint facilement son visa. En un temps record, il fut prêt pour l'opération. Les réservations d'avion étaient faites, le prétexte de sa visite était officiel et l'ambassadeur attendait son arrivée.

Ses valises étaient faites, il profitait d'un dernier repas en famille quand, tout aussi soudainement que l'ordre d'aller à Alger était venu, quelqu'un, quelque part, bloqua le tout.

Frank Bowman lui avait simplement dit:

— Tu ne vas plus à Alger. L'opération a été annulée.

— Est-ce que tu sais pourquoi?

— Je n'en ai pas la moindre idée. Peter a tout simplement dit d'oublier tout ça. Qui sait, peut-être es-tu *persona non grata* là-bas.

L'opération avorta si rapidement qu'elle ne reçut jamais de nom de code. Il arrive parfois à Mike Frost de jeter un coup d'œil au passeport diplomatique qu'il a toujours en sa possession. Quand il voit le visa algérien, il s'interroge toujours.

■

L'équipe de Pilgrim décida que la côte ouest de l'Afrique valait la peine d'être exploitée. C'est là que Frost fut dépêché, pour inspecter les sites de la Côte d'Ivoire, du Sénégal et du Maroc. Bowman, de son côté, se rendit en Amérique centrale et en Amérique du Sud, pour reconnaître le terrain à San José et à Brasilia.

La NSA n'était pas trop impressionnée.

— Que diable allez-vous faire là? demanda Patrick O'Brien. Allez à Beijing! Allez dans un pays derrière le rideau de fer! Pourquoi perdre votre temps en Afrique de l'Ouest?

Malgré les commentaires des gens de la NSA, pour ne pas dire leur frustration, les agents du CST avaient leurs propres raisons d'aller en Afrique. La première de ces raisons touchait leur intérêt pour les communications de la France. En 1982, même si le référendum sur la séparation du Québec avait été perdu par René Lévesque et le Parti québécois, le Canada était toujours secoué par le rapatriement de la Constitution que Pierre Trudeau avait manigancé sans l'appui du Québec. Le gouvernement fédéral restait extrêmement préoccupé par les discussions privées et les négociations qui se déroulaient entre Québec et Paris. Le gouvernement du Québec entretenait de meilleures relations diplomatiques avec la France, grâce à la Maison du Québec à Paris, que l'ambassade canadienne — comme le déplorait d'ailleurs l'ancien ambassadeur et ministre du gouvernement Trudeau, Gérard Pelletier, dans son rapport d'adieu en 1981. Le CST croyait qu'il était de son devoir de découvrir si quelque chose de louche se tramait entre la France et les séparatistes, qui étaient toujours au pouvoir à Québec.

L'écoute en Afrique avait également un motif économique. Les Français ne prisaient guère le fait que de plus en plus de compagnies canadiennes tentaient d'envahir ce qu'ils considéraient comme leur marché traditionnel: les anciennes colonies françaises du continent africain. Dans plusieurs secteurs, le Canada et la France étaient en concurrence directe. Les discussions entourant la création d'une espèce de Commonwealth français — maintenant appelé francophonie — n'allaient nulle part depuis des années, la France et le Québec ayant leurs raisons respectives de bloquer le projet. (Il fallut l'élection du gouvernement Mulroney, quelques années plus tard, et du gouvernement libéral de Robert Bourassa, à Québec, pour faire décoller le projet.)

Les agents de Pilgrim savaient aussi qu'un réseau de tours à micro-ondes longeait la côte Ouest africaine. Elles devaient véhiculer passablement de communications.

Frost et Bowman tirèrent au sort pour savoir qui irait dans quelle partie du monde. Frost hérita de l'Afrique. Il ne savait pas s'il avait gagné ou perdu. Il s'embarquait dans une mission de trois ou quatre semaines qui le mènerait à Abidjan, Dakar et Rabat. Les ordres étaient de ne pas communiquer avec Ottawa, sauf en cas d'urgence.

Le thermomètre indiquait –27 °C quand Frost prit son premier vol, qui faisait la navette entre Ottawa et l'aéroport JFK de New York. C'était l'un des rares vols où les passagers devaient marcher à l'extérieur, sur la piste d'atterrissage, pour se rendre à la rampe d'embarquement. En approchant de l'avion, Frost jeta un coup d'œil sur le nom que la compagnie aérienne arborait sur le fuselage. Malgré le froid intense, son visage s'illumina d'un large sourire. C'était *Pilgrim Airlines*. Arrivé à JFK, il monta à bord d'un jet de la Pan Am et s'envola vers le mystérieux continent. L'avion atterrit d'abord à Dakar, puis en Sierra Leone et finalement à Abidjan. Alors que le *Boeing 747* effectuait sa descente pour l'atterrissage en Sierra Leone, il aperçut par le hublot des rangs de femmes qui travaillaient dans les champs bordant la piste. Elles ne levèrent même pas les yeux pour regarder l'avion. Quand on connaît la taille des moustiques en Afrique, un *747* n'a rien de bien impressionnant!

Quand Frost arriva à Abidjan, il faisait 28 °C, une chaleur que le taux d'humidité devait bien doubler. Il portait toujours ses bas de laine, son jean et sa veste de denim, couverte de petits drapeaux canadiens — car il ne voulait pas passer pour un Américain. Il se sentait comme un ours polaire en pleine jungle.

Le technicien de l'ambassade qui, comme toujours, était l'un des rares membres du personnel à être au courant de l'opération, le rencontra à l'aéroport. Tout pimpant, il lui demanda:

— Voulez-vous rencontrer l'ambassadeur?

— Vous êtes fou ou quoi? répliqua Frost. Je viens de me payer vingt-trois heures d'avion: je m'en vais à mon hôtel.

Crevant de chaleur, il ne savait plus trop ce qu'il était venu faire dans cet étrange pays.

Le technicien eut pitié de lui et le laissa au *Novotel*, tout près de l'ambassade. Après une courte sieste, Frost alla se relaxer sur le bord de la piscine. Essayant de rassembler ses idées, il commençait à apprécier la douce chaleur du soleil de la Côte d'Ivoire.

Une femme, ou plutôt une fille, puisqu'elle ne pouvait être âgée de plus de treize ans, l'approcha et lui demanda en français: «Manger?» Malgré le peu de français qu'il connaissait, il comprit qu'elle avait faim et lui commanda un sandwich. La fille le regarda d'un air hébété et s'éloigna. Il devait apprendre plus tard que lorsque des prostituées africaines parlent de «manger», elles ont un autre repas en tête.

Il prit le lunch avec l'ambassadeur le jour suivant, et le technicien qui l'avait cueilli à l'aéroport fut mis à son service pour la durée de sa mission. Il ne mit pas de temps à trouver les tours à micro-ondes. De plus, l'édifice principal du réseau téléphonique et télégraphique du pays était à quelques rues seulement de l'ambassade. Les antennes d'écoute seraient faciles à orienter. Frost conclut correctement que ces tours constituaient le principal réseau qui reliait cette partie de l'Afrique à l'Europe. Elles pouvaient véhiculer n'importe quel genre de communications, des communications qui pouvaient facilement être de grande valeur du point de vue des renseignements. Il prit des photos des tours et des antennes, pour savoir de quel côté elles étaient orientées. D'après les types d'antennes utilisées, il pouvait dire sur quelle fréquence elles fonctionnaient.

Il n'était toutefois pas trop heureux de l'emplacement de l'ambassade. Les Canadiens partageaient l'édifice avec d'autres locataires. Ce qui rendait le transport de l'équipement et les déplacements des agents plus susceptibles d'éveiller les soupçons. Cependant, le Canada occupait l'étage supérieur de l'édifice et avait aussi accès au toit, où se trouvait déjà un dôme contenant des antennes de communications. Le dôme était fermé à clé et c'était l'endroit idéal où installer les antennes de Pilgrim. Seul le technicien qui accompagnait Frost en avait la clé. Et même si les antennes d'écoute étaient repérées par un curieux, le prétexte de vouloir améliorer les communications avec le Canada marcherait.

La Côte d'Ivoire était un pays relativement sécuritaire. Le Canada, en raison des subventions qu'il octroyait aux pays en voie de développement et grâce à l'ACDI (Agence canadienne de développement international), avait de bonnes relations avec le pays. Il y avait des manifestations d'étudiants à l'époque, mais rien n'indiquait vraiment l'imminence d'un conflit majeur. C'était la mission la plus facile qui ait été confiée à Frost jusqu'alors. Il avait déjà décidé de recommander Abidjan pour un essai.

Confiant et satisfait de son travail, il s'envola vers Dakar, un peu plus au nord, sur les bords du désert du Sahara. D'excellente humeur, il attendait que ses bagages apparaissent sur le carrousel de l'aéroport quand il y aperçut une chemise qui tournait toute seule. «Belle chemise, se dit-il. Je me demande comment elle est arrivée là...» Puis vint une paire de pantalons. «Eh! J'ai des pantalons pareils à ceux-là», pensa-t-il. Il fut brutalement ramené à la réalité quand il vit ensuite passer des sous-vêtements. Soudain, son visage pâlit et son cœur se mit à battre furieusement: c'étaient ses vêtements. Quand son sac de voyage arriva finalement, il avait une large déchirure sur le côté.

Pris de panique, Frost courut autour du carrousel pour ramasser ses effets. Il ne mit pas de temps à comprendre que quelqu'un avait tout simplement fendu la toile avec un couteau pour voler la coûteuse caméra, propriété du gouvernement fédéral, qui s'y trouvait.

Le seul soulagement qu'il éprouva est qu'il avait eu l'intelligence de retirer le film — qui aurait pu être compromettant — de la caméra.

C'est le genre d'incident qui joue sur les nerfs d'un espion. Le sac qui contenait la caméra semblait être le seul à avoir été attaqué de la sorte. Le jour suivant, il en fit rapport à l'ambassadeur qui, à travers son réseau, en informa Ottawa. La réponse des Affaires extérieures et du CST fut de ne pas trop s'en faire. Il s'agissait fort probablement d'un simple cas de vol — ce qui n'est pas inhabituel dans les pays d'Afrique. On l'autorisa à acheter, aux frais des contribuables, une autre caméra sur le marché local. Il se procura une 35 mm avec zoom. L'ambassade fit même réparer son sac chez un tailleur local.

Une fois cette question réglée, Frost dut, comme à Mexico, aller faire une petite promenade dans la rue avec l'ambassadeur pour lui expliquer le véritable but de sa mission — celui-ci n'avait pas reçu de *briefing* à Ottawa. Mike détestait profondément cet aspect du travail. Il ne pouvait s'habituer à prétendre faire une simple randonnée pour le plaisir, quand il devait en réalité discuter de choses fort sérieuses et délicates. Il commençait tout juste à l'accepter, même s'il trébuchait toujours sur des bordures de trottoir et heurtait des lampadaires.

À Dakar, l'expérience de la promenade fut un véritable cauchemar. La capitale du Sénégal est un égout à ciel ouvert. Des excréments de toutes sortes jonchent les rues, des mendiants s'accrochent à vous, des vendeurs de rues vous tirent par la manche et vous attaquent parfois en véritables meutes pour se sauver avec votre montre, vos bagues et votre porte-monnaie, sans compter les chiens et les chèvres. En somme, c'est à peu près le dernier endroit où vous voudriez tenir une conversation top secrète avec un ambassadeur qui, au fond, ne veut pas vraiment entendre ce que vous avez à dire. Il coopère simplement parce qu'on lui a demandé de le faire.

— Alors dites-moi, pourquoi êtes-vous ici? demanda l'ambassadeur.

— En fait, je suis avec le CST et nous voulons monter une opération d'écoute électronique. Je veux examiner les alentours et, avec votre permission, trouver une pièce à l'intérieur de l'ambassade où installer un poste d'interception. Nous avons besoin d'un endroit qui sera isolé du reste du personnel et d'un accès au toit pour les antennes, vous savez...

— Soyez prudent lorsque vous parlez dans l'ambassade, dit l'ambassadeur en toute simplicité.

— Oh! Je ne discute jamais de ça à l'intérieur de l'ambassade. On ne sait jamais s'il y a des micros, répliqua Frost.

— En effet. Et le KGB a un bureau à l'étage juste au-dessus de nous, ajouta le diplomate.

— Pardon? balbutia Frost, qui s'arrêta soudainement, comme s'il avait frappé un mur de brique.

— En fait je ne suis pas certain qu'ils sont du KGB, mais ce sont des Russes et leur bureau est juste au-dessus du nôtre.

Estomaqué, Frost retourna à l'ambassade et se rendit à l'étage où étaient soi-disant installés les Soviétiques. Sur la porte de leur bureau, aussi visibles que les petites épinglettes à l'effigie du drapeau canadien sur sa veste, Frost put voir le symbole du marteau et de la faucille qui ne trompait pas.

Dakar venait d'être rayée de la liste des sites de Pilgrim. Frost était furieux. Comment les Affaires extérieures avaient-elles pu oublier pareil détail? Il avait perdu son temps et l'argent des contribuables. Il se rappelait du fiasco de Mexico. Les Affaires extérieures savaient très bien que les Soviétiques avaient un bureau sur les lieux. Mais au fond, ils n'étaient pas entraînés à penser comme des espions. Il était impossible de monter une opération d'écoute avec des Russes qui circulent dans l'édifice. Qu'ils soient du KGB ou non, tous les diplomates soviétiques sont entraînés de la même façon à remarquer les déplacements anormaux, les nouveaux visages, le travail fait en dehors des heures normales et tout ce qui sortait de l'ordinaire. Les Soviétiques étaient eux-mêmes des maîtres de l'espionnage et il était plus que possible qu'ils aient leur propre poste d'écoute dans l'ambassade de Dakar. Le prétexte utilisé par les agents canadiens et les deux tonnes d'équipement ne les déjoueraient pas. Et le CST voulait à tout prix éviter que l'URSS n'apprenne que le Canada se lançait dans l'écoute diplomatique. Car une fois qu'ils seraient au courant, ils traqueraient les gens comme Frost partout où ils iraient sur la planète.

Frost ne pouvait calmer sa colère en pensant que ce «détail» aurait pu compromettre le projet Pilgrim en entier. Comme il avait été en poste à Alert, son nom figurait probablement sur la liste des mots clés des Soviétiques, puisqu'il avait souvent révélé son identité par communications radios dans le passé. Comme il voyageait sous son propre nom, il n'était pas impossible que les Russes, toujours aux aguets, fassent le lien. Enfin, ce voyage inutile lui permit quand même de passer trois jours à l'hôtel *Méridien*, au bord de la mer, à attendre son prochain vol pour le Maroc. Mais l'incident du KGB avait rendu ses vacances un peu plus stressantes qu'elles ne l'auraient été autrement.

Le Maroc était sa dernière destination en sol africain. Mais il devait traverser, avant d'y arriver, une autre rude épreuve: voyager avec Air Afrique. Les compagnies aériennes en Afrique ne respectent pas exactement les mêmes normes que les compagnies nord-américaines ou européennes. Frost fit le voyage de deux heures de Dakar à Casablanca dans un vieux DC-8, assis à côté d'un passager qui transportait avec lui une cage remplie de poules bien vivantes. Le repas qu'on lui servit ressemblait à des sandwichs au beurre d'arachide et était accompagné d'un café froid. Mais c'est le pilote qui l'étonna le plus. Celui-ci ne devait pas être âgé de plus de douze ans.

Par contre, quand Frost vit l'ambassade à Rabat, il n'aurait pu rêver d'un meilleur emplacement. D'abord, c'était un site insulaire, c'est-à-dire que les Canadiens y étaient seuls et isolés des autres édifices. L'ambassade était aussi située dans un quartier résidentiel, ce qui rendrait la marche avec l'ambassadeur un peu plus plaisante qu'à l'accoutumée. Il y avait une pièce vide à l'étage supérieur avec suffisamment de courant électrique pour les appareils d'écoute. Frost inspecta la campagne environnante. Il ne vit pas trop de tours à micro-ondes, mais demeurait convaincu qu'il devait y avoir quelque chose à capter de toute façon. Sans être aussi confiant qu'à Abidjan, il en vint tout de même à la conclusion qu'il valait la peine de tenter un essai.

À Rabat, il décida de téléphoner à sa femme Carole. Il ne lui avait pas parlé depuis deux semaines et voulait savoir comment les choses allaient à la maison.

Elle n'eut qu'à dire allô! pour qu'il sente que quelque chose n'allait pas.

— Qu'y a-t-il?

— Oh, seulement un petit problème...

— Qu'est-ce qui ne va pas?

— Danny (son fils) est malade.

— C'est sérieux?

— Non.

— Tu sembles passablement épuisée toi-même.

— Non, seulement un peu bouleversée.

Frost éprouva un profond sentiment d'inquiétude en raccrochant. Après vingt-cinq ans de mariage, il savait que quelque chose ne tournait vraiment pas rond. Quand il rentra au Canada quelques jours plus tard, il apprit non seulement que son fils était à l'hôpital, mais que Carole elle-même était atteinte d'une pneumonie. Elle n'en avait pas dit un mot et n'avait même pas essayé de communiquer avec lui, afin de ne pas le déranger dans son travail. Même si, ne connaissant pas son véritable métier, elle s'imaginait que Mike se baladait à travers le monde pour le simple plaisir de la chose.

Il arriva souvent, très souvent, que les sacrifices furent plus grands pour sa famille que pour lui-même. C'est vrai aussi de plusieurs employés du CST, de la NSA ou du GCHQ, qui doivent mener des vies aussi folles que secrètes. Le prix à payer est élevé pour tout le monde. Quand il apprit que son fils et sa femme avaient été malades, Frost commença à se questionner sur sa vocation d'espion. Mais il y était tellement embarqué et croyait tellement en sa cause qu'il était prêt à persévérer malgré tout.

Frost quitta Rabat le lundi, deux jours après l'appel. L'ambassadeur essaya en vain de le convaincre de rester pour visiter la ville exotique de Marrakech avec lui. Il aurait donné n'importe quoi pour y aller, mais il savait que sa fausse identité de technicien ne justifiait pas un tel voyage, même si son rang véritable le permettait.

Après une courte escale à Paris, il atterrit à Mirabel tôt en après-midi, totalement assommé par le décalage horaire. Après avoir franchi les douanes canadiennes il téléphona immédiatement à Frank Bowman.

— Salut, Frank! Je suis de retour.

— Fantastique! Ils t'attendent dans la salle de conférences. Peter Hunt, les gens des Affaires extérieures et du Conseil privé sont là...

— Crisse, Frank, ils veulent me parler aujourd'hui? Dis-moi que c'est pas vrai!

— Ils veulent un *briefing* aujourd'hui.

— Mais Frank, j'ai le cul qui traîne à terre! Je viens de me taper vingt-six heures de vol! Qu'est-ce qu'ils me veulent encore?

— Il nous faut discuter de la deuxième opération. Il faut présenter des recommandations. Il faut aller de l'avant, ils mettent de la pression... As-tu trouvé des sites possibles?

— Oui, deux sur trois.

— Excellent. Prépare-toi, on va te cueillir à l'aéroport et tu leur feras un *briefing*.

Il monta à bord de la navette de First Air entre Mirabel et Ottawa, fut cueilli à l'aéroport d'Ottawa par un agent du CST et se présenta, toujours vêtu de son jean, à la salle de conférences. Tout ce qu'il avait à présenter était quelques notes gribouillées à la hâte entre Mirabel et la capitale. Pour un homme qui avait horreur de rédiger des rapports, c'était dans les conditions un travail colossal. Il fit face au groupe de mandarins du gouvernement et à son chef, Peter Hunt. Improvisant la majeure partie de sa présentation, il leur fit part de ce qu'il avait observé dans les trois capitales africaines. Il conclut en disant que des opérations devraient être tentées à Abidjan et à Rabat, mais qu'on pouvait oublier Dakar.

Le lendemain matin, lorsqu'il se présenta au travail, une note de Peter Hunt l'attendait sur son bureau: «*Mike, merci pour ton excellent* briefing. *Très bien fait, très professionnel, très bon pour l'image du CST.*» En marge, étaient griffonnées les lettres «BZ», qui dans le monde de l'espionnage signifient *Bravo Zoulou!*, le compliment ultime pour un travail bien fait.

Les deux recommandations furent acceptées, en commençant par celle d'Abidjan. L'opération qu'on y mènerait porterait le nom de code «Jasmine». Au bout de quelques heures, Frost mit la machine en branle pour préparer l'équipement nécessaire et communiqua avec Patrick O'Brien, à la NSA. Les deux agents qui étaient allés à Caracas furent à nouveau invités à College Park pour étudier l'environnement radio de la capitale de la Côte d'Ivoire.

Quant aux mots clés, comme ils s'attendaient à intercepter passablement de communications françaises, tout ce qui touchait le mouvement séparatiste au Québec était prioritaire; le nom de René Lévesque, par exemple, figurait sur la liste. Le CST avait aussi appris de la NSA sur quelle fréquence ces communications névralgiques auraient lieu.

D'un point de vue technique, Jasmine se déroula sans problème, sauf que la fameuse tente en fils de cuivre commençait à souffrir des voyages et à provoquer des plaintes de la part des agents. Des trous s'étaient formés dans la toile et l'intérieur en était aussi chaud qu'un bain turc; de plus elle était difficile à dissimuler. L'équipe de Pilgrim souhaitait trouver un moyen d'opérer sans elle.

On dut aussi faire quelques travaux à l'ambassade, dont pratiquer une ouverture dans le plafond pour y faire passer les fils des antennes. Enfin, puisqu'il y avait des fenêtres dans la pièce, le technicien avait reçu l'ordre de fermer les rideaux deux ou trois heures chaque jour, avant l'arrivée des agents du CST. Graduellement, ils en viendraient à les laisser fermés toute la journée pour la durée de l'essai. C'était un risque calculé qu'il leur fallait prendre.

Pour la première fois, l'écoute se fit seize heures par jour, afin de coïncider avec les heures de travail européennes et américaines, plutôt que de se limiter aux heures de pointe locales. Les deux agents se partagèrent le travail de sorte que les appareils soient opérés par l'un d'eux pratiquement tout le temps. Quand l'agent était appelé à utiliser son faux prétexte et à feindre d'être un simple technicien vérifiant de l'équipement, les appareils fonctionnaient parfois sur le pilote automatique. Ils n'étaient toujours pas en ondes les week-ends, cependant.

Ils parvinrent à capter les communications de la centrale téléphonique, des téléphones cellulaires, des ambulances, des taxis, de la police et des tours à micro-ondes, ces dernières étant le principal relai de communications de la côte Ouest africaine. Ils interceptèrent beaucoup de transactions bancaires et de communications gouvernementales. Mais Abidjan, après un essai de six semaines, se révéla être un autre Caracas — c'est-à-dire un autre échec — du point de vue des renseignements. Bien que techniquement parfaite, l'opération n'avait même pas intercepté un soupçon de communications compromettantes touchant le Québec ou même le Canada, bien que l'analyste choisi fût très familier avec le problème québécois.

Le produit de Jasmine fut expédié à la NSA. Beaucoup plus tard, Frost devait apprendre que les Américains y avaient trouvé des choses intéressantes. Il ne sut jamais exactement quoi, mais il soupçonnait fortement que ces renseignements concernaient des transactions bancaires.

Une fois l'opération terminée à Abidjan, Frost devait décider s'ils feraient parvenir l'équipement électronique directement de la Côte d'Ivoire au Maroc, pour l'opération à Rabat, ou ramener le tout au Canada d'abord. En termes d'argent, la première solution était de loin la meilleure, mais peut-être le risque de se faire découvrir était-il trop grand. Frost consulta le GCHQ sur le sujet. Forts de leur expérience, les agents britanniques lui dirent que même si cela requérait plus de temps et de déboursés, le meilleur moyen était de ramener tout l'équipement au Canada et de l'expédier ensuite à Rabat pour la nouvelle opération. Cette nouvelle opération porterait le nom de code «Iris».

Une fois de plus, Patrick O'Brien leur ouvrit les portes de College Park. «Pas de problème, avait-il dit. Vous vous en tirez bien. Devenez plus confiants et vous irez à Beijing.»

Pour l'opération de Rabat, Alan Foley fut accompagné d'un nouvel agent, Richard Robson, que Frost avait connu lors de ses séjours à Inuvik et à Alert. Après Vanier, la Jamaïque, Caracas et Abidjan, on pensait qu'au moins l'un des deux agents utilisés jusque-là méritait un repos. Tom Murray fut ainsi dispensé d'aller au Maroc.

Pendant ce temps, le CST avait continué d'améliorer la qualité de ses appareils d'écoute. Beaucoup de ce travail était fait par un contracteur d'Ottawa. Le CST adaptait de mieux en mieux les appareils à ses propres besoins, quoique ses inventions maison ne se comparaient en rien avec celles que produisait la NSA à College Park. Le CST était d'ailleurs prêt à tester de nouvelles antennes développées par la NSA.

Mais un appareil révolutionnaire, qui devint par la suite une partie essentielle de l'équipement de Pilgrim, était aussi prêt à être utilisé pour la première fois. À le regarder, on aurait dit une simple boîte noire, pas tellement plus volumineuse qu'une mallette de quinze centimètres; mais cette boîte contenait un système logiciel fort élaboré qui rendait son travail quasi miraculeux. C'était l'invention d'un jeune ingénieur de la NSA; l'appareil portait le nom de code «Oratory».

La NSA a toujours nié l'existence de cet appareil. En juillet 1994, quand le sujet fut soulevé au Congrès américain, la réponse de l'agence fut la même: «Nous ne possédons pas ce genre de moyens.» Il s'agissait en fait d'un ordinateur capable d'isoler les mots clés. On programmait la liste de ces mots et sur cette base, l'ordinateur ne retenait que les communications pertinentes. L'importance d'Oratory tenait à ce qu'il éliminait énormément d'interceptions inutiles. Peu importe la nature du message intercepté — voix, télécopie ou télex —, Oratory ne sélectionnait que ce qui intéressait le CST. Et on pouvait modifier son programme à n'importe quel moment pour y insérer de nouveaux mots clés.

Oratory était à l'épreuve des irradiations, pratiquement indestructible et facile à réparer. En cas de bris, tout ce que le technicien avait à faire était d'ouvrir le couvercle et de remplacer les circuits défectueux. À l'origine, le jeune génie de l'informatique qui avait conçu l'appareil travaillait pour la NASA. Excentrique aux cheveux longs, il se rendait au bureau vêtu d'un jean, d'un T-shirt et portant des tennis. Il travaillait à l'ordinateur avec autant de facilité qu'un plombier réparant un robinet et était si dévoué à son emploi qu'il lui arrivait souvent de coucher au bureau.

Mike Frost ne tarissait pas d'éloges à l'égard d'Oratory et de son concepteur. Pour le CST, c'était une manne tombée du ciel. L'appareil fonctionna si bien à Rabat qu'au début, les agents du CST firent parvenir un message à Ottawa qui disait: «Nous n'obtenons absolument rien.» On leur répondit de vérifier si telle petite lumière était allumée sur Oratory. Si elle l'était, la machine était en état de marche. En fait, s'ils n'avaient rien obtenu, c'est que l'appareil éliminait tout ce qu'ils ne voulaient pas entendre, c'est-à-dire qu'il accomplissait le long et ennuyeux travail des analystes du CST. Oratory éliminait aussi le besoin d'avoir un autre agent, puisqu'il ne branchait le magnétophone que lorsqu'il reconnaissait un mot clé. Les agents à Rabat décidèrent quand même de le tester en l'alimentant de mots clés compris dans son programme; immédiatement, Oratory livra la marchandise.

En ce sens, l'opération de Rabat représentait un progrès énorme pour Pilgrim. Du point vue technique, encore une fois, aucun problème. Un petit incident était toutefois survenu lorsque les agents du CST avaient décidé de briser une fenêtre de l'ambassade parce que la vitre contenait du plomb, ce qui nuisait à la saine réception des ondes à capter. Comme Rabat était un site insulaire, les espions du CST croyaient qu'ils pouvaient le faire sans causer trop de brouhaha.

Côté renseignements, Oratory intercepta plusieurs communications France-Québec touchant la question de la séparation. Frost ne connaît pas le détail de ces messages; il sait seulement que le produit en fut acheminé aux autorités canadiennes intéressées. Il est d'autre part convaincu que même si lui et Bowman étaient d'accord pour faire des essais en Afrique de l'Ouest, quelqu'un en haut lieu à Ottawa avait déjà choisi cette région du globe spécifiquement pour intercepter les communications France-Québec. Pour le CST, l'autorité ultime est le premier ministre. À ce moment-là, il s'agissait de Pierre Trudeau, la bête noire des séparatistes. Il est loin d'être exagéré de penser que le leader du pays avait à tout le moins reçu un *briefing* verbal sur l'écoute de Rabat.

On avait aussi intercepté des communications de l'OLP (Organisation pour la libération de la Palestine). Le nom de Yasser Arafat, par exemple, était sur toutes les listes de mots clés. À ce chapitre, la NSA était enchantée.

Le CST dut mettre fin à l'opération de Rabat plus vite qu'il ne l'eût voulu. Les Affaires extérieures les avaient avertis à l'avance qu'une employée de l'ambassade n'était pas assez fiable pour qu'on mène une opération comme Pilgrim en sa présence. On l'invita à prendre des vacances au début de l'essai, mais le CST avait dû accepter de quitter l'endroit avant son retour. Il respecta son engagement.

Les gens de Pilgrim en étaient maintenant arrivés au point où ils étaient vraiment prêts à franchir les lignes ennemies. La capitale de la Roumanie, Bucarest, et son tyran, Nicolae Ceauşescu, étaient la prochaine cible à l'agenda. L'opération porterait le nom de code «Hollyhock».

Chapitre VII

DANS L'ANTRE DE DRACULA

— Ah, avant que j'oublie, assure-toi d'emporter une valise pleine de cigarettes *Kent*!

— De quoi? demanda Mike Frost, confus, croyant qu'il perdait le sens de l'ouïe.

— De cigarettes *Kent*, répéta Patrick O'Brien.

— Pourquoi diable je ferais ça? Ils ne vendent donc pas de cigarettes en Roumanie?

L'homme de la NSA ricana en expliquant:

— C'est aussi bon que de l'argent là-bas. Tu peux te payer n'importe quoi avec des *Kents*. Des repas, de la boisson, des taxis, des putains, des hôtels, de la gomme balloune, n'importe quoi...

Frost pensait toujours qu'il se moquait de lui:

— *Kent*? Pourquoi par des *Marlboros* ou des *Camels*?

— Non, non. Des cigarettes *Kent*. Fais-moi confiance.

Frost avait une folle envie de poser d'autres questions; il brûlait d'envie de savoir si O'Brien lui-même était déjà allé à Bucarest. Mais son entraînement lui avait enseigné qu'il ne fallait pas être trop curieux. Les Américains étaient prêts à partager tout ce qu'ils savaient, en autant que cela servait leurs intérêts. Ils refusaient catégoriquement de dire, par contre, ce que tel ou tel agent faisait ou avait fait comme mission.

Frost reçut un autre conseil bizarre de la part du spécialiste de l'écoute diplomatique à la NSA.

— Oh, lui lança O'Brien, quand tu arriveras à ton hôtel (le *Sheraton* où Frost demeurerait pendant sa mission de reconnaissance), tu remarqueras que ta chambre n'est éclairée qu'avec une ou deux ampoules de 40 watts. C'est ainsi. Ne fais que demander à la réception de te fournir des 60 watts et ils t'arrangeront tout ça sans problème.

Frost ne savait trop ce que signifiait le sourire en coin de O'Brien. Il découvrirait plus tard que l'homme de la NSA lui avait joué un vilain tour tout en lui ayant bien laissé entendre que lorsqu'il était question de la Roumanie, il savait de quoi il parlait.

■

Frost et les gens du CST avaient enfin le sentiment d'accomplir quelque chose de vraiment utile et d'important. Non pas qu'ils pensaient n'avoir rien fait qui vaille auparavant. Mais Hollyhock était leur première mission «dangereuse», derrière le rideau de fer, au cœur de ce qui était toujours la guerre froide. Les Américains et les Britanniques étaient ravis de leur décision, et les Canadiens demeuraient convaincus qu'ils avaient à faire leurs preuves.

Le choix de Bucarest était le fruit de plusieurs consultations, particulièrement au sein du CST. Ils ne voulaient pas que leurs agents prennent de trop grands risques. On leur avait fait savoir qu'en ce qui a trait à l'espionnage, les Roumains jouaient habituellement d'après les règles non écrites du jeu. Ils se savaient espionnés, mais ne s'en faisaient pas trop, en autant qu'ils puissent faire la même chose dans les pays de l'Ouest pendant que les autorités faisaient semblant de ne rien voir. Tous les pays derrière le rideau de fer opéraient de cette façon. Les Soviétiques savaient, par exemple, que s'ils s'en prenaient aux Américains à Moscou, il y aurait des représailles à Washington. Tout comme en 1979, quand le Canada expulsa trois diplomates soviétiques d'Ottawa pour espionnage — après treize autres expulsions l'année précédente —, Moscou avait répliqué en chassant l'attaché militaire canadien.

La Roumanie était alors sous le joug d'un dictateur communiste dont les excès, lorsqu'ils seraient rendus publics, quelques années plus tard, évoqueraient une version moderne du comte Dracula. Le CST et les Affaires extérieures ne connaissaient pas l'ampleur des atrocités qui se commettaient quotidiennement en Roumanie, mais ils savaient que Ceauşescu avait une façon despotique et bien à lui de régler ses problèmes. Il s'accrochait au pouvoir en inspirant la peur et en exerçant une surveillance constante et totale sur la population. On ne pouvait dire de lui qu'il était absolument prévisible dans ses réactions. À l'instar de ses voisins soviétiques, il prendrait peut-être des mesures contre le Canada s'il découvrait que ce pays venait d'entrer dans le club des espions dont il n'était pas censé être. Il pourrait très bien décider que de telles manœuvres ne respectaient pas les règles du jeu. Qui sait comment cet homme, qui se révéla être un vil meurtrier, aurait alors réagi?

La plus grande préoccupation des Canadiens, cependant, était de s'assurer que les espions du bloc de l'Est en général ne découvrent pas que le Canada agissait maintenant dans le réseau de façon très active. Ils voulaient à tout prix éviter que les Soviétiques ne l'apprennent, parce qu'ils savaient qu'un jour, pour une raison ou une autre, ils devraient retourner à Moscou. Plus que jamais, ils voulaient manœuvrer sans éveiller de soupçons. Les détails de l'opération furent vérifiés et revérifiés *ad nauseam*.

Quant aux difficultés politiques ou bureaucratiques, on se disait que puisqu'on avait un mandat d'Allan Gotlieb pour faire huit essais, on n'avait pas à demander d'autorisation spéciale à qui que ce soit. De toute façon, il n'y avait aucun doute dans la tête de Peter Hunt que le premier ministre serait renseigné verbalement sur l'opération. Si on devait s'y objecter en haut lieu, ce serait fait et rapidement.

Pour ce qui est des renseignements, l'équipe de Pilgrim avait fait figurer Bucarest en tête de liste. On savait que la NSA et le GCHQ avaient déjà des sites sur place. Mais ne fût-ce que pour des raisons géographiques — l'ambassade canadienne étant située dans un quartier différent de la capitale roumaine —, le CST pensait pouvoir intercepter des communications que les autres postes d'écoute ne parvenaient pas à capter. Cela leur rendrait drôlement service quand viendrait le moment de partager des renseignements avec leurs alliés: ce serait de la monnaie d'échange. Car le CST savait bien que malgré l'entente CANUKUS, leurs généreux partenaires ne leur fournissaient pas tout ce qu'ils trouvaient. Si le Canada captait quelque chose que leurs alliés n'avaient pas mais voulaient absolument connaître, peut-être que le CST obtiendrait en retour des renseignements qu'il n'aurait pas obtenus autrement.

Quant à Mike Frost, il voulait tout simplement être l'homme de la situation. Peut-être était-ce justice rendue pour la déception vécue à Moscou plus de dix années auparavant. Mais il y avait plus: il pensait tout simplement être le meilleur pour faire le travail et il n'était pas dans sa nature de laisser d'autres prendre de tels risques à sa place. Il voulait être en position d'assumer l'entière responsabilité si jamais les choses tournaient mal. Frank Bowman et Peter Hunt étaient d'accord. En fait, ils ne pouvaient penser à personne de plus compétent et dévoué.

Le plus difficile pour Frost fut d'apprendre la nouvelle à sa femme Carole, tout en respectant la loi du silence qui l'empêchait de dire ce qu'il allait vraiment faire en Roumanie. Il se sentait déjà terriblement coupable depuis son voyage en Afrique de l'Ouest, lorsqu'elle avait omis de communiquer avec lui alors qu'elle était atteinte d'une pneumonie. Il ne voulait pas que le même genre de chose se répète. Rien, même pas Pilgrim, ne valait la santé et le bien-être de sa femme et de ses enfants, bien qu'il ne le leur avait jamais dit clairement.

Les inquiétudes de Carole ne l'empêcheraient pourtant pas de monter à bord de l'avion pour Bucarest. Mais un soir, à table, il voulut lui témoigner son amour, malgré ses secrets:

— Je dois aller dans un pays du rideau de fer... La Roumanie. Bucarest.

— ...

— Mais ne t'en fais pas. Je ne serai pas parti très longtemps et ce n'est pas vraiment un endroit dangereux.

Elle ne dit rien, mais il crut voir un éclair de tristesse dans son regard. Carole avait appris depuis nombre d'années à ne pas poser de questions. Elle ne chercha pas plus d'explication cette fois-là.

Mike ajouta:

— Pour l'amour du ciel, je t'en prie, s'il arrive quelque chose comme la dernière fois, à toi ou aux enfants, utilise la procédure et téléphone-moi.

Elle promit de le faire. Mais Mike n'en était pas convaincu. Son épouse était une femme de fer qui avait appris à survivre par elle-même. Le fait qu'il vivait deux vies le frappa de plein fouet ce soir-là: d'une part, il était un bon mari et père de famille; de l'autre, il était un espion qui avait été et serait à nouveau envoyé en missions — parfois périlleuses — sans pouvoir partager ses angoisses avec ceux qu'il aimait. Il s'étonna de voir que cela ne l'avait jamais frappé auparavant. Il avait été complètement absorbé par son «devoir», autant à titre de militaire que comme agent du CST, et s'attendait tout simplement à ce que Carole le comprenne. Peut-être venait-il tout juste de se rendre compte, après vingt-quatre ans dans le métier, que ce «jeu» n'en était pas du tout un. Il était devenu un agent «secret»; un homme qui ne pouvait partager ni sa peine ni sa gloire, sauf avec le cercle très limité de ses collègues endoctrinés.

■

Les agents de Pilgrim effectuèrent plusieurs voyages à la NSA et au GCHQ pour s'assurer qu'ils ne commettraient pas d'erreurs en Roumanie. Frost et Bowman cherchaient la perfection et ils savaient d'expérience que ce sont habituellement les choses les plus insignifiantes qui tournent mal, même dans les circonstances les plus inoffensives.

Leur première préoccupation était le faux prétexte qui serait utilisé par Frost: est-ce que ça collerait? Est-ce que de se rendre là-bas avec un passeport diplomatique en prétendant se rendre à l'ambassade canadienne dans le but d'améliorer les communications serait accepté? Les gens du NSA et du GCHQ avaient prévenu Frost qu'il se ferait harceler par la police secrète roumaine. Mais ils lui avaient dit également qu'il était peu probable qu'on s'en prenne à lui physiquement. Les méthodes roumaines — comme Frost s'en rendrait compte — étaient différentes. Pas tellement subtiles, mais peut-être plus efficaces. À la lumière de ces conseils et après plusieurs discussions sur le sujet, le prétexte qu'utiliserait Frost leur sembla être un souci inutile. Car ce que la NSA et le GCHQ leur avaient dit était que peu importe qui il était ou ce qu'il était censé faire là-bas, il serait suivi, soumis à l'écoute électronique et ébranlé psychologiquement. Mais le mirage tiendrait quand même.

— Ne les laisse pas t'avoir, avait dit O'Brien en parlant de cette guerre de nerfs.

Plus facile à dire qu'à faire.

On leur apprit également à ne pas s'en faire avec les excentricités du courant électrique en Roumanie. C'était un problème quotidien.

— D'une minute à l'autre, la tension peut passer de 40, à 50, à 60 hertz... C'est normal, expliqua O'Brien.

Mais dans le cadre d'une opération d'espionnage, ces changements inattendus allaient créer toutes sortes de problèmes affectant les appareils électroniques. La NSA leur expliqua qu'ils ne devraient pas en conclure qu'ils avaient été repérés par la police secrète roumaine. Ce genre de difficultés faisait simplement partie de la vie quotidienne dans le royaume de Ceauşescu.

Se posa aussi le problème de l'envoi de l'équipement à Bucarest. La solution de la NSA n'était pas une option pour le Canada. Les Américains mettaient le tout dans des caisses qu'ils chargeaient ensuite sur un avion *Hercules* et emmenaient ensuite par camion à leur ambassade. Le Canada ne pouvait se permettre un tel luxe. Il était inutile de compromettre le projet en rendant les politiciens nerveux. Demander l'utilisation d'un *Hercules* des Forces armées pour un voyage de ce genre aurait inévitablement soulevé des questions, sinon provoqué de furieux démêlés. De plus, le CST n'avait ni l'argent ni le mandat pour faire une opération à grand déploiement. Dans le monde bureaucratique d'Ottawa, l'opération aurait été retardée des semaines, des mois, et peut-être même des années.

De toute façon, Frost et Bowman trouvaient la méthode britannique plus efficace. «Nous expédions tout pièce par pièce», avaient dit les gens du GCHQ, qui, comme le savait le CST, étaient parvenus à s'infiltrer dans des capitales du globe où les Américains avaient échoué. Ce fut donc la voie choisie par le CST: envoyer les appareils quelques pièces à la fois, patiemment, dans des poches diplomatiques.

Le succès de Pilgrim reposait maintenant sur la boîte magique Oratory, qui éliminait une quantité énorme d'interceptions inutiles et amplifiait seulement les irradiations émises par les cibles choisies. Ils obtinrent une liste de mots clés pour alimenter l'ordinateur. Ils dressèrent d'abord la leur et, comme d'habitude, ils invitèrent les Américains et les Britanniques à faire de même.

Évidemment, tout ce qui pouvait ressembler au mot «Ceauşescu» était sur toutes les listes, y compris les membres de sa famille, ses acolytes politiques, militaires ou bureaucratiques. Un nom, cependant, fit sursauter les Canadiens. Ils se demandèrent pourquoi les Américains l'avaient inscrit sur leur liste. Ils n'osèrent poser de questions et l'inclurent tout simplement au programme d'Oratory. Ce nom était celui de Nadia Comaneci, la merveille olympique des Jeux de Montréal, en 1976, la première athlète de l'histoire à avoir mérité un score parfait de 10. Le monde découvrirait quelques années plus tard que Nadia avait été violée presque quotidiennement par le fils de Nicolae

Ceauşescu, Nicu, qui en avait fait sa «maîtresse». La mère de Nadia, Alexandrina Comaneci, déclarerait, en février 1990, que Nicu Ceauşescu avait battu et torturé sa fille régulièrement au cours d'une «relation» qui avait duré cinq ans. «Je voudrais le voir pendu par la langue et le regarder mourir», fut la citation de la mère rapportée à travers le monde.

À l'automne de 1982, les Américains savaient que la superstar olympique avait ses entrées particulières au sein du régime Ceauşescu. Nadia révéla au monde entier l'épreuve qu'elle avait subie aux mains de Nicu Ceauşescu en 1989, lorsqu'elle s'évada de la Roumanie — fort probablement avec l'aide des services de renseignements américains, britanniques et canadiens. Sa défection eut lieu juste avant la «révolution de Noël», lorsque le peuple roumain renversa le régime du monstre qui l'avait terrorisé pendant si longtemps. L'exécution de Nicolae Ceauşescu et de son épouse Elena, par un peloton d'exécution qui n'attendit même pas l'ordre d'ouvrir le feu avant de les abattre, fut captée sur vidéo et montrée au monde entier à la fin de 1989. Quant à Nadia, elle chercha d'abord refuge aux États-Unis, mais s'établit peu après à Montréal, où elle avait connu les plus beaux moments de sa carrière.

Parmi les priorités canadiennes sur la liste de mots clés, on avait inscrit tout ce qui pouvait se rapporter au réacteur CANDU, puisque le Canada négociait alors la vente — hautement médiatisée — de ce réacteur nucléaire avec la Roumanie. La vente ne rapporta jamais autant que le Canada l'avait souhaité. Le CANDU avait toutefois l'avantage de justifier à lui seul le choix de la capitale roumaine par l'équipe Pilgrim, qui devait toujours donner une façade civile à ses opérations. C'est fort probablement pourquoi personne en haut lieu ne leur mit de bâtons dans les roues quand les Affaires extérieures et le cabinet du premier ministre apprirent que le CST allait affronter Dracula.

L'ambassadeur canadien en Roumanie, Peter M. Roberts, qui devait plus tard obtenir le même poste à Moscou, fut rappelé au pays sous un faux prétexte pour être informé de l'opération à venir. Il n'en fut pas ébranlé le moins du monde. Il était en Roumanie depuis assez longtemps pour savoir que quelque chose devait être fait pour améliorer le sort des gens de ce pays.

■

Frost était pris de trac en se préparant à monter à bord de l'avion de la British Airways qui l'emmènerait à Paris et ensuite à Bucarest. L'ampleur de sa mission venait finalement de rattraper son enthousiasme. Il se rendait dans un pays sans lois où un dictateur sans pitié gouvernait à sa guise et au jour le jour. Avait-il perdu la raison? Est-ce que son «devoir» comptait tellement? Il semblait bien que oui.

Il s'envola avec son fidèle porte-documents d'espion, une valise, un porte-vêtements et un sac polochon rempli de cartons de cigarettes *Kent*. Il avait fait un voyage exprès d'Ottawa jusqu'à la frontière américaine pour se procurer les cigarettes à Massena, dans l'État de New York. Les Roumains ne remettraient pas en question cette monnaie d'échange, mais ils pourraient s'étonner à la vue d'un paquet de *Kent* acheté au Canada et orné d'une étiquette précisant qu'il s'agissait de tabac importé. C'est ce genre de choses, apparemment sans importance, qui pouvaient le trahir.

Le vol d'Ottawa à Bucarest se fit sans histoires. C'était le calme avant la tempête.

■

À l'atterrissage, Bucarest correspondait en tous points à la description qu'on lui avait faite de l'endroit. C'est exactement ce que craignait Frost. L'automne était pluvieux, maussade. Frost tentait de surmonter l'une de ses plus fortes appréhensions: donner son passeport diplomatique aux autorités roumaines. C'était la procédure normale en Roumanie. Bowman et lui en avaient discuté plusieurs fois et Frost ne cessait de répéter combien il détestait s'en défaire. Mais il en était venu à la conclusion inévitable: «Si je ne leur donne pas mon passeport, ils sauront tout de suite que je ne suis pas un simple diplomate...»

Comme pour lui rendre la vie encore plus difficile, les Affaires extérieures lui avaient indiqué qu'il devrait aussi remettre deux autres photos de lui aux autorités policières roumaines. Sur le coup, il n'avait rien voulu entendre, mais les gens de la NSA et du GCHQ le persuadèrent qu'il devrait ou bien remettre son passeport et ses deux photos, ou bien ne jamais traverser les frontières de la Roumanie. Frost, espion international en puissance, voyait déjà sa tête dans les filières des pays communistes, peut-être même accrochée aux murs des bureaux de la police secrète comme cible de dards. Mais il avait fini par se dire que ne pas se plier aux ordres lui aurait causé plus d'ennuis qu'autre chose.

C'est bien malgré lui que Frost s'était rendu chez le photographe officiel du CST pour faire prendre les photos exigées. On les lui avait remises dans une enveloppe dont il n'avait jamais vérifié le contenu avant de quitter le Canada. Il ne tenait pas tellement à voir ces photos. À l'aéroport de Bucarest, tout cela lui trottait dans la tête. Son cœur de rebelle lui disait toujours de refuser de se soumettre à la procédure, mais il s'apprêtait à traverser les douanes, et il se savait coincé dans l'engrenage.

Tenant son porte-documents dans une main, son passeport et l'enveloppe qui contenait ses deux photos dans l'autre, il ouvrit celle-ci pour la première fois. Il restait alors trois passagers devant lui avant d'atteindre le douanier — qui pouvait d'ailleurs très bien voir Frost. Sans raison précise, Mike décida de regarder à l'endos des deux photos du CST. Il put lire, écrit en grosses lettres pour l'ami Nicolae: «*Propriété du Centre de la sécurité des télécommunications, ministère de la Défense, Canada.*»

Horreur! Il pensa mourir sur le coup. Autant se livrer à eux les menottes aux poings. «Pense vite, Mike. Ta vie en dépend peut-être!» En un instant de génie — ou de folie totale — il mit les deux photos dans sa bouche, les mâcha rapidement et les avala. Il ne peut même pas se souvenir de leur goût, il se rappelle seulement qu'il n'avait pas de cognac pour les faire passer et que, malgré sa proximité, le douanier n'avait rien remarqué.

Il lui fallait entrer en Roumanie et il n'avait plus ses deux photos obligatoires. Combien de fois lui avait-on répété qu'un tel exploit était impossible! En fait, Frost crut qu'on lui refuserait tout simplement l'entrée et qu'il pourrait reprendre un avion à destination du Canada, rentrer au CST en furie et crier: «Vous vous êtes fourrés royalement: j'ai dû manger mes photos! Trouvez-vous un autre agent!» Quand le douanier apprit qu'il n'était pas en règle, un de ses collègues vint le rejoindre. Il mit la main sur l'épaule de Frost, pendant que l'autre avait son passeport diplomatique entre les mains. Frost s'accrochait farouchement à son porte-documents et s'efforçait de jouer les innocents.

— Vous ne pouvez pas entrer en Roumanie, lui lança l'un des douaniers avec un regard sévère et dédaigneux.

— Bien, répondit Frost, mais redonnez-moi mon passeport, parce que je ne retournerai pas au Canada sans lui.

Il essaya d'abord de leur en imposer, mais préféra finalement la méthode douce. Il expliqua aux Roumains que c'était sa première visite dans leur pays et que quelqu'un, quelque part au Canada, avait dû oublier de lui rappeler d'avoir deux photos supplémentaires.

— Je ne suis ici que pour quelques jours. Je dois rencontrer l'ambassadeur, dit-il, en espérant que le titre du diplomate pourrait les impressionner.

— L'ambassadeur? Est-ce qu'il vous rencontre ici?

— Non, mais son chauffeur est censé le faire.

Frost ignore ce qui se passa dans le bureau des douanes de l'aéroport quand l'un des deux agents alla vérifier son histoire. Il ne se souvient même plus combien de temps il passa à attendre, anxieux. Quand l'agent revint, il lui dit sans joie:

— D'accord. Vous pouvez passer. Frost se rendit comme un automate là où le chauffeur de l'ambassade l'attendait. Le fait que le chauffeur était un Roumain avait probablement aidé sa cause. De toute façon, la police de Ceauşescu se savait en mesure de garder un œil sur lui et ne manquerait pas de le faire.

■

Sous la pluie battante, en se rendant à son hôtel, Frost ne savait plus trop s'il était heureux ou non d'être là. Ce qui le tracassait le plus était le sort que lui réserveraient les Roumains après l'avoir laissé entrer si facilement. Peut-être ne repartirait-il jamais de ce damné pays. Il fut frappé par la noirceur de la ville. Il remarqua qu'il semblait n'y avoir de lumière nulle part ou presque. Il se dit en lui-même: «Ce n'est pourtant pas l'heure d'aller se coucher...» Même l'hôtel *Sheraton*, quand il y arriva enfin, avait l'air d'un établissement fermé pour la nuit tellement il était peu éclairé, surtout vu par un Canadien. Frost se demanda si la réception serait ouverte. Elle l'était. Il reprit courage en se disant qu'il avait le temps de profiter d'un bon souper avant d'aller se coucher.

Lorsqu'il entra dans sa chambre pour y déposer ses bagages, les paroles de Patrick O'Brien lui revinrent. Il n'avait pas menti en parlant des ampoules de 40 watts. Confiant d'avoir été bien préparé à tout cela, et se rendant à la salle à manger, Frost s'arrêta à la réception pour demander poliment s'il pouvait avoir un meilleur éclairage.

— Pas de problème, monsieur, lui répondit le préposé. Tout sera fait dans l'ordre quand vous regagnerez votre chambre.

Frost gagna la salle à manger pour y prendre un repas bien mérité. Il se rappelle bien d'avoir commandé, mais il ne sait toujours pas aujourd'hui ce qu'il reçut dans son assiette ce soir-là. Il sait qu'il y avait du chou et une viande quelconque — était-ce du porc, du poulet ou du poisson? — et des betteraves. Il était si affamé et épuisé qu'il avala le tout sans broncher. Puis, malgré sa fatigue, il se dit que sa présence au restaurant était une bonne occasion de tester le coup des cigarettes *Kent*. Après avoir dévoré sa gibelotte, il en laissa deux paquets sur le coin de la table.

— Est-ce que tout va bien, monsieur? lui demanda le serveur.

— Tout à fait, répondit Frost.

On ne lui remit jamais l'addition du repas, pas plus qu'elle n'apparut au compte de son séjour à l'hôtel.

«O'Brien sait vraiment de quoi il parle», pensa-t-il avec admiration. Il remonta à sa chambre, tombant de sommeil. L'éclairage avait bel et bien été modifié. À la place des deux ampoules de 40 watts, il y avait maintenant deux belles chandelles sur son buffet!

«Cet enfant de chienne de Patrick!» grommela-t-il. Il l'avait bien eu, et lui ne pouvait s'empêcher de penser à Mike en se tordant de rire dans son bureau à la NSA.

Après une autre rude épreuve où il eut à utiliser le papier de toilette local — qui ressemble vaguement à des feuilles de papier ciré mais deux fois plus petites que celles du papier de toilette nord-américain — il retourna à la réception.

Il en était au point où il pensait que tous les employés de l'hôtel étaient à la solde de la police secrète de toute façon.

— Monsieur, déclara-t-il au préposé, vous avez gagné. Puis-je ravoir mes ampoules de 40 watts?

Sans émotion, le réceptionniste lui dit:

— Mais monsieur, n'est-ce pas satisfaisant?

— Non, merci. J'aimerais vraiment ravoir mes ampoules.

Il joua quand même de chance. On lui remit une ampoule de 40 watts et une autre de 60. Peut-être la devait-il aux cigarettes *Kent*...

■

O'Brien l'avait bien averti d'être constamment sur ses gardes: «La police secrète va te surveiller. Ils auront probablement placé un micro dans ta chambre.»

Presque chaque jour, au retour de l'ambassade, il voyait que sa chambre avait reçu une étrange visite. Il y avait des mégots de cigarettes dans le bol de toilette alors qu'il ne fumait pas. Les meubles et les lampes avaient été déplacés. Des tiroirs étaient restés ouverts à moitié. C'était à donner des frissons. Mais si d'autres agents y avaient survécu, il pouvait le faire lui aussi. Après tout, il était là pour son pays, et depuis qu'il avait mis le pied en Roumanie, il se sentait plus patriotique que jamais.

Il avait l'habitude, en voyage, de commander son petit déjeuner à sa chambre. En Roumanie, les rôties étaient une espèce d'hybride entre du pain tiède et une vraie toast. Il mourait d'envie de boire du café, mais ne pouvait avoir que du thé. On prétendait lui servir du beurre, mais c'était plus près de la graisse de lard. Un bon matin, au comble de ses petits malheurs, il cria aux quatre murs: «Même un jus d'orange serait meilleur que cette merde!»

Dès le lendemain, sur son plateau, il y avait un verre de jus d'orange. Encore une fois, les conseils de la NSA lui revinrent à l'esprit: «Si tu veux savoir si on t'écoute, dis quelque chose à haute voix.»

Puis, vint le coup de l'eau chaude. Frost avait commis l'erreur ultime de s'en plaindre à la direction de l'hôtel: il ne pouvait avoir d'eau chaude quand il voulait prendre une douche.

— Écoutez, leur dit-il, je suis sous la douche et au bout de quinze secondes, l'eau tourne au froid. Faites quelque chose, s'il vous plaît.

— Pas de problème, monsieur.

Il aurait dû savoir que ces trois mots pouvaient avoir exactement la signification contraire de ce qu'ils exprimaient. Le jour suivant, tout ce qu'il put tirer du robinet était de l'eau chaude. D'autres jours, l'eau allait du froid au chaud, du chaud au froid.

Il comprit enfin ce que la NSA et le GCHQ avaient voulu dire: la police secrète roumaine le harcèlerait à un tel point qu'il en perdrait son sang-froid et dirait ou ferait quelque chose que l'ennemi pourrait utiliser contre lui. Il comprit aussi à quel genre de régime il s'attaquait: le gouvernement exerçait un contrôle total sur tout et sur tous. Le totalitarisme n'était plus une abstraction pour lui. Et il ne s'étonna plus des visages tristes et maussades qu'il apercevait dans les rues de Bucarest: ce peuple subissait la tyrannie et la terreur.

Lors de sa première visite à l'ambassade canadienne, le matin suivant son arrivée, il avait remarqué une file d'attente qui semblait interminable sur la rue principale. Tous les jours, la scène se répétait. Frost avait finalement demandé à son chauffeur roumain:

— Pourquoi ces gens attendent-ils ainsi?

— Ils ne le savent pas, avait répondu le chauffeur.

Il signifiait par là que lorsque les citoyens de Bucarest atteignaient enfin le comptoir où ils espéraient trouver quelque chose à manger, ils n'avaient aucune idée de ce qui serait disponible. Le chauffeur avait ajouté:

— Ma femme est là... Hier, elle a eu du chou. Avant-hier, des betteraves. Aujourd'hui, elle espère avoir des œufs.

La tristesse totale régnait. Même dans le bar de l'hôtel, Frost n'entendait jamais rire qui que ce soit. On n'appréciait d'ailleurs pas son sens de l'humour un peu cinglant. Et ils avaient tous ce regard de peur dans les yeux, comme si tout ce qu'ils disaient ou faisaient était sous surveillance, ce qui était plus près de la vérité que de la fiction. Le soir de sa mémorable arrivée, Frost s'était souvenu d'autres sages paroles de Patrick O'Brien: «Si tu vas à la salle à manger, ils vont probablement t'asseoir à la deuxième table à gauche, près de la fenêtre. Cette table a un micro.»

Mais, comme cela ne s'était pas produit le premier soir, Frost avait conclu que O'Brien exagérait peut-être un peu.

Sauf qu'un de ces soirs, il invita un membre du personnel de l'ambassade à souper à son hôtel, pas tellement pour la cuisine, mais pour faire un brin de causette et avoir un peu de compagnie. On l'emmena directement à cette table que O'Brien lui avait indiquée. Et le restaurant était à moitié vide. «Patrick, mon enfant de chienne!» se dit-il encore, mais cette fois avec une sorte de respect.

Tout cela eut exactement l'effet contraire que ce genre de répression peut provoquer chez des gens comme Mike Frost. Ceauşescu était devenu son pire ennemi et il voulait l'avoir à tout prix. Pour utiliser un cliché hollywoodien: ils avaient commis une erreur. Ils l'avaient fait fâcher.

■

Frost avait déjà fait une visite de «courtoisie» à la chancellerie canadienne située au 36, rue Nicolae Torga, pour y rencontrer l'ambassadeur. Peter Roberts avait été prudent durant la conversation et très discret. Mais il lui avait tout de même dit: «Nous sommes très reconnaissants de vous avoir ici... Nous aimerions que vous veniez manger à la maison un de ces soirs, ma femme et moi.» Pour la première fois, l'agent du CST se sentait bienvenu.

Frost savait déjà, d'après les *briefings* des Affaires extérieures, que l'étage supérieur était fort probablement idéal pour ses opérations. À l'époque du programme *Participaction* qui voulait inciter les Canadiens à faire de l'activité physique, les diplomates avaient décidé de le transformer en petit gymnase, que personne n'utilisait vraiment. L'évaluation de Frost se fit rapidement et sans anicroche. Le gymnase était l'endroit parfait. Il y avait suffisamment d'espace pour la tente de cuivre, la pièce était climatisée et isolée du reste du personnel de l'ambassade. L'édifice était également entouré d'une clôture haute de 3 mètres et passablement éloigné de la rue, où les Roumains auraient pu installer des appareils d'écoute ou de brouillage. En fait, le périmètre de la clôture était si grand que Frost était convaincu que même si certains de ses appareils émettaient des irradiations, on ne pourrait les capter d'aussi loin. Les antennes pouvaient être placées sans problème au grenier. Enfin, comme au Maroc, l'ambassade était un site insulaire.

Frost s'inquiétait du toit, cependant. Il n'avait jamais vu de tuiles semblables et ignoraient de quoi elles étaient faites. On aurait dit des morceaux d'ardoise, pour la plupart recouverts de mousse. Il ignorait si les antennes de Pilgrim pourraient capter quoi que ce soit à travers cette armure. Et il devait composer avec le problème de l'électricité locale. Frost voulait absolument s'assurer que les signaux pourraient être captés à travers le toit. L'ardoise devrait donc être analysée par les experts du CST avant qu'il ne prenne quelque décision que ce soit quant au positionnement des antennes. En fait, il ne pouvait trouver de meilleur endroit que le grenier pour les installer.

Frost avait aussi appris de l'expérience de Rabat que de pointer des antennes en direction des fenêtres n'était pas une bonne idée, à cause du plomb parfois contenu dans la vitre qui atténue les ondes radios. Il savait aussi qu'il serait plus facile pour les agents de contre-espionnage d'être au courant des activités véritables de l'ambassade si, par exemple, ils remarquaient que des rideaux habituellement ouverts restaient tout à coup constamment tirés à une fenêtre de l'étage. On ne pouvait pas se permettre, comme à Rabat, de briser la fenêtre et de la remplacer par une autre achetée sur le marché local. Derrière le rideau de fer, le risque était trop grand.

Ils auraient pu installer des ventilateurs factices sur le toit pour dissimuler les antennes, mais à Bucarest, l'angle du toit était trop prononcé pour ce faire. Le grenier demeurait donc la meilleure option, mais il restait cette foutue ardoise. Frost ne tenait pas à revivre un fiasco du genre de Stephanie, où les agents du CST avaient dû creuser dans le grenier de l'ambassade de Moscou. Et il avait bien appris que ce sont toujours les petits détails qui risquent de vous trahir. D'ailleurs, il se demandait toujours si ses deux photos avaient réussi à traverser son système digestif.

Finalement, Mike Frost conclut qu'il n'avait d'autre choix que de prendre un risque. Il demanda à l'ambassadeur s'il voulait faire une petite promenade avec lui. «Monsieur l'ambassadeur, j'ai besoin de votre permission pour me rendre à la chancellerie ce soir. J'ai un travail à faire qu'on ne peut faire en plein jour.»

Roberts n'eut pas d'objection. Il remit à Frost et au technicien endoctriné de l'ambassade les clés et les codes d'accès de l'édifice. Il leur souhaita bonne chance.

Frost n'était pas trop préoccupé par la surveillance de la police secrète. Elle le suivrait, peu importe où il irait. Toutefois, ce qu'il planifiait risquait vraiment d'éveiller les soupçons du reste du personnel de l'ambassade. La politique du CST était claire: seulement une poignée d'employés en plus de l'ambassadeur pouvaient être mis au courant. Or les autres ne manqueraient pas de poser des questions s'ils voyaient Frost grimper sur le toit pour y arracher un morceau de tuile.

Ce ne fut que quelques jours plus tard, lors d'une autre lugubre nuit d'automne à Bucarest, que le technicien et Frost se rendirent à l'ambassade pour y faire un peu d'acrobatie. Une fois à l'intérieur, ils montèrent au troisième étage. Frost avait auparavant choisi une fenêtre qui s'ouvrait sur le toit. De là, il pourrait accomplir sa mission sans se faire repérer de la rue. Même si la police secrète le voyait, il se disait que ses acrobaties cadraient bien avec son faux prétexte d'être venu pour améliorer les communications via satellites.

Il n'y a qu'un problème dans le cas des toits en pente: ils n'ont jamais l'air dangereux jusqu'à ce qu'on mette le pied dessus. En regardant par la fenêtre, Frost s'en rendit bien compte: le toit parfaitement lisse ne lui offrirait aucun point d'appui, rien à quoi il pût espérer s'accrocher. Il eut peur, mais il n'était pas du genre à reculer une fois la décision prise. Il devait absolument obtenir un échantillon de la tuile du toit. Aussi prudemment que possible — si l'on peut parler de prudence dans cette aventure pour cascadeurs —, il rampa sur le rebord du toit et tira sur l'une des pierres. À son grand soulagement, il n'eut pas à tirer trop fort pour l'arracher. Quand il l'eut bien en main, il cria:

— Je l'ai!

Mais survint un changement mineur au scénario. En tentant de regagner la fenêtre, il perdit pied.

— Mon Dieu! Qu'est-ce qui m'arrive encore? pensa-t-il en essayant désespérément de s'accrocher au toit visqueux.

Son seul autre souvenir de ce plongeon spectaculaire de trois étages est qu'il se retrouva parmi un tas d'arbustes et que tout son corps lui faisait mal. Mais il avait réussi à garder la tuile du toit dans ses mains. Du troisième étage, il avait entendu le technicien crier hystériquement:

— Est-ce que ça va? Mike, est-ce que ça va?

Étendu dans les buissons, Mike s'assura que chacun de ses membres était toujours en état de fonctionner et il se dit en lui-même: «Encore une fois, j'essaie de passer inaperçu et voilà ce qui m'arrive!»

Horrifié, le technicien arriva en courant, à bout de souffle et convaincu de trouver un homme mort.

— Ça va, mentit Frost. Laisse-moi seulement retourner dans l'ambassade. Faut que je me nettoie un peu.

En fait, il souffrait terriblement de la tête aux pieds. Mais lorsque la tuile fut envoyée par courrier diplomatique au Canada pour être analysée par le CST, il était vraiment fier d'avoir fait le travail. Les ingénieurs du CST, parmi leurs nombreux tests, prirent soin de la laisser immergée dans l'eau pendant plusieurs jours afin de déterminer si les pluies abondantes de Bucarest pouvaient altérer sa composition et nuire à la réception des signaux. Ils ne relevèrent aucun problème de la sorte.

Frost pouvait donc recommander le grenier. Tout était censé fonctionner. Par contre, il s'était bien promis que si l'épisode du toit devait se représenter, il utiliserait une corde ou un filet pour faire son numéro de cirque.

■

Frost n'avait pas encore pris son dernier risque en Roumanie. Il reconnaît aujourd'hui avoir été quelque peu stupide de s'être laissé entraîner dans l'aventure qui suit. La nourriture du *Sheraton*, sinon la police secrète, l'avait vraiment poussé à bout. Le souper à la résidence de l'ambassadeur — où on ne semblait manquer de rien, bifteck et homard étant au menu — avait été fort agréable. Frost demanda à Peter Roberts s'il connaissait un restaurant à Bucarest où il pourrait aussi bien manger.

«Bien sûr, répondit Roberts. Il y a un excellent restaurant en banlieue et ils offrent un excellent spectacle... C'est un peu cher, mais laisse des cigarettes sur la table et tu n'auras aucun problème.»

Frost en était vraiment venu à croire que les *Kents* pouvaient acheter n'importe quoi dans cet étrange pays. Et c'était merveilleux pour son compte de dépenses gouvernemental. Le soir même, il se rendit au restaurant en taxi. C'était un endroit très vaste, qui lui rappelait une aréna de quartier. Le spectacle était donné par des gitans vêtus de leurs costumes traditionnels. Frost se sentait si bien qu'il se croyait presque à la maison. Même la nourriture était comestible. Le cognac et la vodka coulaient à flots, les cigarettes *Kent* réglaient toutes les notes; il s'amusait comme un fou.

Vers la fin de la soirée, Mike était l'homme le plus heureux du monde. À tel point qu'il oublia peut-être dans quel pays il se trouvait et pourquoi il s'y trouvait. Rien ne clochait. Rien de désastreux n'allait arriver. Pourquoi avait-il été aussi paranoïaque de toute façon?

En quittant le restaurant, il lui vint une idée pour le moins saugrenue: il décida de marcher. Rien de mieux qu'une petite excursion dans la campagne roumaine par une nuit d'automne. Pour une fois, il ne pleuvait pas, la nuit et les étoiles étaient belles, la route était bordée de grands arbres sveltes comme des peupliers. Dans son esprit un peu nébuleux, il s'imaginait qu'il n'aurait qu'à héler un taxi lorsqu'il déciderait de rentrer à son hôtel. Un taxi dans les bois de Bucarest...

Il marcha pendant un bon moment avant de se rendre compte qu'il ne savait plus où il était. Il ne savait pas comment retourner au restaurant et il ne pouvait simplement frapper à une porte et demander à un gentil Roumain de lui appeler un taxi.

Alors que ces idées alarmantes l'envahissaient, arriva soudainement derrière lui une voiture noire. Deux hommes vêtus de noir prenaient place sur la banquette avant. Dans un anglais presque impeccable, l'un d'eux lui demanda:

— Où allez vous, monsieur?

— J'essaie de retourner à mon hôtel, le *Sheraton*, au centre-ville. Je viens de souper dans un restaurant et, franchement, je suis perdu. Je n'ai aucune idée de comment retrouver mon chemin.

— Pas de problème, monsieur, dit l'un d'eux à Mike. Montez sur la banquette arrière et nous allons vous conduire à votre hôtel.

Frost était tellement heureux de ce «coup de chance» qu'il monta sans attendre. Il n'était dans la voiture que depuis quelques secondes quand une peur incontrôlable s'empara de lui. «Tu n'as aucune idée de qui sont ces deux gars-là. Tu es assis dans une auto qui t'emmène Dieu sait où, au milieu de la nuit. Tu t'es vraiment mis dans la merde cette fois-ci! Peut-être qu'on ne te reverra jamais, mon pauvre Mike.» Il ne savait pas s'il devait sauter hors de l'automobile en marche, rester assis bien tranquille ou entamer la conversation avec ces mystérieux étrangers qui parlaient l'anglais et qui semblaient venir de nulle part. Il se tint les fesses serrées, regardant parfois par la fenêtre pour voir s'il reconnaissait les alentours, tout en pensant à sa femme, à ses enfants et à la mission de reconnaissance qu'il venait peut-être de ruiner.

Avant qu'il ne sorte de sa torpeur, il était déjà devant le *Sheraton*.

— Vous y voilà, dit le chauffeur. C'est ici que vous logez... Un conseil cependant: ne vous promenez pas dans la campagne roumaine la nuit.

Il ne tarissait pas de remerciements à leur endroit. Après avoir remercié également Dieu, il monta à sa chambre et se prépara un puissant drink. Les instincts étant toujours là, cependant, il avait pris soin de noter le numéro de la plaque d'immatriculation du véhicule.

Le lendemain matin, l'ambassadeur brûlait de savoir s'il s'était amusé au restaurant qu'il lui avait recommandé.

— Eh bien... j'aimerais vous en parler un peu, lui dit Frost.

Ils sortirent de l'édifice et Mike raconta toute l'histoire à Roberts. Quand il eut terminé, l'ambassadeur lui demanda seulement de répéter le numéro de la plaque.

— Bah, ne t'en fais pas! dit-il. C'est eux qui sont affectés à ta filature.

Autant l'ambassadeur semblait trouver l'incident comique et normal, autant Frost n'en revenait pas d'avoir été reconduit à son hôtel par la police secrète alors qu'il était lui-même à Bucarest en mission d'espionnage. Les agents roumains étaient-ils conscients de ses véritables activités? Probablement pas. Malgré son repas de photos à l'aéroport, son plongeon du toit de l'ambassade et cette ridicule excursion dans la nuit, le CST était sur le point de jouer un vilain tour à Ceauşescu.

■

Avant de prendre son vol de retour pour le Canada, Frost joua au touriste. Le chauffeur de l'ambassade le conduisit à travers la ville pour lui montrer ce qu'il croyait être des sites d'intérêt. En fait, Frost voulait seulement repérer les ambassades américaines et britanniques, pour essayer de voir dans quelle direction étaient orientées leurs antennes. Il voulait aussi repérer autant de tours à micro-ondes que possible. Il n'utilisa pas de caméra, même s'il fut très tenté de le faire. Il se souvient d'avoir aperçu des huttes en fibre de verre sur le toit de l'ambassade des États-Unis, ce qui, selon lui, constituait un indice qui ne trompait pas: les Américains menaient à Bucarest une importante opération d'écoute diplomatique. Par contre, il ne vit rien sur le toit de l'ambassade britannique. S'ils faisaient de l'interception, ils avaient bien dissimulé leurs antennes.

Après cette petite visite, Frost et l'ambassadeur sortirent une fois de plus pour leur randonnée traditionnelle. Frost partagea ses conclusions avec Roberts en ajoutant:

— Je vais recommander que nous montions une opération de Pilgrim ici pour une durée de quatre à huit semaines. Êtes-vous d'accord avec ça?

— Tout à fait, acquiesça Roberts. Je vais faire circuler une note de service à mon personnel pour les avertir que des techniciens en communications s'en viennent, qu'ils sont du ministère de la Défense et que le gymnase ne sera pas accessible.

Puis, l'ambassadeur lui posa une question inattendue:

— Aimerais-tu savoir si nous sommes suivis? demanda-t-il.

— Euh... oui, bien sûr. Êtes-vous suivi?

— Oui, toujours.

Roberts enchaîna:

— Au compte de trois, nous allons nous retourner et constater qu'il y a quelqu'un derrière nous.

Tel que prévu, à environ un pâté de maisons derrière, se trouvait un homme vêtu de noir qui les tenait en filature. Frost savait que l'homme n'avait pu entendre la conversation et n'avait pas sur lui l'équipement électronique pour la capter. L'expérience ne fut cependant pas inutile pour Frost. Pilgrim devait repenser sa stratégie quant aux faux prétextes utilisés par ses agents. À force de voir un technicien de statut inférieur déambuler régulièrement sur la rue avec l'ambassadeur, le contre-espionnage serait peut-être alerté. Il faudrait qu'il en discute avec Bowman et les autres en rentrant au pays. Leurs agents ne pouvaient éviter d'être vus parfois en conversation intime avec l'ambassadeur. Si «l'ennemi» faisait bien ses devoirs, il soupçonnerait quelque chose. Le chaînon le plus faible demeurait le personnel de l'ambassade, qui connaissait bien le protocole.

Le vol de retour au Canada se déroula sans histoires. Frost profita d'une bonne nuit de sommeil en rentrant à Ottawa. Le lendemain matin, en compagnie de Frank Bowman, il se rendit au bureau de Peter Hunt, qui était anxieux de savoir ce que Frost avait trouvé. La décision de monter un raid électronique contre Bucarest fut automatique.

■

Deux des meilleurs agents furent choisis pour l'opération Hollyhock. Ils se rendirent à College Park pour se familiariser avec l'environnement radio de Bucarest. Sur la recommandation de Frost, on décida de ne pas utiliser la fameuse tente de cuivre, dans laquelle les agents détestaient travailler. Il pensait que les risques d'irradiation étaient minimes étant donné la distance entre l'étage supérieur de l'ambassade et la rue. De plus, ils n'auraient pas à s'embêter de l'expédier dans un sac diplomatique.

Le CST fit parvenir beaucoup d'équipement par l'entremise des Affaires extérieures. Il leur fallut quelques mois pour envoyer tous les appareils, mais ils ne rencontrèrent aucune embûche en cours de route. Tout ce que la police pouvait voir en passant les sacs aux rayons X était de simples boîtes. De toute façon, on pouvait toujours se justifier avec le prétexte habituel: l'amélioration des communications entre le Canada et la capitale roumaine. L'équipe de Pilgrim ne fut pas surprise de constater que chacun des sacs diplomatiques expédiés en Roumanie avait effectivement été passé aux rayons X. Ils avaient pris la précaution de mettre des négatifs de films dans chacun des sacs pour vérifier comment les Roumains opéraient.

Pour la première fois depuis le début de Pilgrim, le CST avait inclus un encodeur-décodeur dans l'équipement afin que ses agents puissent communiquer rapidement avec le Canada en cas d'urgence. Ils avaient découvert avec le temps que même s'ils pouvaient capter une tonne de renseignements en pays étrangers, ceux-ci se révélaient habituellement être de peu de valeur une fois analysés au Canada. Trop souvent, avant même qu'elles ne parviennent à Ottawa, on pouvait lire les informations recueillies dans les journaux. Pilgrim ne pourrait jamais justifier son existence si toutes ses ressources ne lui permettaient pas de devancer les médias. Cela donnerait aux politiciens une excellente raison de tuer le projet. Toutefois, il ne s'agissait encore que de simples «essais». Avant Bucarest, le produit de l'écoute avait été envoyé sur bandes sonores ou sur papier dans des sacs diplomatiques. Les gens de Pilgrim se devaient d'améliorer leur façon de faire afin que les renseignements conservent leur pertinence une fois livrés. L'envoi d'un appareil était la première étape de la longue route qui permettrait d'atteindre cet objectif.

Ils ne pouvaient faire comme la NSA ou le GCHQ. Grâce à leurs satellites, les agents américains et britanniques communiquaient directement avec leurs agences de leurs sites d'écoute diplomatique. Le CST devait développer une méthode proprement canadienne, car il devait continuer de communiquer via les Affaires extérieures afin d'éviter que d'autres pays soient au courant du fait que le Canada était pleinement embarqué dans le jeu de l'espionnage. Le CST ne pouvait, à ce moment-là, établir de communication directe entre ses agents et le quartier général. Il n'avait ni l'expertise ni l'équipement — particulièrement les satellites — pour y arriver.

Ils décidèrent que les appareils à Bucarest resteraient branchés vingt-quatre heures par jour, sept jours par semaine. Étant donné les problèmes de tension électrique en Roumanie, la police secrète n'y verrait rien de toute façon. Personne là-bas ne savait vraiment ce qui se passait avec le flux électrique. Les appareils seraient tout de même branchés graduellement à raison de deux ou trois par jour. Ce fut la première opération «24-7» de Pilgrim. L'équipement n'était pas manipulé par les agents jour et nuit, mais fonctionnait tout aussi efficacement sur le pilote automatique.

D'un point de vue technique, l'opération de Bucarest fonctionna parfaitement, même si les fluctuations de tension électrique jouaient de mauvais tours à la technologie. Frost s'était bien sûr assuré que chaque appareil était disponible en double sur place. De nouvelles pièces durent être envoyées régulièrement d'Ottawa pour procéder à certaines réparations. Le seul appareil qui résista sans problème fut Oratory, ce qui ne fit qu'augmenter l'admiration des Canadiens devant cette pièce d'ingénierie américaine. Tant qu'Oratory fonctionnait, le reste était facile. Le CST avait quand même envoyé cette boîte magique en double à Bucarest. Les deux ordinateurs avaient été expédiés différemment des autres appareils. On les avait démontés et les circuits imprimés les plus importants avaient traversé la frontière roumaine dans les mains des agents de Pilgrim. Oratory était trop perfectionné pour que les Américains ne laissent les Communistes au courant de son existence.

C'est du côté des renseignements obtenus que Hollyhock constitua un coup de maître pour le CST, ce qui était une première. Dès leur première journée en ondes, les agents du CST furent renversés, non seulement par le grand nombre de communications qu'ils purent capter, mais surtout par la quantité impressionnante de renseignements qu'ils obtinrent sur le fonctionnement interne du régime Ceauşescu. Ils interceptèrent de nombreuses communications gouvernementales, provenant surtout des téléphones cellulaires de personnes haut placées dans le régime. Ils apprirent ainsi, plusieurs années avant la chute de Ceauşescu, ce que Mike Frost n'avait pu faire dire aux simples citoyens roumains en conversant: Ceauşescu était impopulaire auprès de son peuple, et les ministres de son gouvernement le détestaient encore plus. Ces derniers semblaient être en désaccord unanime avec ses politiques, mais aucun d'eux ne semblait savoir quoi faire pour changer le cours des choses. Avec le recul, ces renseignements obtenus par le CST jettent un éclairage intéressant sur les événements dramatiques qui devaient se produire quelques années plus tard. Les conversations interceptées étaient top secrètes et ne laissaient aucun doute que l'entourage même de Ceauşescu voulait sa peau, de même que celle de sa femme, de son fils et de son frère, le lieutenant général Nicolae Andruta Ceauşescu. Alors qu'il attendait son procès après la «révolution de Noël», Andruta avait déclaré qu'il était plus heureux en prison que sous le régime de son frère!

Est-ce que les renseignements recueillis par le CST, la NSA ou le GCHQ furent utilisés, sous forme de chantage par exemple, pour provoquer l'effondrement du régime? Frost l'ignore. Mais il sait que les renseignements étaient là.

Pour la première fois, le CST ne partagea pas le produit entier de l'interception avec ses alliés de la NSA. Ses agents commençaient à gagner en confiance.

Leur devoir premier était de servir le gouvernement canadien, se disaient-ils, même s'ils avaient été forcés à s'engager dans l'écoute diplomatique par la NSA. Plusieurs renseignements touchaient la vente du réacteur CANDU. Les leaders politiques canadiens commençaient à comprendre l'importance d'une arme comme le CST. Et on n'en était encore qu'au niveau des essais! Des succès comme Bucarest et Rabat seraient cruciaux quand viendrait le moment de revoir les budgets gouvernementaux.

En fait, les ressources financières étaient devenues l'une des préoccupations majeures de Pilgrim. L'opération de Bucarest avait démontré sans l'ombre d'un doute que le CST n'avait pas les ressources de traduction, d'analyse et de décodage requises pour maintenir une station d'écoute diplomatique permanente. Il lui fallait plus d'agents et un budget additionnel pour acheter du nouvel équipement. Il était insensé que le matériel intercepté à Bucarest exige une année complète d'analyse. Pour donner son plein rendement, Pilgrim avait besoin d'encore plus d'argent. Le bureau à deux pupitres de ses débuts, douze années plus tôt, était chose du passé.

Bucarest leur apprit une autre leçon. Comme les Américains et les Britanniques, ils auraient peut-être besoin non seulement d'agents et de techniciens sur place, mais aussi d'analystes, de linguistes et de cryptographes. Le CST ne croyait pas être en mesure de convaincre facilement le gouvernement d'affecter autant de personnel à l'espionnage international. De plus, les faux prétextes utilisés jusque-là pour protéger leurs agents ne colleraient plus à la réalité. Frost et Bowman conclurent que la seule façon de parvenir à leurs fins était d'entraîner leurs meilleurs agents à être également des analystes, des traducteurs et des cryptographes. En d'autres mots, plutôt que d'augmenter le nombre de personnes en poste, on améliorerait la version originale de Pilgrim.

Le CST fut tellement satisfait du succès de Hollyhock qu'il ne voulait pas mettre fin à l'essai. Mais Allan Gotlieb n'avait autorisé que des essais sur huit sites avant de réévaluer le programme. L'équipe de Pilgrim fut tentée de dire à Gotlieb qu'il s'agissait d'un essai qui devait être plus long que les autres, mais décida finalement qu'il était préférable de s'en tenir au scénario original et de ne pas jouer avec de la dynamite. Ils n'avaient toujours pas non plus l'autorisation d'acheter plus d'équipement pour poursuivre leurs autres essais, tout en continuant leurs activités à Bucarest. Frost et Bowman devaient suivre le chemin tracé. Ils rapatrièrent leurs agents de Roumanie sans problème. Ils ne manquèrent pas de se plaindre à leur tour du *Sheraton* et de la nourriture. Mais l'avalanche de félicitations qu'ils reçurent à leur retour les aida à retrouver leur digestion. Les appareils furent expédiés au Canada par bribes, sur une période de six mois. Un succès sur toute la ligne. Les agents de Pilgrim savaient maintenant qu'ils étaient devenus de vrais joueurs des ligues majeures de l'espionnage. Et ils avaient l'intention de le rester.

Chapitre VIII

DAISY CONTRE LES TERRORISTES SIKHS

Mike Frost et Frank Bowman ne bronchèrent pas. Mais ils étaient complètement pris au dépourvu.

— Nous nous demandions si par hasard vous pourriez aller en Inde et voir ce que vous pouvez trouver sur le problème sikh.

La requête provenait d'un membre de l'équipe de Pilgrim rattaché aux Affaires extérieures. Rarement les gens des Affaires extérieures faisaient-ils des suggestions aussi précises sur les cibles visées. Ils avaient plutôt un talent sans pareil pour mettre des bâtons dans les roues de leurs confrères du CST. Bien qu'ils souhaitaient toujours secrètement diriger le cours des opérations d'écoute, ils se contentaient habituellement de fournir leur support logistique et de donner des *briefings* sur les pays où les agents étaient affectés. Et puis, en toute honnêteté, Bowman et Frost ne savaient pas trop de quoi retournait le problème sikh. Ils ne se doutaient nullement qu'il s'agissait d'une priorité pour le gouvernement fédéral. Jusque-là, la quasi-totalité des suggestions à propos des sites choisis était venue du CST ou de la NSA. Mais voilà que tout à coup, sans plus d'avertissement, un *pinstriper* des Affaires extérieures leur demandait avec désinvolture, au printemps de 1982, de monter une opération spéciale.

— Le problème sikh? demanda Frost.

— Oui... Nous avons reçu une demande de l'Immigration... Le ministre est préoccupé par les Sikhs de la région de Toronto. Ils lui donnent du fil à retordre.

Le ministre de l'Immigration n'était alors nul autre que Lloyd Axworthy, à qui le premier ministre Jean Chrétien confierait l'important ministère des Ressources humaines en 1993. Axworthy avait défrayé la manchette au cours de l'été de 1981, quand il avait choisi d'expulser environ 1 000 immigrants d'origine indienne, pour la plupart des Sikhs, qui réclamaient le statut de réfugiés. «Nous soupçonnons, d'après les renseignements obtenus de l'Inde, que leurs demandes ne sont pas justifiées et elles seront rejetées», avait alors commenté un porte-parole des Affaires extérieures.

Mais les Sikhs ou leurs activités n'avaient fait partie d'aucune des listes de mots clés du CST jusque-là. La guerre froide durait toujours, et les agents canadiens cherchaient des cibles derrière le rideau de fer ou — malgré leur réticence — à Cuba. D'autre part, il y avait toujours la pression des Américains, qui voulaient qu'on monte une opération à Beijing. Enfin, le Moyen-Orient et le cartel de l'OPEP étaient des cibles potentielles. Mais voilà que le gouvernement canadien leur demandait de traquer des Sikhs!

Bowman et Frost ne dirent pas grand-chose devant les gens des Affaires extérieures, mais une fois la réunion terminée, c'est, comme d'habitude, le fougueux Frost qui s'exprima le premier:

— Qu'est-ce que c'est que cette foutue affaire?

— Sais pas, dit calmement Bowman. Mais s'ils veulent que nous le fassions, pourquoi pas?

En fait, la suggestion, qui d'après Frost provenait directement du ministère de l'Immigration, lequel travaillait à ce dossier de concert avec le SCRS et la GRC, était un grand compliment à l'équipe Pilgrim. Les essais de Bucarest et de Rabat avaient rapporté des dividendes: les gens en haut lieu au gouvernement commençaient à compter sur eux, plutôt que de les traiter comme une bande d'espions amateurs qui prennent plaisir à voyager à travers le monde avec leurs *gadgets* électroniques. Du jour au lendemain, les gens de Pilgrim sentirent qu'on avait besoin d'eux. Et quant aux Sikhs, Frost et Bowman ne tenaient pas nécessairement à savoir pourquoi on s'y intéressait tout à coup. Après tout, leur travail ne consistait, techniquement du moins, qu'à intercepter des renseignements. Aucune raison n'avait à être fournie pour le justifier.

N'empêche qu'ils prirent soin de consulter leurs maîtres de la NSA avant de s'embarquer dans l'opération. Ils rencontrèrent à nouveau Patrick O'Brien.

— Patrick, dit Bowman, on nous a demandé de faire de l'écoute diplomatique contre les Sikhs... Qu'en penses-tu?

Ni lui ni Frost ne s'attendaient à la réponse enthousiaste qu'il donna:

— C'est excellent! Ils nous inquiètent un peu, nous aussi... Il y a une région en Californie où se retrouve la plus grande concentration de Sikhs en Amérique du Nord. La plupart sont très corrects. Mais ils ont des terroristes actifs dans le Pendjab... et nous soupçonnons certains immigrants d'ici de leur fournir de l'aide.

L'imprimatur de la NSA était plus que suffisant pour que l'équipe de Pilgrim se lance dans le projet à fond de train. Même si le terrorisme sikh n'avait toujours pas secoué le monde entier, des agences comme la NSA étaient assez préoccupées par la possibilité que des troubles éclatent dans un nouveau théâtre d'opérations. Le Canada et le reste de la planète découvriraient à quel point la menace était sérieuse lors d'une catastrophe qui se produisit trois ans plus tard. Un autre facteur importait grandement dans la décision que prendrait le CST avant de déployer l'effort surhumain que requerrait le succès de cette opération: même si les services de renseignements mondiaux manifestaient de l'intérêt pour le terrorisme sikh, nul ne semblait posséder beaucoup d'information sur le sujet; or, si les Canadiens acceptaient de traquer les Sikhs, ils pourraient fournir du matériel tout nouveau à leurs alliés, qui eux avaient d'autres chats à fouetter.

Fait remarquable, O'Brien confirma que la NSA avait effectivement un poste d'écoute diplomatique à New Delhi, la capitale indienne.

— Peut-être que vous devriez faire de l'interception à partir d'un autre emplacement en Inde, dit-il.

— Je regrette, rétorqua Bowman, mais notre politique est de ne faire de l'écoute que depuis le territoire de nos ambassades. Nous refusons catégoriquement tout autre site et le seul haut-commissariat que nous ayons là-bas est à New Delhi.

— Bon, d'accord, accepta O'Brien. Les chances sont bonnes que vous obteniez des choses que nous ne pouvons capter de toute façon... Vous savez comment ça se passe.

C'était à l'été de 1982. On n'avait pas encore fait de mission de reconnaissance au haut-commissariat du Canada en Inde et New Delhi n'était même pas sur la liste des cibles possibles. Heureusement, l'équipe de Pilgrim n'avait pas encore épuisé les huit essais accordés par Gotlieb. Mais après Caracas, Abidjan,

Rabat, Bucarest, Brasilia et San José, on s'approchait de la limite. Les deux derniers sites avaient été l'affaire de Frank Bowman. C'est lui qui choisit d'aller reconnaître celui de New Delhi.

Il en revint avec un rapport fort positif. D'abord, le haut-commissaire était gagné à l'idée. Ensuite, il y avait de l'espace au haut-commissariat. Autre élément important, le toit de l'édifice était coiffé d'un toit parasol, situé environ un mètre plus haut que le premier et ouvert sur les côtés. Non seulement serait-il facile d'y installer des antennes, mais Bowman croyait qu'on pouvait même y bâtir une hutte permanente pour les dissimuler. Enfin, comme à Bucarest et à Rabat, le haut-commissariat de New Delhi était un site insulaire clôturé.

L'Inde était considérée une cible facile, ne posant pas trop de dangers. Le moment ne pouvait être mieux choisi pour une telle opération car le gouvernement indien avait laissé savoir son intention de surveiller les activités des Sikhs à l'extérieur du pays. Autrement dit, l'Inde admettait vouloir se livrer à de l'espionnage pour assurer sa propre sécurité. Il était donc fort possible que si les autorités indiennes découvraient l'opération des Canadiens, non seulement elles feraient semblant de ne rien voir, mais elles applaudiraient privément à l'initiative.

L'essai du CST à New Delhi commença en mars 1983. Deux vétérans de Pilgrim, Alan Foley et Tom Murray, héritèrent de la mission. Le prétexte était toujours le même: améliorer les communications avec le Canada. Il y eut la session habituelle de College Park, où les Canadiens reçurent une nouvelle liste de signaux à intercepter. Les appareils électroniques, toujours plus efficaces et puissants, furent expédiés par sacs diplomatiques.

Avant même que l'essai ne commence, l'équipe de Pilgrim songeait à recommander New Delhi comme premier site permanent d'écoute diplomatique — ce qui signifiait que ses agents y resteraient tant qu'ils ne se feraient pas prendre, qu'ils ne seraient pas victimes de brouillage ou qu'ils n'auraient plus de raison d'y rester du point de vue des renseignements. La capitale de l'Inde, qui ne faisait même pas partie de la liste de cibles auparavant, venait d'être mise en première place, ce qui donne une idée de la forte volonté politique et bureaucratique qu'il y avait derrière ce projet. Cette volonté ne fléchirait pas.

Une fois leur essai de huit semaines terminé, les agents du CST rentrèrent au pays avec d'excellents résultats. Techniquement, tout était parfait; mais surtout, la quantité de renseignements interceptés touchant les Sikhs était stupéfiante.

«Nous savions ce qu'ils faisaient dans le Pendjab; nous savions ce qu'ils faisaient à travers le monde, se souvient Frost. C'était tellement productif que le ministère de l'Immigration répétait: "Nous en voulons plus! Nous en voulons plus!"»

Il devint alors évident aux yeux des dirigeants de Pilgrim que New Delhi représentait leur meilleure chance d'obtenir l'approbation pour l'établissement d'un site permanent, ce qui était leur objectif principal depuis le début. Parce que c'était bien beau de faire huit essais, mais ils craignaient toujours que le gouvernement ne perde son intérêt pour le projet et n'abandonne la partie. Cependant, lorsqu'ils recommandèrent de faire de New Delhi leur premier site permanent, personne au CST ne s'attendait à ce que la réponse ne vienne aussi rapidement. Après tout, leurs négociations avec la bureaucratie avaient fini par les habituer à la lenteur des procédures. Mais cette fois, en l'espace de quelques jours, Allan Gotlieb leur donnait sa bénédiction.

— Tu ne le croiras pas, avait dit Bowman à l'intention de Frost.

— Quoi? Ils ont refusé?

— Non. Ils ont approuvé New Delhi comme site permanent.

— Tu me fais marcher. Comment auraient-ils pu se décider aussi vite?

— Ce n'est pas tout. Même si nous n'avons pas de budget pour cette affaire, ils nous ont tout simplement dit d'acheter ce que nous devions acheter et faire ce que nous avions à faire.

— Eh, dépêchons-nous avant qu'ils changent d'idée!

Frost ignore si la décision a été prise unilatéralement par le sous-secrétaire d'État aux Affaires extérieures ou par son ministre de l'époque, Allan MacEachen. Peut-être le premier ministre Pierre Trudeau lui-même l'avait-il prise. Il y a fort à parier que tous les principaux intéressés avaient été mis au courant et que Gotlieb n'avait eu aucune difficulté à convaincre le pouvoir politique du besoin d'une opération d'espionnage permanente en temps de paix. L'équipe de Pilgrim en vint également à se demander si les autorités indiennes elles-mêmes n'étaient pas au courant. Après tout, le gouvernement indien ne voulait-il pas que les terroristes sikhs soient surveillés et capturés à n'importe quel prix? Cela aiderait en tout cas à expliquer pourquoi le feu vert avait été donné aussi rapidement, alors que les espions du CST avaient toujours le pied sur le frein.

Frost et Bowman étaient envahis par un sentiment de réussite totale. Un peu plus d'une décennie après l'effort symbolique de Stephanie, ils étaient parvenus à gagner tout un gouvernement à leur façon de penser et de faire les choses. Et ils y étaient parvenus alors que les politiciens et les bureaucrates au pouvoir étaient pratiquement les mêmes qu'au début de cette longue aventure — si l'on exclut les neuf mois du gouvernement Clark.

Avec cette victoire morale, cependant, venait une liste de problèmes qui forcèrent une fois de plus Frost et Bowman à se pencher sur les plus petits détails de l'opération. Il ne s'agissait plus d'un simple raid de quelques semaines, Frost et Bowman faisaient maintenant face à des problèmes qu'ils n'avaient jamais eu à confronter auparavant.

Les agents qu'ils affecteraient à la mission seraient en poste avec leur famille pour des périodes pouvant aller jusqu'à trois ans.

Le CST était aux prises avec un problème qui ne pouvait survenir qu'au Canada, un problème qui semble passablement bizarre lorsqu'on parle d'espionnage: le syndicat. Les employés du CST qui étaient endoctrinés pour Pilgrim étaient aussi membres de l'Alliance de la fonction publique du Canada (AFPC). La NSA et le GCHQ ne rencontraient pas ce genre de problèmes, leurs employés n'étant pas syndiqués. Mais Frost et Bowman ne pouvaient simplement agir comme si l'Alliance et la convention collective n'existaient pas. Ils avaient beau se triturer les méninges, ils ne savaient pas comment procéder. Pouvaient-ils avoir confiance qu'un leader syndical garderait un secret d'une telle ampleur, un secret qu'ils dissimulaient eux-mêmes aux autres employés de la «ferme»? Finalement, Frost demanda à Bowman, sans se douter de sa réponse:

— Avons-nous le choix?

— Non. Nous sommes coincés. Il faut qu'on se couvre les fesses...

— On ne voudrait pas qu'ils s'énervent si jamais quelque chose arrivait à un de leurs membres... Ils pourraient se mettre à dire des choses qu'ils ne devraient pas dire, ajouta Frost.

Les deux dirigeants de Pilgrim convoquèrent le représentant syndical de l'AFPC au sein du CST pour lui expliquer la situation. Ils avaient l'impression d'être en train d'essayer de dénouer un nœud gordien. Il leur fallait enfreindre plusieurs règlements plus ou moins importants de la convention collective et ils craignaient que le syndicat ne réagisse d'une façon qui détruirait en entier leur projet. En fait, ce qu'ils demandaient au représentant syndical était d'outrepasser les termes de la convention collective dans le but de faire de l'espionnage outre-mer.

Ils étaient particulièrement préoccupés par le fait que l'existence de l'écoute diplomatique pouvait devenir objet de commérages au sein de la bureaucratie fédérale et parvenir ainsi aux oreilles des médias. Mais curieusement, l'aspect le plus délicat de l'entente avec le syndicat touchait les salaires et les avantages auxquels les agents de Pilgrim avaient droit.

En sortant de leur réunion avec le représentant syndical, Frost et Bowman étaient incrédules. Le représentant avait été étonnamment docile. Il avait accepté leurs propositions, en ajoutant certaines conditions qui ne leur posaient pas de problèmes. L'entente stipulait que les agents affectés à New Delhi abandonneraient certains des avantages auxquels ils avaient droit. Le représentant syndical eut à signer une formule d'endoctrinement. Mais ni Frost ni Bowman ne posèrent jamais de questions pour savoir s'il en avait fait rapport à ses supérieurs. Ils avaient déjà décidé que la meilleure façon de procéder était de se croiser les doigts en espérant que le représentant syndical comprendrait la gravité de la situation.

Le deuxième problème majeur était la question des épouses. Frost et Bowman avaient vécu leurs mariages respectifs sans révéler leurs secrets à leurs compagnes. Ils avaient, non sans réticence, habitué leurs épouses à ne pas poser de questions et espéraient seulement qu'elles comprenaient. Mais cette fois-ci, c'était différent. Même si New Delhi n'était pas considéré comme un site dangereux, tous, dans le monde de l'espionnage, savent qu'on n'est qu'à un pas du désastre peu importe où on se trouve. Frost et Bowman avaient eu des consultations avec la NSA et le GCHQ sur cet épineux sujet. La politique américaine était de ne jamais dire quoi que ce soit aux épouses ou aux familles — pour leur propre protection disait-on. La théorie était fondée sur le principe que si jamais les membres de la famille tombaient aux mains de l'ennemi, ils pouvaient dire, et ce en toute vérité, ne rien savoir. Au cours des années, cependant, Frost en vint à croire que ce principe ne tenait pas debout. Dans un régime totalitaire, l'ignorance du travail réel du mari n'empêchait pas que sa femme ou ses enfants soient harcelés, torturés ou même assassinés lorsqu'un problème grave survenait. Le CST opta plutôt pour la méthode du GCHQ: révéler aux épouses autant de renseignements sur l'opération qu'on le jugeait nécessaire.

Après avoir fait mener des enquêtes de sécurité sur les épouses des nouveaux agents choisis pour New Delhi, celles-ci furent invitées à se rendre au CST. On les regroupa dans une salle de cours où Mike Frost leur expliqua dans quelle aventure elles et leurs maris s'embarquaient, de même que le genre de travail qu'avaient effectué leurs hommes au cours des dernières années. Les femmes restèrent bouche bée en entendant ces révélations incroyables sur ceux dont elles partageaient la vie. Elles furent renseignées sur les conditions qu'elles auraient à accepter. Au grand soulagement de Frost, aucune d'entre elles ne souleva d'objections majeures; en fait, elles endossèrent pleinement le projet. L'une d'entre elles, cependant, se plaignit un peu du fait que sa famille aurait à accepter des conditions qui convenaient mal au rang de son mari.

— Mon mari et moi avons travaillé fort pour en arriver là où nous sommes... Il est difficile pour moi d'accepter que durant deux ou trois ans, nous aurons à vivre dans des conditions inférieures à celles qui nous sont dues.

Frost répondit simplement:

— Ou bien vous acceptez, ou bien il n'y va pas.

Elle ne s'objecta pas plus longtemps. Les épouses des agents de Pilgrim durent ensuite signer des formulaires d'endoctrinement.

On dit que l'histoire se répète: l'un des principaux obstacles au règlement de ces problèmes provint des mandarins des Affaires extérieures. Cet obstacle, qui ne semblait vouloir jamais se régler, touchait le prétexte utilisé par les agents de Pilgrim. Lorsqu'ils étaient officiellement affectés à l'ambassade comme techniciens en communications, les agents faisaient partie du personnel de soutien. Tous, selon la hiérarchie bureaucratique, détenaient cependant le rang d'officier, ce qui signifiait qu'ils avaient droit, lorsqu'ils étaient en affectation diplomatique, à des voitures plus prestigieuses, à un meilleur logement et même à une meilleure éducation pour leurs enfants. Les gars du CST avaient beau tenter d'enfoncer dans la tête des gens du ministère que de donner à ces officiers des avantages qu'on refusait aux employés de soutien risquait de les faire repérer, ils ne voulaient rien entendre. Pourquoi? Parce qu'ils craignaient que si ces officiers acceptaient des conditions inférieures, leurs propres diplomates perdraient aussi leurs avantages... Cela peut paraître ridicule, stupide même. Mais ainsi va la vie à Ottawa. Frost et Bowman tinrent leur bout avec cette réponse devenue classique: «Si vous n'acceptez pas, nous n'y allons pas!» Ils n'en revenaient pas des maux de tête que leur causaient constamment les Affaires extérieures sur cette histoire de statut. Ils gagnèrent finalement la bataille, mais Frost est convaincu que ce problème entre les gens de Pilgrim et ceux des Affaires extérieures est toujours bien vivant aujourd'hui.

L'un des aspects les plus délicats du problème — qui impliquait toujours directement le syndicat — concernait le niveau des salaires et le versement de ceux-ci. Les agents du CST étaient beaucoup mieux rémunérés que de simples techniciens en communications, ce qui risquait de ne pas passer inaperçu. Selon les procédures habituelles, leur chèque de paye aurait dû leur être expédié directement, via le bureau du personnel du haut-commissariat de New Delhi. Mais si l'on procédait ainsi, le personnel régulier apprendrait très vite que ces nouveaux employés arrivés avec une tonne d'appareils électroniques et installant de drôles d'antennes sur le toit n'étaient pas ce qu'ils prétendaient être. Le représentant syndical insista cependant pour que les agents aient le choix: ou bien leur vrai salaire serait déposé intégralement dans un compte en banque au Canada, ou bien on le télégraphierait directement à une banque de la capitale indienne puisqu'ils y avaient droit.

Frost n'appréciait pas du tout la deuxième option, mais n'avait d'autre choix que de l'accepter. Après tout, les agents avaient droit à cet argent et on leur demandait déjà de faire suffisamment de sacrifices en les privant des autres avantages acquis au prix de plusieurs années de travail ardu. Le CST dut créer un poste de commis spécialement pour s'occuper de l'opération de New Delhi. Frost fut content d'apprendre qu'aucun des agents n'avait demandé que son salaire soit intégralement déposé dans une banque en

Inde. C'était un problème de moins. Les agents furent évidemment influencés dans leur décision en ce qu'on leur avait fait miroiter l'or au bout de l'arc-en-ciel — c'est-à-dire qu'ils auraient un joli magot les attendant à leur retour, d'autant plus joli que les taux d'intérêt étaient alors passablement élevés pour les comptes d'épargne au Canada. Ils recevraient également une compensation pour la différence entre le montant alloué pour les frais de séjour à un employé de soutien et celui qu'on alloue à un diplomate. Mike admet qu'il est toujours révolté aujourd'hui du fait que les Canadiens ne sachent rien des sacrifices endurés par les agents de Pilgrim et leurs familles. «Je pense que même le CST ne leur a jamais dit merci», précise-t-il.

Il se souvient d'avoir été particulièrement troublé par un message qu'il avait reçu d'un agent de New Delhi. L'homme se plaignait que ses enfants ne pouvaient utiliser la piscine du haut-commissariat aux mêmes heures que les enfants des diplomates. «Et on dénonce l'apartheid, de s'exclamer Frost. Ils ont peut-être changé la procédure maintenant, mais c'était ainsi quand Daisy a commencé.»

En somme, même si l'équipe de Pilgrim avait réussi à solutionner ses problèmes techniques et logistiques, plusieurs autres obstacles s'étaient dressés sur son passage. Ces obstacles, qui ne cessaient de tout compliquer, étaient dus à ce que l'équipe jugeait être les excentricités ridicules des gens des Affaires extérieures, qui pataugeaient dans le protocole. On dut former un sous-comité de Pilgrim seulement pour s'occuper des questions touchant Daisy — c'était le nom de code de l'opération. «La liste des problèmes n'en finissait plus, se souvient Frost. Nous en réglions dix et dix autres se présentaient... Mais nous les avons tous réglés au meilleur de notre compétence.»

Les dirigeants de «Pilgrim» voulaient quand même que leurs agents soient bien traités, puisque c'étaient eux qui porteraient le fardeau de l'opération. Les gens de la NSA et du GCHQ leur avaient répété l'importance de ne pas avoir d'agents mécontents en mission.

«Il vous faut des agents heureux et des épouses heureuses, sinon, vous aurez des problèmes, leur avait dit O'Brien. S'ils ne sont pas heureux, ils vont craquer. Parce qu'ils ne vivent pas cette double vie pendant seulement deux ou trois semaines, ils sont en poste pour deux ou trois ans.»

Frost et Bowman prétendirent tenir un concours pour les postes disponibles au sein du CST, tel que l'exigeaient les règlements gouvernementaux, mais ils avaient déjà choisi leurs agents auparavant. Tout ce qu'ils eurent à faire fut de définir si étroitement les critères d'embauche qu'une seule personne — celle qu'ils voulaient — pût décrocher l'emploi. Cela se fait ailleurs dans la bureaucratie, même si cette pratique est le comble de l'hypocrisie. Quand venait le moment de choisir des espions, ils ne pouvaient se permettre d'erreurs. L'un des agents choisis pour New Delhi dut se faire convaincre de quitter la Marine canadienne, où il était parvenu à une carrière honorable et fort confortable. Il faisait partie des agents qui avaient été affectés à Stephanie, en 1972. Frost et Bowman avaient décidé d'embaucher trois agents pour Daisy: les deux premiers se rendraient à New Delhi, l'autre resterait au Canada et agirait comme remplaçant en cas de besoin. Le deuxième agent sélectionné provenait du CST — même si comme plusieurs, c'était un ex-militaire — et le troisième aussi.

Frost et Bowman devaient maintenant composer avec le problème de la double — et parfois même triple — vie de leurs espions. Comment pouvaient-ils prendre des employés du CST et les faire disparaître de la «ferme», comme ça, tout simplement, pendant quelques années? Le CST conclut un accord avec les Affaires extérieures: ses espions seraient affectés à leur ministère pour une période de temps indéterminée. Aux employés réguliers du CST, on dirait que ces gens participaient à un programme-échange. Aux Affaires extérieures, cependant, la version officielle dirait qu'ils provenaient non du CST, mais de la Défense nationale. Frost est convaincu que les employés du CST sentaient que quelque chose se tramait, mais les gens de Pilgrim se devaient de garder le secret. Ils faisaient de leur mieux. Ils n'avaient pas de College Park. Lorsque les agents reviendraient au Canada après leur affectation, ils passeraient quelques mois de «réhabilitation» aux Affaires extérieures avant de réintégrer l'agence. Ils en profiteraient peut-être pour se débarrasser de leur bronzage de New Delhi, lequel aurait pu attirer l'attention. Frost commente: «On ne peut pas s'imaginer la pression qu'on mettait sur ces gens; il leur fallait raconter tellement de mensonges. Et pendant si longtemps!»

Les agents choisis pour la mission en Inde n'étaient pas les mêmes qu'on avait utilisés pour les «essais» jusque-là. Il avait fallu embaucher de nouveaux espions, car l'écoute diplomatique prenait de plus en plus de place parmi les opérations du CST. L'équipe de Pilgrim voulait continuer à chercher d'autres sites et avait besoin de gens expérimentés à Ottawa pour ce faire. Les nouveaux agents, qui commençaient pratiquement leur entraînement à zéro, furent formés par Frost. On n'exigea pas d'eux qu'ils apprennent la langue du pays; il y avait tellement de dialectes sikhs qu'on ne pouvait espérer préparer, dans les délais voulus, ces hommes pour le travail à accomplir tout en ajoutant cette compétence linguistique à leur formation. Du reste, l'anglais était souvent la langue de travail en Inde. L'équipe de Daisy se rendit à College Park pour y suivre un entraînement intensif de trois semaines. Ils passèrent également deux semaines à Fort Meade, au quartier général de la NSA, pour apprendre tout ce qu'on savait là-bas des activités terroristes sikhs.

Mais cette opération confronta Frost à un problème moral: était-il juste de ne pas avertir de l'opération les autres membres du personnel de l'ambassade quand la cible était une organisation terroriste dont on ne pouvait prévoir les agissements? Même en pareil cas, ni la NSA ni le GCHQ n'informaient leurs employés. Cependant, quand on est un diplomate américain ou britannique à l'étranger, il est permis de croire que, quelque part dans l'ambassade, quelqu'un fait du travail d'espionnage. Les Canadiens n'ont généralement pas le réflexe de penser que ce genre de choses peut se dérouler dans leur ambassade lorsqu'ils acceptent innocemment un poste à l'étranger.

«Moralement, je crois que c'est mal», commente Frost aujourd'hui. Mais encore une fois, ajoute-t-il, on est dans le monde de l'espionnage et il n'y a pas de code d'éthique là-dedans de toute façon.»

Frost s'est longuement interrogé sur ces pratiques, mais si c'était à refaire, il agirait de la même façon. L'importance de la mission était telle que la possibilité de terribles représailles de la part des Sikhs ne fit pas reculer le comité de Pilgrim.

Il y avait aussi la question de l'équipement. Le CST avait besoin d'un tout nouvel arsenal — y compris de la hutte pour les antennes, qu'on se proposait d'installer sur le toit du haut-commissariat canadien en Inde, et dont le prototype est toujours sur le toit du quartier général du CST aujourd'hui. En 1983, la hutte, dont les dimensions se comparent à celles d'une remise d'outils de jardin, coûtait approximativement 15 000 dollars. Elle devait être climatisée et générer son propre courant électrique, car elle contenait des rotors servant à diriger les antennes. La hutte abritait aussi des préamplificateurs et des multicoupleurs. Dans la chaleur torride de New Delhi, sans climatisation, ces appareils auraient brûlé leurs circuits en un rien de temps. Tout compte fait, cependant, les questions techniques s'avéraient passablement plus faciles à résoudre que les problèmes administratifs.

Selon la pratique établie, les pièces d'équipement furent d'abord expédiées graduellement aux Affaires extérieures. Curieusement, cependant, l'équipe de Pilgrim choisit ensuite de faire comme à Caracas et d'expédier le tout à New Delhi en une seule cargaison, dans des sacs diplomatiques. Ce qui soulève à nouveau la question de savoir si le gouvernement indien était ou non au courant des opérations. Deux messagers des Affaires extérieures accompagnèrent le chargement dans son long voyage de l'autre côté du globe. Les dirigeants de Pilgrim croyaient que c'était trop que de demander à un seul messager de surveiller la cargaison au cours d'une telle odyssée. Frost croyait en outre que d'agir aussi ouvertement cadrait bien avec leur prétexte. Il avait dit à Bowman: «Nous avons annoncé au gouvernement indien que nous allions améliorer nos communications. Si nous n'expédions rien là-bas, ils se demanderont ce qui se passe.» Mais ils dissimulèrent quand même le type d'appareils qu'ils envoyèrent. Autrement, l'usage qu'ils voulaient en faire aurait été évident. Oratory fut démonté et ses circuits les plus importants furent transportés à la main par les agents du CST, qui franchirent la frontière avec des passeports diplomatiques.

Le plus étonnant, quant à Frost, est qu'il leur fallut moins d'un an pour monter l'opération, depuis le jour où ils avaient obtenu de Gotlieb l'autorisation que l'équipement soit mis en marche au début de 1984. Ils avaient dû recruter et entraîner de nouveaux agents, acheter du nouvel équipement et, bien sûr, franchir la course à obstacles des Affaires extérieures. Enfin, un changement s'était produit à l'automne de 1984: les Canadiens élirent un gouvernement conservateur majoritaire. Mais ce changement ne modifia en rien leur projet.

«Du moment que nous avions obtenu le feu vert de Gotlieb, nous nous foutions royalement de qui formait le gouvernement, de dire Frost. Nous étions sur place et nous fonctionnions à plein régime. Il y avait beaucoup de pression des Affaires extérieures nous disant: "Allez-y et faites marcher cette affaire."»

■

Oratory fut à nouveau bourré d'une liste interminable de mots clés. Deux des cibles les plus importantes étaient un certain Dr Jagjit S. Chauhan et un dénommé Kuldip Singh Samra. Le premier pouvait être intercepté à New Delhi, le second était considéré comme l'un des principaux activistes sikhs au Canada. Si Frost se souvient plus spécialement de ces deux noms, c'est qu'Oratory ne cessait de cracher des renseignements sur eux. Dans le cas de Samra, ils interceptaient ses communications — de Toronto à l'Inde — ce qui fait dire à Frost qu'on espionnait un citoyen canadien. «Ce n'est pas l'endroit d'où vous effectuez l'écoute qui compte. Au jeu de l'espionnage, c'est le produit que vous obtenez qui compte. Lorsque vous êtes pris dans le feu de l'action, les résultats en viennent à compter beaucoup plus que l'éthique.»

Le Dr Chauhan se promenait fréquemment à travers le monde. Le CST traquait ses mouvements et refilait ses communications aux Affaires extérieures et à l'Immigration, tout en ne manquant pas d'en informer la NSA, qui elle pouvait intercepter des communications sikhs n'importe où dans le monde en appuyant sur un bouton quelconque d'Oratory.

Grâce à l'opération Daisy, le CST était au courant de plusieurs manœuvres prévues par les Sikhs. Une fois les mouvements d'un terroriste connus, on peut le surveiller, sinon l'empêcher de commettre un méfait. Pilgrim aura entre autres permis aux Canadiens d'être avertis de manifestations publiques avant qu'elles n'aient lieu. Il aura également fourni une liste de Sikhs qui cherchaient désespérément à être admis au Canada. À cette époque, le pays était inondé de demandes émanant de cette minorité religieuse, la plupart des demandeurs invoquant le statut de réfugiés politiques. Pilgrim ne pouvait pas pour autant fournir à la GRC ou à d'autres agences les plans spécifiques d'une attaque terroriste, par exemple. Des stratégies de ce genre se discutent rarement au téléphone. Mais comme le précise Frost, les déplacements des terroristes peuvent être tout aussi révélateurs qu'une conversation téléphonique. Les réseaux électroniques de réservation de billets d'avion sont par exemple une bonne source d'informations.

Tout cela ne put empêcher l'attentat terroriste le plus horrible que les Sikhs aient commis: le 23 juin 1985, un *Boeing 747* d'Air India avec 329 passagers et membres d'équipage à son bord explosa au cours d'un vol de Toronto à Londres, au-dessus de l'Atlantique Nord. Un groupe radical sikh revendiqua l'attentat qui ne laissa aucun survivant. Une deuxième bombe, placée celle-là à bord d'un jet à Vancouver, explosa à Tokyo, quelques minutes après que l'avion eut touché le sol; l'explosion avait coûté la vie à deux bagagistes. Près de 400 personnes, soit 374 passagers et 16 membres d'équipage, échappèrent à la mort par trente minutes.

Il est intéressant de noter qu'au cours de l'enquête qui suivit, en l'espace de quelques heures, la GRC avait en main une liste de suspects sous la rubrique des attaques à la bombe. Leurs noms faisaient tous partie des mots clés de l'opération Daisy. Des fuites permirent aux médias de décrire comment des terroristes sikhs étaient entraînés aux États-Unis. Ces renseignements provenaient de la NSA et de la CIA, via le CST. Quoiqu'à ce jour, aucun des suspects n'ait été condamné pour l'écrasement du *Boeing* d'Air India, la GRC et les autres agences gardent toujours le dossier ouvert, au cas où elles trouveraient les coupables sur leur territoire.

Deux ans plus tard, en 1987, six Sikhs vivant au Canada furent traduits devant les tribunaux et accusés d'avoir planifié une attaque terroriste. La cause fut rejetée par la Cour parce que la majeure partie de la preuve présentée par la GRC était fondée sur des enregistrements provenant d'écoute électronique, ce qui, d'après le tribunal, allait à l'encontre de la Charte des droits et libertés. Les six hommes vivaient alors à Hamilton, en Ontario. La Couronne tenta d'aller en appel deux ans plus tard mais, une fois de plus, la cause fut rejetée pour les mêmes raisons. La plupart des enregistrements ne provenaient sans doute pas de la GRC, mais bien du CST ou de la NSA. Comme il a été dit précédemment, dans les opérations d'espionnage, on n'identifie jamais la source des renseignements. Daisy fonctionnait alors pleinement depuis quatre ans et, selon Frost, se poursuit encore aujourd'hui.

En 1985, l'équipe de Pilgrim reçut une autre demande «spéciale» de la part des Affaires extérieures. Cette demande touchait plus précisément l'équipe de Daisy. Un représentant des Affaires extérieures avait dit à Frost, lors d'une réunion de l'équipe: «Le ministre aimerait savoir si vous pouvez vérifier des renseignements d'ordre économique... Il y a une compagnie canadienne qui cherche à obtenir un contrat de 2,5 milliards de dollars pour la construction d'un oléoduc en Inde, et nous aimerions en savoir le plus long possible sur ce qui se passe dans ce dossier.» Le secrétaire d'État aux Affaires extérieures était alors Joe Clark.

Frost se souvient aussi que l'équipe de Daisy intercepta un discours que devait prononcer un dignitaire étranger aux Nations Unies plusieurs jours avant que le texte de ce discours ne soit livré. «Je l'ai appris en prenant le lunch, quand quelqu'un de haut placé au CST m'a dit: "En passant, votre opération justifie l'argent qu'on y dépense. Nous venons tout juste d'obtenir la copie d'un discours qui doit être donné à l'ONU et dont personne ne connaît le contenu."» L'information fut expédiée en priorité à Ottawa et relayée au représentant du Canada à l'ONU, l'ex-NPD ontarien Stephen Lewis. Sa réplique au discours fut évidemment bien préparée, même si on ne lui avait jamais expliqué d'où provenait l'information.

Daisy produisit tellement de renseignements que le laboratoire d'analyse que Frost avait été chargé d'améliorer travaillait quatre heures par jour. Durant ces quatre heures, l'ordinateur analysait soixante-quatre heures d'écoute, couvrant plus de 200 canaux.

Daisy connut quelques accrocs mineurs. Certains enfants tombèrent malades et l'épouse d'un agent rentra au Canada. Un autre agent connut des difficultés financières et fut rappelé au Canada. Le CST préféra agir ainsi, plutôt que de lui verser, par le truchement d'une banque indienne, la somme qu'il avait accumulée au Canada (celle qui compensait la diminution de salaire qu'avait exigée l'opération).

«Bowman et moi savions qu'il avait droit à son argent, commente Frost, mais nous craignions que de faire parvenir un chèque important à New Delhi aurait pu le trahir... Nous avons plutôt choisi de mettre fin à son affectation. J'aime à croire qu'il était content de la décision, puisqu'elle régla ses problèmes financiers.»

Cette anecdote illustre bien comment, dans le monde de l'espionnage, des problèmes d'ordre quotidien peuvent prendre des proportions énormes, car lorsqu'ils se produisent, c'est toute la machine qui doit réagir pour les résoudre. Et les risque d'ennuis sont d'autant plus grands que les agents sont en poste de deux à trois ans, vivant sous une identité qui les condamne, eux et leur famille, à un standard de vie inférieur à celui auquel ils sont habitués.

«Ils étaient heureux de faire leur travail, précise Frost, mais ils étaient constamment stressés... À l'ambassade, vous devez à la fois vous comporter comme un employé de soutien et gagner votre salaire comme agent du CST. Votre objectif premier est de bien combiner les deux. Il faut vous souvenir quel rôle vous jouez. Si vous êtes censé être un expert en communications, vous devez être en mesure de parler du sujet avec les collègues d'autres ambassades que vous pourriez rencontrer à un cocktail, par exemple. À travers tout ça, vous devez faire de l'interception. Enfin, il faut toujours se rappeler à qui on a menti et quel était le mensonge. Vous soupçonnez tout le monde. Il est difficile de se faire des amis parce que vous ne faites confiance à personne. Vous vous posez toujours les questions: Pourquoi sont-ils aussi aimables? Pourquoi me posent-ils ces questions? Ce n'est pas facile. Vous devez toujours rester sur vos gardes.»

C'est pourquoi Frost croit que l'une des meilleures décisions prises dans le cadre de Daisy fut d'inclure les épouses dans le coup. Il admet qu'il enviait un peu ses agents puisque lui n'avait jamais pu partager quoi que ce soit avec sa femme Carole.

«Parfois, il m'arrivait de vouloir vraiment lui parler de mes succès et de lui dire des choses qu'un mari normal dit à sa femme: "J'ai eu une bonne journée aujourd'hui!" D'autres fois, j'aurais aimé partager mes échecs, mes déceptions avec elle. Mais on me défendait de le faire… Oui, il y a eu des moments où j'enviais ces agents qui pouvaient s'étendre dans leur lit, le soir, actionner le ventilateur du plafond (au cas où il y aurait eu des micros) et discuter de leur journée avec leur femme.»

Une partie de l'entraînement régulier des diplomates affectés à l'étranger consiste à apprendre à converser en sécurité à la maison. Essentiellement, il faut s'assurer que le téléviseur, le ventilateur ou le climatiseur soit en marche et il faut parler à voix basse. Les agents de Pilgrim n'avaient pas reçu l'ordre de ne pas discuter de leur travail avec leurs femmes car Frost et Bowman croyaient que c'était irréaliste et déraisonnable. Mais ils furent renseignés sur les moyens à prendre pour protéger leurs conversations, tels que faire jouer des cassettes qui donnent l'impression qu'on donne un cocktail à la maison. «Ces cassettes sont tout simplement insupportables à écouter, de dire Frost. Des heures et des heures de bruits de fond. Des gens qui jacassent tous en même temps, des chaînes de toilettes tirées, des verres qui se cognent… Vraiment, c'est insupportable.»

Les dirigeants de Daisy furent confrontés à un problème jusque-là sans précédent: le haut-commissaire. Non pas que l'homme fût opposé à la mission. C'était plutôt le contraire. Passionné d'espionnage, il était tellement enthousiasmé par le projet qu'il passait son temps à se rendre à la pièce où opéraient les hommes de Pilgrim et leur demandait: «Qu'est-ce que vous nous avez trouvé aujourd'hui, les gars?» En fait, il devint si envahissant que le CST dut intervenir pour lui faire savoir qu'agir de la sorte était le meilleur moyen de brûler ses agents. Les hauts-commissaires et les ambassadeurs ne visitent pas tous les jours des centres de communications. Mais ils ne sont ni habitués ni très amusés de se faire dire ce qu'ils peuvent ou ne peuvent pas faire dans leur ambassade — ce qui donne une idée du pouvoir qu'avait acquis le CST, et particulièrement l'équipe de Pilgrim, depuis les jours de Stephanie.

■

Après Daisy, vers le début de l'été 1987, le CST reçut l'autorisation de maintenir le programme de missions d'essais, sans limite quant au nombre de sites d'écoute. L'agence obtint aussi le feu vert pour créer d'autres postes permanents, encore une fois sans qu'on n'impose de limite sur le nombre. Si le CST pouvait prouver qu'il avait besoin de personnel et qu'il était en mesure de respecter les normes de sécurité requises, il pouvait aller de l'avant.

Pilgrim semblait maintenant avoir un budget illimité et venait de se faire donner un cadeau comparable à celui de la fable de *Jacques et le haricot magique*. L'opération exigeait de plus en plus de ressources humaines et financières. Après toutes les déceptions, les maux de tête, les erreurs, l'argent dépensé, les renseignements inutiles, Pilgrim était devenu, au milieu des années 1980, l'opération d'espionnage électronique la plus réussie qu'ait jamais effectuée le Canada.

Le succès de New Delhi contribua aussi à changer l'attitude des agents de Pilgrim: ils ne se voyaient plus comme les serviteurs de la NSA. Ils pouvaient tenir leur bout face aux meilleurs agents américains et britanniques. Le CST commença à dire à la NSA ce qu'il avait l'intention de faire plutôt que de lui demander continuellement son avis. «S'ils étaient contents, tant mieux; sinon, tant pis!» relate Frost.

Les Américains faisaient toujours pression sur les Canadiens pour qu'ils aillent à Beijing. Mais Beijing ne figurait pas très haut sur la liste de priorités du CST pour le moment, et les risques relatifs à une opération là-bas étaient toujours considérés comme très grands. Les gens de Pilgrim ne croyaient plus avoir à répondre sur demande aux ordres des Américains. Aussi gardaient-ils pour eux des renseignements qu'ils estimaient plus profitables pour le Canada. Par exemple, ils ne partagèrent aucune de leurs interceptions «économiques», sachant fort bien que les Américains ne partageaient pas les leurs non plus.

Frost avait la conviction que l'équipe de Pilgrim avait réussi à créer une opération qui était un savant mélange de l'approche du GCHQ et de l'attitude «bulldozer» de la NSA. Si Pilgrim s'était avéré être un échec, le CST aurait été coupé des renseignements provenant d'agences étrangères et livré à son rôle «officiel» et plutôt inoffensif de réseau d'interception. Le contre-espionnage au Canada et ses postes d'écoute au bord des deux océans qui jalonnent le pays seraient devenus ses seuls sujets de préoccupation.

Nous verrons plus loin que les essais se poursuivent encore aujourd'hui. Mais prenons un peu de recul par rapport à Pilgrim pour jeter un regard sur le «jeu» de l'espionnage et son développement dans le monde moderne. Mike Frost avait ses entrées particulières qui lui permirent de voir surtout comment les Américains opéraient.

Chapitre IX

AH, CES YANKEES!

Mike Frost avait toujours été intrigué par ce qu'il croyait être la «collection de trophées» de Patrick O'Brien. L'étalage était monté derrière le bureau de O'Brien et, même si Frost s'était souvent posé des questions sur les choses qu'il y voyait, il n'avait jamais osé interroger directement Patrick.

Mais il était devenu une figure si familière à College Park que O'Brien et lui étaient pratiquement devenus des amis, c'est-à-dire aussi amis que leur métier d'espion le permettait, ce qui ne correspond pas nécessairement aux amitiés habituelles.

Deux trophées avaient particulièrement attiré l'attention de Frost. Le premier était un pigeon empaillé. Pourquoi un agent spécial de la NSA garderait-il la «momie» d'un oiseau comme s'il était aussi précieux qu'une relique de Toutânkhamon? Ce n'était pas un majestueux aigle d'Amérique ou un squelette de ptérodactyle, mais bien un simple pigeon. Lors d'une de ses visites à College Park, il y eut une pause dans la conversation et Frost ne put retenir sa curiosité plus longtemps.

— Patrick, veux-tu bien me dire ce que ce pigeon empaillé fait dans ta bibliothèque?

— Oh! Il y a toute une histoire derrière ce pigeon.

— J'aimerais bien l'entendre, figure-toi.

Frost s'attendait un peu à recevoir un regard glacial lui signifiant qu'il ne devait pas poser ce genre de questions. Mais O'Brien afficha plutôt un large sourire et se mit à raconter un événement qui indique bien jusqu'où les Américains étaient prêts à aller.

— Eh bien, commença O'Brien, il y avait cette «cible» que nous ne pouvions atteindre. Nous étions incapables de nous en rapprocher suffisamment pour faire de l'écoute.

O'Brien se tut.

— Ah! Tout de même, Patrick, tu ne peux pas piquer ma curiosité de la sorte et ne pas m'en dire plus long!

O'Brien sourit de nouveau.

— Il s'agissait de l'ambassade de l'URSS, ici même, aux États-Unis. C'est un site insulaire entouré d'une clôture avec un périmètre trop grand pour nous permettre de faire de l'écoute. Il y avait un bureau en particulier, à l'étage supérieur, que nous voulions désespérément viser. Et même avec tout notre merveilleux équipement, il semblait impossible de le faire. Nous allions en reconnaissance. Nous prenions des photos. Nous l'avons examiné je ne sais combien de fois... Un jour, alors que nous jetions un coup d'œil sur les photos de la fenêtre du bureau, un de nos hommes remarqua qu'il y avait des pigeons sur le rebord. Nous avons examiné d'autres photos, et les pigeons y étaient toujours. Nous nous sommes dit qu'ils devaient avoir fait leur nid dans la corniche. C'est là qu'un de nos ingénieurs eut une brillante idée en suggérant de mettre un micro dans un pigeon. D'abord, nous avons tous ri de bon cœur. Mais plus on y pensait, plus on se disait que l'idée n'était pas si bête, après tout.

Les agents de la NSA reçurent l'ordre d'attraper les pigeons en les attirant dans une cage avec des graines de maïs. Ils en capturèrent trois qui, croyaient-ils, visitaient régulièrement le rebord des fenêtres de l'ambassade soviétique. Un minuscule micro fut inséré dans la poitrine des pigeons alors qu'ils étaient sous anesthésie; les micros étaient reliés à une petite antenne qui longeait l'intérieur de leur aile. Une fois qu'ils reprirent leurs sens, les oiseaux furent remis en liberté près de l'ambassade de l'URSS dans l'espoir qu'ils retourneraient au rebord de la même fenêtre.

— C'était l'été, poursuivit O'Brien. La fenêtre était ouverte la plupart du temps. Nous avons obtenu d'excellents résultats de cette opération. Nous pouvions entendre presque tout ce qui se disait à l'intérieur.

— Oh! Tout de même, Patrick, tu me fais marcher!

— Non, je suis absolument sérieux. Une fois l'opération terminée, nous avons capturé les pigeons pour leur enlever les micros et j'ai décidé d'en faire empailler un en souvenir.

O'Brien invita son collègue canadien à examiner l'oiseau de plus près. Une fois empaillé, on avait remis le microphone et l'antenne là où on les avait placés pour l'opération afin de conserver toute sa signification à ce que la NSA considérait comme l'un de ses coups les plus imaginatifs. Frost pouvait très bien voir le petit appareil électronique avec ses circuits intégrés, de même que l'antenne placée sous l'aile du pigeon. Au début, il était sûr que O'Brien se moquait de lui, mais maintenant qu'il voyait de ses yeux les pièces électroniques insérées dans le pigeon empaillé, il était convaincu qu'il s'agissait d'une histoire vraie. Sinon pour quelle autre raison l'un des plus importants espions de la NSA aurait-il cet oiseau comme trophée?

Frost était sidéré de voir jusqu'où les Américains étaient prêts à aller pour obtenir ce qu'ils voulaient. Leur stratégie était toujours la même: si vous observez assez longuement, vous trouverez un trou dans le filet de l'ennemi où vous pourrez vous glisser. Vous prenez des photos, des photos et encore des photos. Vous envoyez vos satellites — leurs «pigeons» de l'espace — au-dessus du site pour prendre d'autres photos. Puis, vous vous assoyez autour d'une table et vous examinez le tout en groupe jusqu'à ce que quelqu'un trouve un plan d'action.

Dans ce cas-ci, les gens de la NSA avaient eu une idée brillante. Il avait fallu transformer un pigeon en appareil électronique, et ils l'avaient fait.

Fasciné par cette première histoire, Frost poursuivit sur sa lancée et demanda à O'Brien de lui expliquer la présence d'un autre trophée étrange, une branche d'arbre à laquelle l'homme de la NSA semblait tenir autant qu'à son pigeon.

— Qu'est-ce que ce bout de bois? demanda Frost en pointant la longue branche.

— Ce n'est pas un bout de bois, répondit fièrement O'Brien. C'est en fibre de verre.

Il la sortit de l'étagère et la remit à Frost. C'était une réplique en fibre de verre d'une branche d'arbre brisée, bien ordinaire, d'environ 5 centimètres de diamètre. Mais à l'intérieur, comme pour le pigeon, il y avait des fils et des circuits intégrés.

— Pourquoi vous êtes-vous servis de ça? demanda Frost, médusé.

— Eh bien, nous ne pouvions nous rapprocher suffisamment de l'ambassade chinoise à Washington. Eux aussi avaient une grosse clôture entourant l'édifice.

Nous avons tenté d'y mettre un microphone mais sans succès...

— Pourquoi diable avez-vous utilisé cette branche?

— Même procédure. Nous avons pris des photos. Nous avons surveillé l'ambassade jour après jour. Nous avons finalement remarqué que l'ambassadeur, qui pensait de toute évidence que nous écoutions ce qui se disait dans son bureau, sortait tous les matins pour s'asseoir sur l'un des bancs du jardin où il entretenait de longues conversations avec son personnel ou de hauts dignitaires en visite. Nous avons remarqué qu'il y avait un arbre tout près du banc. Notre première idée a été de mettre un micro dans l'arbre. Mais cela aurait été trop risqué. Nous ne pouvions nous rapprocher suffisamment pour le faire. Une fois de plus, un de nos ingénieurs avait eu l'idée de fabriquer une branche d'arbre avec un microphone intégré et de la laisser tomber des airs près du banc préféré de l'ambassadeur.

— Tu veux dire que vous avez foutu une branche dans leur jardin? demanda Frost, incrédule.

— On a attendu qu'il y ait une bonne tempête de vent... Après la tempête, presto, notre branche était là, à côté du banc.

O'Brien n'expliqua jamais comment la NSA parvint à déposer la branche à cet endroit. L'explication la plus logique est qu'ils l'auraient laissé tomber d'un hélicoptère semblable à un hélicoptère civil. Et puis, sait-on jamais, peut-être avaient-ils envoyé un commando au-dessus du mur au milieu de la nuit.

— Non seulement l'avons-nous placée là, mais ça a marché! renchérit O'Brien. Elle resta là pendant un bon bout de temps jusqu'à ce qu'un jardinier vienne la ramasser pour la mettre aux poubelles... Nous en avons tout simplement laissé tomber une autre et puis encore une autre; nous le faisions chaque fois que c'était nécessaire.

La fausse branche dans le bureau de O'Brien avait en fait été repêchée des ordures ménagères de l'ambassade chinoise. Elle était si bien faite, que personne n'aurait pu savoir qu'il s'agissait d'autre chose. Si on l'avait brisée, elle aurait craqué. Il fallait la démonter pour trouver les circuits — et, pour ce faire, être très soupçonneux au départ.

O'Brien avait d'autres objets intéressants sur son étagère. Il y avait du cristal, des tasses, des roses de porcelaine *Royal Doulton*, des bouquets de fleurs séchées et même un petit totem. Tous ces objets étaient munis de microphones et avaient servi à faire de l'écoute dans les bureaux de gens à qui la NSA voulait soutirer des renseignements, ou même comme cadeaux à des dignitaires étrangers. L'un d'eux était plutôt hors de l'ordinaire, pour ne pas dire de mauvais goût, selon Frost. C'était une icône de la Vierge Marie tenant Jésus bébé dans ses bras, peinte sur une plaque de bois de 3 centimètres d'épaisseur. L'intérieur de la plaque était rempli de circuits intégrés. Le «jeu» était rendu passablement tordu quand on en était au point d'associer la Vierge Marie à une opération d'espionnage. Combien de ces cadeaux furent remis à des visiteurs étrangers par les Américains? «C'est bien leur genre de merde, aux Américains, raconte Frost. Non seulement ils le font, mais ils s'en vantent!»

Le CST, malgré tous ses secrets, n'avait pas encore atteint ce niveau. Quant aux Britanniques, Frost croit que s'ils commirent de telles extravagances pour obtenir leurs renseignements, aucun de leurs principaux agents n'exposerait de la sorte ses trophées.

Frost prit cependant bonne note de l'existence de ces faux présents. À Bucarest, l'ambassadeur canadien lui avait donné un tableau. Il l'avait lui-même reçu en cadeau d'un membre du gouvernement Ceauşescu, mais Peter Roberts n'y tenait pas particulièrement, alors que Frost l'aimait bien. «Tiens, c'est pour toi», lui avait dit l'ambassadeur. À son retour au Canada, Frost fit mention du tableau au chef de la sécurité, Victor Szakowski, qui l'avait immédiatement vérifié. C'était un simple tableau.

Tous les *gadgets* de cette collection de trophées provenaient directement de College Park. Ils ne les produisaient pas en série. Chacun était fabriqué pour une cible particulière et les micros cessaient de fonctionner après un certain temps. Plus ils étaient petits, plus ils étaient faciles à dissimuler à l'intérieur de l'objet choisi. S'il y avait moyen d'insérer un micro de telle sorte que, même si l'objet devait se briser, on ne le découvrirait jamais, les Américains trouvaient une façon de le faire. Comme le dit Frost, «les histoires du pigeon et de la branche sont arrivées il y a dix ans... On peut à peine s'imaginer où ils en sont rendus aujourd'hui.» Les agents de la NSA et de la CIA se réunissaient avec leurs ingénieurs afin de trouver la meilleure méthode à utiliser. Si quelqu'un aimait les icônes, ils faisaient une icône; s'ils aimaient la porcelaine, ils truqueraient une rose *Doulton*; s'ils visaient des Chinois, on balancerait une branche dans leur jardin — et pas une branche d'olivier.

Après leurs conversations, Frost et O'Brien se rendaient souvent chez *Henkel's*, à environ dix minutes de là, un des restaurants préférés des employés de la NSA. Beaucoup de renseignements secrets étaient échangés chez *Henkel's*, autour d'énormes et célèbres sandwichs au jambon ou à la dinde, accompagnés d'une bière en fût. Ce genre d'imprudence était plutôt inhabituel pour la NSA mais comme le souligne Frost, «tous les clients de ce restaurant avaient des chaînes autour du cou: ils avaient tout simplement glissé leur carte d'identité de la NSA dans leur poche de chemise. Je n'y ai jamais vu personne d'autre que des gens de la NSA.»

■

En dépit de leur arrogance, Frost enviait les Américains. Ils avaient des ressources apparemment inépuisables en termes d'argent et d'équipement. Il enviait leur enthousiasme face au travail qu'ils accomplissaient pour leur pays.

«Vous ne verrez jamais un employé du CST rentrer au travail à cinq heures du matin et rester là jusqu'à neuf heures du soir, ou parfois même dormir dans son bureau, relate Frost. Mais à la NSA, ils étaient totalement rompus à leur travail. On voyait ce genre de choses tous les jours. Et particulièrement à College Park. Même les gens les plus haut placés travaillaient sans compter les heures. J'avais beaucoup d'admiration pour ça.»

Frost se souvient tout particulièrement d'un couple qui travaillait en équipe pour la NSA. Parfois, ils étaient affectés ensemble, parfois dans des missions distinctes. Ils étaient tous les deux totalement absorbés par leur métier.

College Park est un endroit extrêmement fascinant, rapporte Frost. Premièrement, parce qu'à moins qu'on ne vous y conduise, vous ne pourrez jamais deviner qu'il s'agit là du centre des technologies de l'espionnage le plus important des États-Unis, peut-être du monde entier. C'est très différent du quartier général de la NSA, qui affiche encore aujourd'hui son emplacement sur les panneaux de l'autoroute avoisinante. College Park a en fait l'air d'un simple petit centre commercial de banlieue, lorsqu'on le voit pour la première fois. Il est situé dans un endroit relativement peu peuplé du district fédéral de Columbia, pas tellement loin de Laurel, au Maryland, où Frost logeait toujours quand il se rendait à la NSA.

La première fois que Mike Frost se rendit aux installations secrètes de la NSA et de la CIA, il y entra en traversant un restaurant du «centre commercial». «Nous avons traversé le restaurant et nous sommes entrés par une porte à l'arrière», explique-t-il. La deuxième fois, il y pénétra en passant par l'arrière-boutique d'un nettoyeur. En d'autres mots, non seulement les Américains avaient-ils camouflé leurs installations d'espionnage derrière un vrai centre commercial, mais les commerces leur appartenaient et les employés étaient des membres de leur personnel.

Il était impossible de pénétrer dans College Park, particulièrement pour un visiteur étranger, si on ne savait pas exactement qui vous étiez. Il fallait y être conduit par un agent de la NSA ou de la CIA. Ce qui étonna le plus Frost était la qualité du camouflage. Même un œil entraîné comme le sien n'aurait jamais pu deviner son existence; il ne voyait aucune antenne, aucun dôme, rien qui puisse trahir son emplacement. «Je suis sûr que les gens qui vivaient dans le coin ne savaient absolument pas ce qui se passait dans leur propre cour», commente-t-il.

Une fois sur les lieux, on se sentait obnubilé par le poids et l'importance de cet endroit qui semblait être le véritable centre de pouvoir de l'univers des services de renseignements. La personne qui dirigeait College Park avait une influence énorme. L'un des téléphones sur son bureau était en ligne directe avec la Maison-Blanche. À l'autre bout, le téléphone sonnait dans le bureau du chef de cabinet du président — pas un échelon plus bas —, quand l'appel n'allait pas au Grand Chef lui-même. Patrick O'Brien, même s'il faisait la navette entre le quartier général de Fort Meade et la véritable base de ses opérations, était en quelque sorte plus puissant que le directeur de la NSA lui-même; lorsqu'il voulait que quelque chose soit fait, il n'avait pas à se perdre dans les dédales de la bureaucratie comme combien d'autres agents de la NSA. C'était pareil pour le successeur de O'Brien, James Clark, de la CIA. La direction de College Park alternait tous les quatre ans entre les deux agences. Le simple fait que la NSA et la CIA aient accepté ainsi de partager la direction, l'équipement et les ressources humaines au sein d'une même installation, donne une idée du pouvoir réel de ce «centre d'achats de banlieue». En fait, c'est peut-être ce qui assure le succès du contre-espionnage et des opérations clandestines des Américains; sinon, les deux gigantesques agences seraient constamment à couteaux tirés dans des batailles de juridiction.

La meilleure description que Frost peut donner de College Park est celle d'un «désordre organisé». «On n'y retrouve pas le climat de sanatorium qu'on s'attendrait à trouver dans une installation top secrète. Des fils et des ordinateurs traînent un peu partout, de même que toutes sortes de cocasseries électroniques. Des gens se promènent en habits trois-pièces, d'autres en jeans et T-shirts. On sentait que c'était là que les choses se faisaient. On n'était pas fort sur le protocole, mais il y avait beaucoup d'action.»

C'est un endroit physiquement difficile à décrire pour Frost, car ses entrailles sont un véritable labyrinthe de corridors et de pièces. À la porte de plusieurs de ces pièces, on trouve une affiche interdisant à quiconque d'entrer. «C'est un endroit tout simplement fantastique, comportant une série de départements au sein desquels des équipes travaillent tous indépendamment sur divers projets ayant à voir avec l'écoute électronique.» Aucune des affiches sur les portes ne donne d'indice sur ce qui se trame derrière. Il est impossible de déterminer combien de personnes y travaillent. Contrairement à Fort Meade, College Park n'a pas de gigantesque parc de stationnement indiquant que la population d'une petite ville œuvre à l'intérieur. Et les visages que Frost a croisés à College Park, à l'exception de ses directeurs, semblaient changer souvent. Plusieurs employés font la navette entre les installations de College Park et les quartiers généraux de la NSA ou de la CIA. Plusieurs sont des agents qui vont et viennent continuellement.

Frost sentait le pouvoir de College Park. Et Patrick O'Brien le confortait dans ce sentiment: «Mike, si tu as besoin d'une pièce d'équipement, si tu dois affecter tes agents à un endroit particulier, si tu as quelque besoin spécifique que ce soit, nous pouvons t'aider.» Comme nous l'avons déjà vu, O'Brien pouvait se permettre de dire aux gars du CST qu'il «bougerait les oiseaux» pour les aider à monter leurs opérations et il avait eu l'occasion de livrer la marchandise. College Park fournissait, entre autres, autant d'appareils Oratory au CST qu'il en avait besoin. Si Frost avait traité avec le quartier général de Fort Meade, il aurait été confronté à une attitude beaucoup plus bureaucratique. College Park et ses dirigeants avaient précisément l'attitude contraire. Patrick prenait la décision et les choses se faisaient. Frost avait l'impression qu'à peu près n'importe quoi pouvait être accompli de son bureau; on n'avait qu'à le demander. Après tout, c'est de là qu'émanaient les directives données aux satellites espions américains. Le contrôle physique des appareils orbitaux se faisait probablement à Houston, mais le choix des cibles n'a jamais cessé d'appartenir à College Park.

Les deux agences américaines possèdent chacune leur propre satellite, connus sous le nom de code de

Talent (CIA) et *Keyhole* (NSA). Ils sont en orbite stationnaire au-dessus de l'équateur, mais peuvent être déplacés rapidement à n'importe quel moment et dans toutes les directions lorsque cela est nécessaire. Ces satellites ne sont pas des jouets; ils ont à peu près la taille d'un demi-terrain de football. Ils sont équipés d'appareils d'écoute très sensibles et de super caméras capables de prendre des photos remarquablement détaillées. Leur longévité est d'environ six mois et ils doivent donc être remplacés régulièrement. Frost jure qu'ils sont aussi précis et efficaces qu'ont pu le rapporter les médias ces dernières années. Le fait que la NSA permette au Canada d'utiliser librement ces satellites démontre bien l'insistance des Américains à entraîner le CST dans l'espionnage international. Qu'on pense par exemple aux coûts impliqués chaque fois qu'on bouge un de ces satellites: on brûle une quantité monstre de carburant et on réduit considérablement sa longévité.

College Park a sa propre agence de voyages, un budget illimité — une chose qui impressionna fortement Mike Frost — et beaucoup d'argent en devises étrangères sur place, dans une banque spéciale de l'édifice. Que les agents aient besoin de francs, de marks ou de roubles, ils trouvent toujours ce qu'ils cherchent à cette banque, qui garde également — cela va de soi — beaucoup de dollars américains dans ses coffres.

College Park est aussi, comme nous l'avons mentionné plus haut, un centre important de tests et d'ingénierie pour l'équipement destiné à l'espionnage. Au cours des années 1980, ils expérimentaient un système d'identification digitale, une invention qui semble sortie directement d'un épisode de *Star Trek*. Au lieu d'utiliser la bande magnétique à l'arrière des cartes d'identité pour avoir accès aux endroits prohibés, les ingénieurs de College Park avaient développé un appareil qui pouvait lire les empreintes digitales. Le demandeur d'accès posait sa main sur ce qui ressemblait à une plaque radiographique et les empreintes étaient analysées par comparaison. Si elles ne concordaient pas avec la version contenue dans la mémoire de l'ordinateur, la porte restait fermée. Bien qu'encore au stade expérimental, ce dispositif fonctionnait déjà, soutient Frost.

«Ils étaient très fiers de ça, dit-il. Et c'était il y a dix ans! Ils sont probablement passés à l'empreinte vocale depuis. Ils doivent littéralement parler à leurs ordinateurs.» Les Américains sont capables d'identifier les gens par leur voix et leur façon de parler, pour fins d'interception, depuis la fin des années 1970 et ils n'ont cessé d'améliorer cette technique. Étant donné qu'ils sont familiers depuis longtemps avec la reconnaissance de la voix et qu'ils ont, dans les années 1980, trouvé le moyen d'ouvrir des portes à partir des empreintes digitales, il n'est pas farfelu de croire que les ingénieurs de College Park aient pu développer depuis une façon de faire la même chose à partir de la voix. N'est-ce pas que ça ressemble à *Star Trek*? Sauf que le futur est déjà avec nous.

Finalement, il y avait la *live room*, si cruciale à la préparation des agents de Pilgrim. Selon Frost, il n'y avait qu'une pièce du genre à College Park. La salle mesurait environ 10 mètres carrés et était remplie de toutes sortes d'appareils utilisés par les agents de la NSA et de la CIA à travers le monde. C'était le lieu d'entraînement pour les agents de l'interception clandestine. Si la NSA avait un appareil d'un certain type à Moscou et un autre d'un type différent à Bucarest, les deux se trouvaient dans cette pièce.

Un autre avantage de College Park est que l'édifice est situé sous l'espace aérien protégé qui couvre le périmètre de la Maison-Blanche, espace à l'intérieur duquel aucun aéronef n'est autorisé à s'aventurer. Selon Frost, il s'agit probablement de la principale raison du choix de ce site.

■

Un jour qu'il était à College Park, juste avant que ne commence l'opération Daisy, O'Brien avait une autre surprise pour Frost. Sans lui en avoir jamais parlé auparavant, l'homme de la NSA lui demanda:

— Aimerais-tu voir comment la CIA fait son entraînement?

Frost venait tout juste d'annoncer à O'Brien qu'il avait été chargé d'entraîner des agents qui seraient envoyés en mission pour trois ans.

— La CIA entraîne ses agents dans différents domaines, enchaîna O'Brien. Aimerais-tu visiter leur école et voir si tu pourrais y apprendre quelque chose?

Est-ce qu'on demande à un cheval s'il veut de l'avoine? Frost essaya de restreindre son enthousiasme.

— Eh bien, si tu penses que ce serait bénéfique...

— Je ne sais pas, hésita O'Brien. En fait, je ne sais même pas si je peux m'arranger pour qu'ils te laissent y aller. Ils ont une politique très stricte envers tous les étrangers. Mais... disons que j'en suis capable. Voudrais-tu y aller?

— Bien sûr. J'adorerais ça.

Deux ou trois semaines plus tard, Frost reçut un appel à Ottawa de Peter Vaughn, qui avait alors remplacé Stew Woolner comme officier de liaison canadien à la NSA (CANSLO).

— Patrick dit qu'il peut te faire entrer à l'école de la CIA en Virginie. Il dit que je devrais peut-être aller faire une visite avant toi... As-tu une objection?

— Vas-y, mon gars!

Vaughn fit une visite de courtoisie à l'école secrète de la CIA, et fut ainsi le premier Canadien à avoir été admis sur les lieux. Son passage se limita à une courte conversation et à une tournée fort générale avec l'officier qui commandait la base.

Le voyage de Frost eut lieu au printemps de 1983. Il se rendit à Washington et, une fois de plus, logea à Laurel, au Maryland, parce qu'un bon espion ne doit rien changer à ses méthodes habituelles de travail. On ne sait jamais ce qui nous guette. Le jour suivant, il fut cueilli à son hôtel par un chauffeur de la CIA. Ils traversèrent le fleuve Potomac en direction de la Virginie. Frost n'avait aucune idée où il allait car personne ne lui avait clairement dit où se trouvait cette école.

C'était à environ deux heures de voiture de Laurel. L'école était située au milieu de nulle part, dans la campagne, entourée de champs, de fermes et de manoirs grandioses au style «plantations du Sud», à bonne distance les uns des autres. Il y avait beaucoup de murs de pierre et de grosses clôtures. Lorsqu'ils s'arrêtèrent devant une barrière en fer forgé, tout ce que Frost put voir ressemblait, somme toute, à une maison privée, certes immense, mais à une maison privée qui cadrait parfaitement avec le reste.

Le chauffeur marmonna quelque chose dans un microphone à l'entrée et les portes de la barrière s'ouvrirent automatiquement. Ils remontèrent un chemin étroit et sinueux vers le haut d'une colline. Il y avait bien quelques feuilles aux arbres, mais pas suffisamment pour que Frost ne voit pas, en regardant bien, que presque tous les arbres contenaient une caméra de surveillance. Il ne remarqua rien d'autre, avant d'atteindre le sommet de la colline. La majestueuse maison qui s'y trouvait ressemblait à toutes les autres qu'il avait aperçues le long de la route. En approchant de la maison, toutefois, sur l'autre flanc de la colline, il aperçut plusieurs «granges», de même que d'autres édifices d'entreposage et une grosse bâtisse en blocs de ciment, entourée d'une clôture de barbelés. Il y avait quelques autos, garées ça et là, et quelques personnes déambulaient sur les lieux avec un chien. «Je ne pouvais croire que c'était une base de la CIA. Ça n'avait pas l'air d'une ferme non plus, mais d'un autre côté, on pouvait toujours faire croire que ça l'était.»

Les installations visitées par Frost faisaient probablement partie du camp Peary de la CIA, situé près de Williamsburg.

Il était venu afin de déterminer si leurs méthodes pouvaient être utilisées pour entraîner ses propres agents de Daisy, et afin de visiter ce qu'ils appelaient leur «école de charme». C'était une salle de cours où les agents Américains étaient entraînés à apprendre comment se comporter dans un cocktail d'ambassade. On leur enseignait par exemple la manière de faire dire des choses à des gens sans qu'ils ne se rendent compte qu'ils fournissaient en fait des renseignements importants. «Ils vous enseignent comment vous tenir à table, comment tenir votre fourchette ou votre couteau correctement pour avoir tout d'un diplomate...»

Frost fut invité dans la maison principale, puis dans le bureau du chef des opérations. Après avoir pris un café avec lui, il fut confié au directeur de l'entraînement pour les agents de la CIA affectés aux missions «spéciales». Même si sa tournée fut limitée, Frost fut en fait le premier canadien à vraiment voir ces installations, puisque la visite de Peter Vaughn avait été extrêmement courte. Il n'eut accès qu'à certains édifices, ceux où il pouvait trouver quelque chose pour l'aider dans l'opération Daisy: la salle d'entraînement, le laboratoire d'analyse, l'endroit où ils fabriquaient les huttes servant à dissimuler les antennes et l'«école de charme», que son guide lui décrivit ainsi:

«C'est là que nous transformons l'oreille d'une truie en un sac à main.»

Frost se souvient que le local principal de «l'école de charme» contenait beaucoup de livres. La plupart des agents de la CIA sont des diplômés universitaires dont les frais de scolarité ont été payés par l'agence. Mais aussi lettré qu'il soit, si vous devez prendre quelqu'un fraîchement sorti de l'université et en faire, disons-le ainsi, un jardinier, il lui faut un entraînement fondamental. Le CST, soit dit en passant, recrute aussi beaucoup dès le niveau secondaire. Il n'était pas exceptionnel qu'un nouvel employé de la «ferme» retourne à l'université pendant deux ou trois ans après avoir été embauché. Si un étudiant du secondaire manifestait de l'intérêt, on faisait une enquête préliminaire de sécurité sur lui et on lui faisait visiter le quartier général afin de stimuler son appétit. On lui disait que s'il songeait à aller à l'université, il devrait prendre tel ou tel cours. En ce qui a trait au recrutement, les Américains, comme dans tout le reste, étaient encore plus systématiques et ne regardaient pas la dépense, comme ils le font pour le sport de compétition. De même, alors que le CST est largement méconnu au Canada, il était beaucoup plus facile de convaincre de jeunes Américains patriotiques d'étudier fort dans l'espoir de travailler un jour pour la prestigieuse CIA ou la NSA. Les recruteurs du CST ne pouvaient pas non plus faire allusion à leurs opérations clandestines, alors que n'importe quel jeune étudiant américain savait que d'être repêché par l'une des deux agences pouvait lui ouvrir les portes de la vie «excitante» d'espion.

Frost trouva le centre d'entraînement de Virginie aussi orienté sur l'action que College Park, quoique l'atmosphère y était un peu trop à la James Bond. Après tout, c'était la CIA, l'agence rendue célèbre par les romans d'espionnage. Les gens de l'endroit étaient d'ailleurs à la hauteur. À College Park, les employés se vêtaient comme ils le voulaient. Les gens que Frost rencontra au camp d'entraînement semblaient tout droit sortis d'un film: ils portaient tous des chemises blanches avec les manches roulées jusqu'aux coudes et des verres fumés, tantôt sur le front, tantôt sur les yeux.

Il assista à un séminaire sur la propagation des ondes radios et fut ensuite emmené au laboratoire d'analyse où l'agent-guide de la CIA lui avait dit: «C'est ici que nous apprenons à nos gens à installer des micros clandestins, dans une pièce ou sur une personne.»

Dès qu'il y eut mis les pieds, Frost eut l'impression qu'il n'était pas tellement le bienvenu dans cet endroit. Il ne s'y sentait certainement pas aussi à l'aise qu'à College Park.

«Ils étaient polis, mais il n'étaient pas très jasants. Ils me traitaient avec prudence. Si je posais des questions, leurs réponses n'étaient jamais détaillées, un peu à la façon des politiciens. Il était évident que cet agent avait reçu l'ordre de m'escorter et qu'il le faisait strictement pour cette raison, certainement pas parce que ça l'enchantait de me voir fouiner de la sorte. Il faut tout de même admettre que j'étais le premier Canadien à visiter le lieu d'entraînement des agents de la CIA, le premier à être admis à l'intérieur pour voir comment ils opéraient. J'ai bien compris qu'ils n'aimaient pas tellement ça, ne fût-ce que parce qu'ils n'y étaient pas habitués et que c'était contre leur politique... Après un moment, j'ai cessé de poser des questions. J'ai senti que ça le rendait mal à l'aise et qu'il se raidissait. Je l'ai laissé parler à son rythme.»

Frost parvint tout de même à discuter un peu plus à fond avec l'agent de la question des prétextes utilisés pour protéger leurs agents à l'étranger.

— Nous n'avons qu'un prétexte pour couvrir tous les cas, expliqua Frost à son guide. Ça nous donne des maux de tête. Nous n'avons pas de plan B.

— Oh! Nous, nous ne travaillons pas avec un seul faux prétexte, répondit l'homme de la CIA, qui s'ouvrait soudainement un peu plus. Nous utilisons tout ce qui peut coller à l'emplacement donné. D'officier à chauffeur, à commis, à jardinier... Dans certains cas, pour vous dire, nous entraînons jusqu'à l'ambassadeur lui-même.

Frost essaya de cacher sa surprise en apprenant que la CIA entraînait des ambassadeurs à l'espionnage. Une pareille énergie ne serait jamais endossée aux Affaires extérieures. Quand le Canadien chercha à en savoir plus long, l'agent de la CIA avait dû le trouver un peu trop intéressé et sentir qu'il avait laissé glisser quelque chose qu'il aurait dû garder pour lui.

— Bien, vous savez, chaque cocktail est une source de renseignements, et les ambassadeurs ont toujours les oreilles ouvertes.

Si College Park était le centre de l'écoute spéciale, Frost croit que cette école est en fait le centre des opérations spéciales de la CIA. Les agents qui y sont entraînés semblent l'être pour des missions spécifiques seulement et y reviennent sans doute à chaque mission.

L'agent de la CIA posa une question qui surprit Frost:

— Allez-vous vous embarquer dans l'écoute des lignes terrestres?

— Ce n'est pas facile de faire de l'écoute sur les lignes terrestres, expliqua Frost.

— Si l'idée vous en venait, faites-le-nous savoir.

— Vous le faites, vous?

— Voulez-vous le faire? fut la réplique.

Cette fois, Frost ne répondit rien. Il était ébranlé par cette question. Il savait à quel point il était difficile et dangereux de faire de l'écoute sur les lignes terrestres. Bowman et lui en étaient venus à la conclusion, après maintes discussions, que l'interception de lignes terrestres comportait trop de risques et n'en valait pas l'effort. Ces lignes, qu'elles soient sous terre ou dans les airs, ne peuvent être interceptées que si vous vous branchez physiquement sur elles, contrairement aux tours à micro-ondes qu'on peut capter à distance. Une fois que vous avez repéré votre câble, il vous faut encore le sectionner et y brancher un autre câble qui se rend jusqu'à votre poste d'écoute. C'est un peu comme ajouter un tuyau à un système de plomberie existant. En termes techniques, une telle opération augmente la résistance de la ligne et diminue d'autant le courant électrique, tout comme votre pression d'eau diminuerait si quelqu'un décidait d'utiliser le nouvel embranchement pendant que vous prenez votre douche. Cet accroissement de la résistance peut être perçu par l'émetteur et le récepteur. En considérant, bien sûr, que vous n'avez pas été repéré en train de trancher le câble. Le CST avait donc décidé qu'il était préférable de capter les lignes terrestres lorsqu'elles étaient réorientées d'elles-mêmes vers des tours à micro-ondes ou des satellites.

La visite de Frost au laboratoire d'analyse fut particulièrement productive. Il examina beaucoup d'appareils qui, croyait-il, pourraient être utiles au CST et apprit que les Américains se les procuraient en grande partie auprès d'une compagnie du nom de Microtel. Le CST devait plus tard acheter beaucoup d'appareils électroniques de Microtel.

À sa demande, Frost put retourner au camp de la CIA en Virginie, environ un mois plus tard, avec l'un de ses hommes de confiance, Alan Foley. Il voulait revoir le laboratoire pour apprendre comment ils branchaient leurs appareils et quelle était leur méthode d'enseignement auprès de leurs agents. Il voulait préparer aussi Foley à devenir instructeur pour Pilgrim afin d'alléger ses responsabilités de plus en plus lourdes. Il passa une demi-journée à la base de la CIA. Il demanda ensuite s'il pourrait revenir de temps à autre. «Bien sûr, pas de problème», lui assura le chef de la base. Mais, lorsqu'on présenta une autre demande d'admission, à la fin de 1983, Frost dut essuyer un refus. «On m'a dit que la CIA avait décidé que d'avoir des étrangers sur leur lieu d'entraînement n'était probablement pas la meilleure façon de procéder.» On ne lui donna aucune raison précise. Est-ce que la CIA croyait déjà avoir livré trop de secrets? Peut-être. Mais il est plus probable qu'elle craignait que si ces visites devenaient routinières, les Canadiens en viendraient à découvrir des choses que l'agence ne voulait absolument pas divulguer. «Ils ont pour politique de ne pas distribuer de renseignements à l'étranger et ils la respectent assez rigoureusement», commente Frost.

Frost n'était pas trop surpris de cette décision. Lors de ses deux visites, il avait senti qu'on ne le tolérait que parce qu'on avait reçu ordre de le faire. Il était traité ni plus ni moins que comme un étranger.

Il apprit à tout le moins de ses visites comment la CIA pouvait prendre un individu et l'entraîner dans un domaine extrêmement spécialisé. C'était radicalement différent du CST où, pour des raisons de ressources financières et humaines, on devait faire exactement le contraire et élargir le plus possible l'entraînement des agents. «Là où la CIA prenait 15 individus et les entraînait à 15 tâches spécifiques, au CST nous n'avions qu'une seule personne chargée de faire ces 15 tâches.»

Il obtint aussi de bons renseignements sur l'équipement, particulièrement sur un tout nouveau spectrographe que Microtel venait de développer. Il se souvient que son coût était d'environ 80 000 dollars. Le CST en acheta trois à l'époque. Juste avant qu'il ne quitte la «ferme», le CST en commanda quatre autres parce qu'il avait l'intention de s'en servir énormément. Un spectrographe ressemble un peu à cet écran qui montre vos battements de cœur à l'hôpital. Ce que le spectrographe offre est une reproduction visuelle de l'activité radio sur une fréquence donnée.

Enfin, il aperçut aussi d'étranges antennes en Virginie, des antennes d'un type que lui-même, pourtant un expert, n'avait jamais vu. Il se passerait des années avant qu'il ne voit quelque chose d'aussi bizarre.

Les Américains espionnaient le Canada. Frost le savait déjà très bien alors qu'il était au CST. Mais ce qu'il allait découvrir, quatre années après avoir pris sa retraite, était qu'ils s'y prenaient d'une tout autre façon.

■

L'ambassade américaine à Ottawa jouit d'un emplacement prestigieux. L'édifice, qui date du tournant du siècle, est au 100 de la rue Wellington, au coin de Metcalfe, juste en face de la Colline parlementaire avec à l'est, à moins de 500 mètres, une vue non obstruée sur le bureau principal du premier ministre canadien, dans l'édifice Langevin. Curieusement, la CIA a ses bureaux à quelques portes de là, dans l'Édifice national de la presse, qui abrite le Cercle national des journalistes et les bureaux de différents organismes médiatiques de partout au Canada, y compris un large contingent de la CBC.

Si le Canada était un pays «hostile», les Américains ne pourraient souhaiter meilleur emplacement pour monter une opération d'écoute diplomatique. Quoique dans un pays hostile, les Américains étaient surveillés de près s'ils parvenaient à poster une ambassade aussi près du siège du pouvoir dès leur arrivée, ce qui était d'ailleurs peu probable dans des pays communistes.

Patrick O'Brien avait l'habitude de dire aux agents du CST: «La règle de base dans l'écoute diplomatique est de pouvoir garder vos antennes aussi tendues que possible et vos salles d'appareils électroniques aussi près de vos antennes que possible. Lorsque vous n'avez plus le choix, utilisez des bouches d'aération ou des thermopompes pour dissimuler vos antennes et vos rotors.»

C'est ce qu'il enseigna à Mike Frost à College Park. Le CST pensa utiliser ce stratagème pour Daisy, mais opta pour la hutte. La méthode américaine a cependant pu être utilisée dans d'autres capitales depuis.

Pour les Américains, cela faisait partie des procédures normales de l'écoute diplomatique. On montra spécifiquement à Frost le genre de thermopompes et de bouches d'aération conçues à College Park pour dissimuler les antennes de la NSA.

Une fois que Frost apprit l'existence de l'écoute diplomatique, lui et ses collègues ne mirent pas de temps à se convaincre, après quelques *briefings* à la NSA et à College Park, que les Américains interceptaient des communications de leur ambassade à Ottawa. «Une fois que vous savez qu'ils font de l'espionnage dans un pays ami comme le Mexique, il faudrait être naïf pour croire qu'ils ne le font pas au

Canada.» Frost est en fait persuadé que la NSA fait de l'interception partout où il est possible de le faire dans le monde. «Leur philosophie est que vous ne savez jamais ce que vous allez intercepter, et ce pourrait être quelque chose de crucial pour vous... En fait, cette philosophie est la raison d'être de l'écoute diplomatique et de l'interception en général. Les Américains se fichent pas mal de qui ils espionnent, pourvu qu'ils pensent trouver quelque chose d'utile pour leur pays. Ils font régulièrement de la cueillette de renseignements contre tout le monde.»

Frost ne spécule pas quand il parle des Américains. Alors qu'il était au CST, ses collègues de Pilgrim et lui faisaient souvent allusion à la hutte de plastique blanche sur le toit de l'ambassade américaine, rue Wellington. Personne ne se doutait que cette hutte renfermait des antennes d'écoute, puisque c'est la NSA elle-même qui leur avait montré comment construire une pareille structure. En fait, elle ressemblait beaucoup à celle dont s'était servi le Canada à New Delhi.

Si le CST était au courant, pourquoi ne pas avoir brouillé les ondes que captaient les Américains? La réponse se trouve dans les règles non écrites du jeu. Même si vous êtes convaincu qu'un pays allié — même un pays avec lequel vous partagez des renseignements et de l'expertise d'espionnage — vous espionne, la pratique courante est tout simplement de faire semblant de ne rien voir. Comme le dit Frost: «Nous ne pouvions poser de gestes de représailles contre un pays allié, surtout pas les États-Unis! Un brouillage délibéré et efficace qui rend les appareils d'interception inutiles en les inondant d'ondes radios, est pratiquement considéré comme une déclaration de guerre dans le monde de l'espionnage. Non seulement les espions savent qu'ils ont été découverts, mais ils se sentent attaqués. Le brouillage est réservé aux

Ci-dessus: *Photo de Mike Frost prise en 1994 sur l'ancien site de la base militaire des Forces armées canadiennes à Gloucester, où il a reçu son premier entraînement comme spécialiste de l'écoute électronique en 1958-1959.*

À droite: *Antennes à coupole sur la base de Leitrim. Des «balles de golf» semblables sont installées sur le toit de la National Security Agency à Fort Meade, au Maryland.*

Ci-dessus: *La base militaire de Leitrim est l'un des postes d'écoute électronique déclarés du Canada.*

(Toutes les photos contenues dans cette section sont une courtoisie de Danny Frost.)

Ci-dessus: *Pilgrim, le bateau de plaisance de Mike Frost dont le nom servit de nom de code à l'opération ultrasecrète d'écoute diplomatique montée par le Canada.*

Au centre: *La carte d'identité de Frost émise par le CST.*

Ci-dessous: *Cette carte de «service d'urgence» avait été remise à chacun des employés du CST affectés au contre-espionnage afin de les aider à identifier les plaques d'immatriculation d'automobiles appartenant aux ambassades du bloc de l'Est.*

Ci-dessus: *Le quartier général du CST, sur le chemin Heron à Ottawa.*

Au centre: *L'annexe Granny, aux allures de bunker, prolonge l'ancien immeuble du CST. On peut voir devant cette annexe le stationnement principal des employés du CST.*

Ci-dessous: *Cette photo montre une hutte blanche sur le toit du quartier général du CST. Il s'agit d'une hutte identique à celle qui fut utilisée à l'ambassade canadienne à New Delhi pour camoufler les appareils d'interception destinés à espionner les terroristes sikhs.*

À droite: *Cette antenne parabolique achemine toutes les communications entre les ordinateurs du CST et ceux de la NSA, quel qu'en soit le type (voix, données, télécopieur). Toutes les communications sont automatiquement encodées et décodées. Cette antenne est située sur le terrain de stationnement qui fait face au CST, de l'autre côté du chemin Heron.*

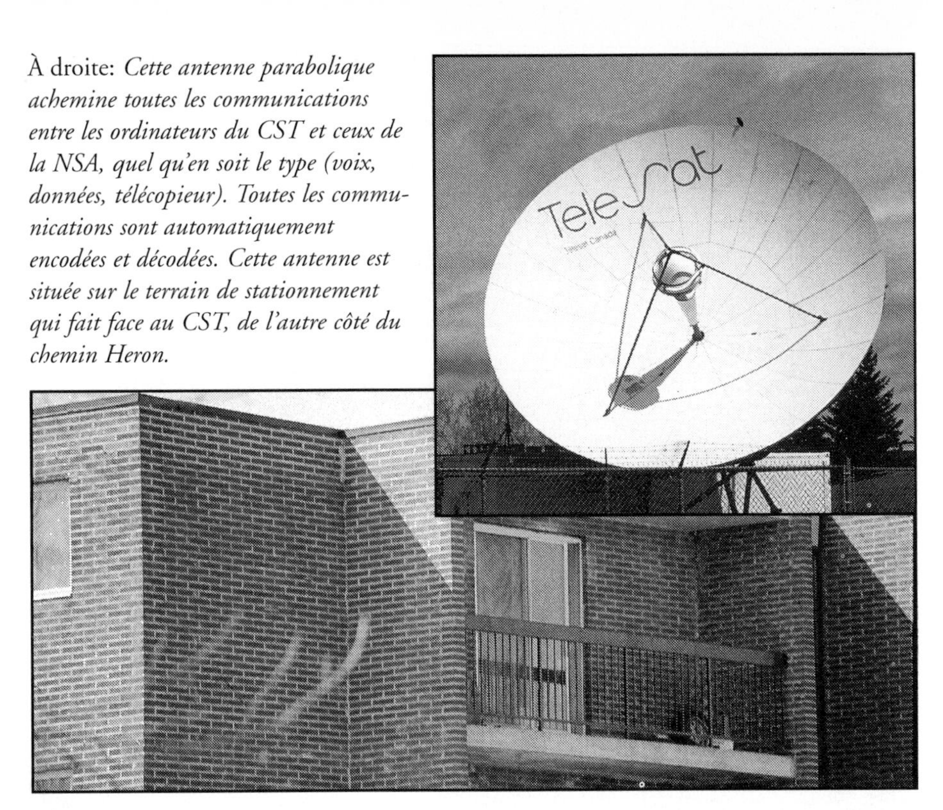

Ci-dessus: *Un immeuble à logements de la rue Presland, à Ottawa. On peut voir l'appartement qu'utilisa l'équipe de Pilgrim pour monter une opération d'écoute en 1979, surnommée «l'essai de Vanier». C'est là qu'on mettait d'abord à l'épreuve les méthodes et les appareils d'écoute avant d'envoyer des agents à l'étranger dans le cadre de missions plus périlleuses.*

Ci-dessous: *L'une des deux camionnettes blanches du CST servant à diverses opérations d'écoute électronique, parfois connues, parfois ultrasecrètes. Sous leurs allures de «roulottes à patates frites», ces deux camionnettes transportent de deux à quatre techniciens et toute une panoplie d'appareils électroniques.*

À droite: *L'une des tours à micro-ondes de la région d'Ottawa qui acheminent chaque jour des tonnes de communications, et que les antennes du CST peuvent intercepter sans aucune difficulté.*

À gauche: *Un coffre-fort gouvernemental conventionnel, identique à celui qui servit à camoufler les appareils électroniques lors de l'opération Stephanie, à Moscou.*

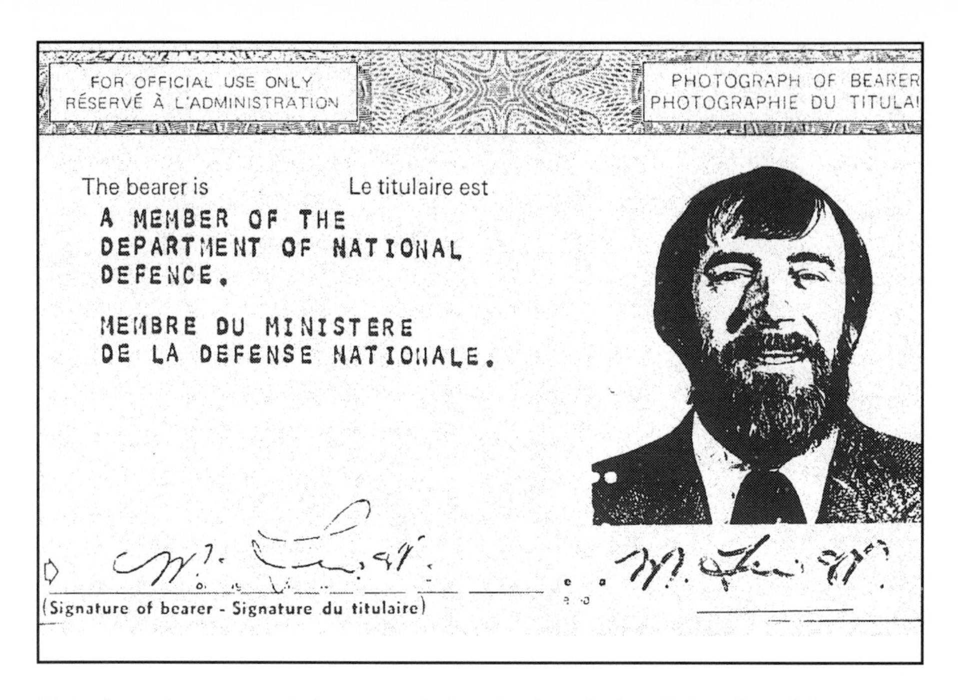
FOR OFFICIAL USE ONLY
RÉSERVÉ À L'ADMINISTRATION

PHOTOGRAPH OF BEARER
PHOTOGRAPHIE DU TITULAI

The bearer is Le titulaire est
A MEMBER OF THE
DEPARTMENT OF NATIONAL
DEFENCE.

MEMBRE DU MINISTERE
DE LA DEFENSE NATIONALE.

(Signature of bearer - Signature du titulaire)

Trois photos du passeport diplomatique de Frost (ci-dessus), *lequel n'est plus valide, montrant les visas diplomatiques de séjour* (ci-dessous) *que lui avaient délivrés la Côte-d'Ivoire* (à gauche) *et la Roumanie* (à droite).

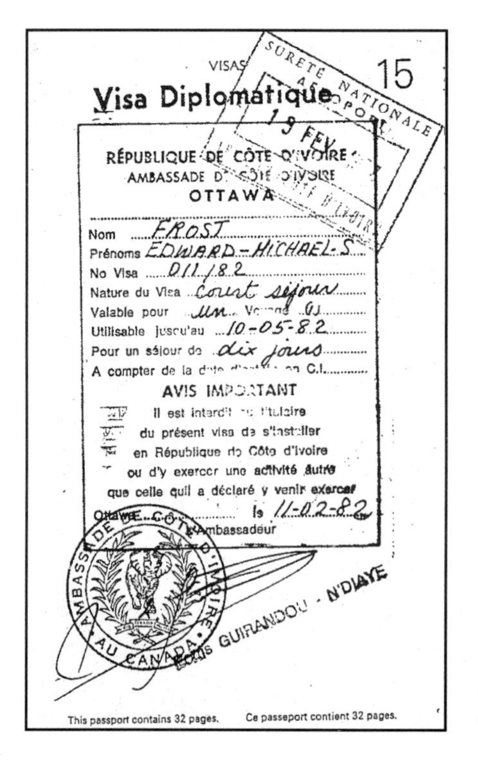
VISAS 15
Visa Diplomatique
SURETE NATIONALE
19 FEV
RÉPUBLIQUE DE CÔTE D'IVOIRE
AMBASSADE DE CÔTE D'IVOIRE
OTTAWA
Nom FROST
Prénoms EDWARD-MICHAEL-S
No Visa 011/82
Nature du Visa Court séjour
Valable pour un voyage
Utilisable jusqu'au 10-05-82
Pour un séjour de dix jours
A compter de la date d'entrée en C.I.
AVIS IMPORTANT
Il est interdit au titulaire
du présent visa de s'installer
en République de Côte d'Ivoire
ou d'y exercer une activité autre
que celle qu'il a déclaré y venir exercer
Ottawa le 11-02-82
L'Ambassadeur
AMBASSADE DE CÔTE D'IVOIRE AU CANADA
GUIRANDOU - N'DIAYE
This passport contains 32 pages. Ce passeport contient 32 pages.

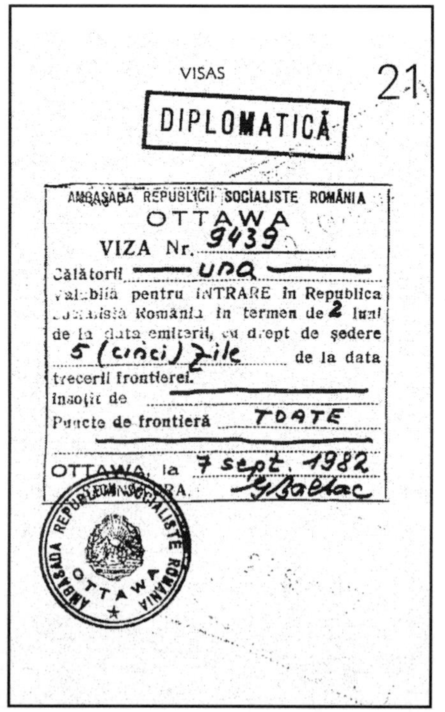
VISAS 21
DIPLOMATICĂ
AMBASADA REPUBLICII SOCIALISTE ROMÂNIA
OTTAWA
VIZA Nr. 9439
Călătorii una
valabilă pentru INTRARE în Republica Socialistă România în termen de 2 luni de la data emiterii, cu drept de şedere 5 (cinci) zile de la data trecerii frontierei.
Insoţit de
Puncte de frontieră TOATE
OTTAWA, la 7 sept. 1982
AMBASADA REPUBLICII SOCIALISTE ROMÂNIA OTTAWA

Photo du poste d'écoute Kilderkin (ci-dessus, à droite) érigé conjointement par le CST et la GRC au coin des rues Laurier et Charlotte, à Ottawa, face à l'ambassade soviétique. Un gros plan de la maison remplie d'appareils d'écoute (ci-dessous) permet de constater que les rideaux sont constamment tirés — ils le sont encore aujourd'hui, en 1994.

Photos montrant le toit de l'ambassade américaine située au 100 de la rue Wellington, à Ottawa, juste devant la Colline parlementaire. On peut apercevoir de drôles de bouches d'aération sur les coins avant gauche et avant droit de l'immeuble (ci-dessus). *On peut également voir, à l'avant gauche, deux petites «thermopompes». Selon Frost, les bouches d'aération sont factices et ont pour seul but de camoufler les antennes d'un poste d'écoute diplomatique situé à l'étage du dessous. Les rideaux à cet étage — dont les fenêtres sont protégées par des barreaux d'acier — sont constamment tirés. En y regardant de plus près, on constate que l'une des bouches d'aération est étrangement refermée sur un côté par une plaque de métal. Une autre plaque de métal se dresse en saillie sur un autre des quatre côtés de la structure. Frost est convaincu que ces deux plaques protègent un dispositif électronique quelconque. La photo du bas montre une autre boîte à l'allure singulière, grise celle-là, située sur un second toit de l'édifice, légèrement plus bas que le premier. Cette boîte grise apparaît n'être d'aucune utilité pour la maintenance de l'immeuble.*

"méchants". Ils auraient aisément pu nous rendre la vie difficile, surtout dans les premiers jours de Pilgrim, lorsque nous dépendions grandement de leur équipement et de leur expertise.»

Mais quelle était donc la solution? Le CST ne pouvait quand même pas se croiser les bras en sachant que des communications importantes du gouvernement canadien pourraient être interceptées par les Américains? En fait, la solution était de se brouiller soi-même. En d'autres mots, de brouiller toutes communications susceptibles d'être interceptées par n'importe qui. Cela faisait d'ailleurs partie du rôle officiel du CST que de protéger les communications gouvernementales de l'écoute étrangère.

Prenons l'exemple des réunions du Conseil privé, tenues presque chaque semaine à l'édifice Centre du Parlement. Puisque les discussions y sont traduites simultanément de l'anglais au français et vice-versa, et qu'elles sont enregistrées de toute façon par des techniciens endoctrinés auprès du CST, le premier ministre et les membres de son cabinet parlent librement dans des microphones. Toutefois, il n'est pas impossible, avec les appareils perfectionnés d'aujourd'hui, d'intercepter ces discussions. C'est pourquoi, chaque fois qu'une réunion du conseil a lieu, des techniciens du CST installent des appareils de brouillage et des appareils d'écoute dans une salle voisine pour savoir si quelqu'un essaie de capter les discussions. Une telle politique est facile à expliquer à un pays allié. Le Canada peut prétendre craindre que les Soviétiques, les Chinois ou même, comme le redoutent certains membres paranoïaques d'autres services gouvernementaux affectés à la sécurité d'État, les médias. (En fait, les médias, à Ottawa, malgré la qualité de leur équipement, n'ont absolument pas les appareils ou l'expertise pour le faire.)

N'importe quel espion amateur peut intercepter des communications de téléphones cellulaires s'il connaît la fréquence ou la découvre par hasard, et s'il connaît un bon vendeur de produits électroniques où se procurer l'équipement de base. Les espions de la NSA sont évidemment plus avancés dans leurs méthodes et techniques. S'ils ne peuvent intercepter les conversations du Conseil privé, ils se tournent vers une autre cible. Naturellement, la caravane de limousines ministérielles qui conduisent les ministres à l'édifice Centre constitue une cible idéale, puisque toutes ces voitures sont équipées de téléphones cellulaires. Et c'est sans compter les attachés politiques qui déambulent partout dans le Parlement avec leurs téléphones cellulaires dans leurs poches. Brian Mulroney, en tant que premier ministre, était particulièrement sur ses gardes quant à ce genre d'interception. Ce n'était pas tant qu'il craignait les Américains ou quiconque en particulier, il craignait un peu tout le monde. Il refusait carrément de poursuivre de longues conversations sérieuses au téléphone depuis son auto et demandait toujours à son interlocuteur de lui dire où il était pour qu'il puisse le rappeler quelques minutes plus tard d'un téléphone «sécuritaire». Il avait de toute évidence reçu un *briefing* sur les réalités du monde de l'écoute électronique et croyait ce qu'on lui en avait dit. Il est fort possible que cette croyance venait du fait qu'il savait que le CST détenait des renseignements qui étaient le produit de l'interception à l'étranger ou peut-être même au Canada.

Il est donc permis de croire que les Américains en savent plus long que les Canadiens sur ce qui se passe à Ottawa. Il suffit qu'un ministre se dise: «Bah! Ils ne sont pas en train de m'écouter maintenant», pour que l'intercepteur tombe sur quelque chose d'important et qui peut nuire au Canada.

Mike est fermement convaincu qu'en 1994, de leur ambassade sur la rue Wellington, les Américains maintiennent un poste d'écoute diplomatique. «Si nous (le CST) devions monter une opération contre ce site au cinquième étage de l'ambassade, je suis sûr que nous capterions des irradiations d'équipement électronique.» Frost procéda à sa propre mission de reconnaissance pour ce livre, en mai dernier. Ce qu'il découvrit sur le toit le surprit un peu: la hutte de plastique blanche avait disparu, mais il trouva d'étranges bouches d'aération et des thermopompes, de même qu'une mystérieuse boîte grise qui ne semblait pas avoir sa place sur un toit.

Il fit son enquête en prétendant être l'un de mes collègues. (Mon nom et mon visage sont assez familiers sur la Colline parlementaire.) Il se présenta à l'édifice Victoria — qui abrite surtout les bureaux des sénateurs et qui se situe juste à côté de l'ambassade américaine — avec son «photographe», incarné par son fils Danny. D'une façon ou d'une autre, peut-être à cause de son entraînement au CST, Frost parvint à convaincre les gardiens de sécurité à l'entrée du Sénat qu'il devait avoir accès au toit pour y prendre des photos de la Colline parlementaire. Sans même avoir à donner son nom, Frost réussit à faire passer son «photographe» qui, équipé d'un zoom puissant, prit plusieurs photos du toit de l'ambassade. Ce que Frost put constater une fois les négatifs développés le mena à une seule conclusion: «Il est évident que les Américains font contre nous ce qu'ils disent faire contre d'autres; c'est bien là ce qu'ils nous ont enseigné.»

Les photos montrent clairement des bouches d'aération et des thermopompes suspectes — une de ces bouches d'aération semble recouverte de fibre de verre. Une autre photo montre la mystérieuse boîte grise qui, de l'avis de Frost, n'a tout simplement aucune raison d'être là.

«Si j'avais été en mission de reconnaissance, disons outre-mer, et que j'avais vu ces photos, il n'y aurait eu aucun doute dans mon esprit qu'il y avait là un site d'écoute diplomatique. C'est ainsi que j'aurais rédigé mon rapport.»

Les photos de Danny Frost, reproduites dans ce livre, montrent la bouche d'aération sur le coin avant gauche du toit, juste contre le rebord de béton qui fait face à la colline du Parlement, au nord. Environ 10 mètres derrière cette bouche, cette fois du côté sud, on voit une autre bouche, plus grosse et plus sophistiquée. Quant à Frost, elles n'étaient pas là du temps où il travaillait au CST. Les deux bouches d'aération sont situées au-dessus de fenêtres protégées par des barres d'acier et dont les rideaux sont gardés constamment fermés. Rappelons-nous les conseils de O'Brien: «Placez vos antennes le plus près possible de vos appareils d'interception, et aussi haut que possible.» Du côté est de l'édifice, au même étage, les fenêtres faisant face à l'édifice Langevin — où se trouvent les bureaux du premier ministre et du Conseil privé — sont également munies de barres d'acier et les rideaux y sont fermés en permanence.

La première question qui vient à l'esprit d'un ex-agent du CST comme Frost est la suivante: Pourquoi mettre des barreaux aux fenêtres d'un cinquième étage? Les Américains diraient probablement que c'est pour se protéger contre d'éventuelles attaques terroristes. Mais alors, pourquoi les fenêtres des étages inférieurs ne sont-elles pas également protégées de la sorte? Frost croit plutôt qu'ils ne voudraient pas que des pompiers, par exemple, n'entrent dans la pièce remplie d'équipement électronique par les fenêtres si jamais un incendie se déclarait dans l'édifice. Les

Américains préféreraient le laisser brûler. Quant aux rideaux, comme nous l'avons dit précédemment, il s'agit de la procédure habituelle pour de telles opérations. Cet indice en soi serait suffisant pour éveiller des soupçons en pays étranger.

Les deux autres installations sur le toit de l'ambassade diffèrent étonnamment dans leur configuration et ne semblent pas reliées l'une à l'autre — ce qui est une drôle de façon d'installer un système de chauffage ou de climatisation.

«D'abord, pourquoi placerait-on des boîtes comme celles-là sur le rebord du toit si c'étaient de vraies bouches d'aération? Est-ce que vous ne les mettriez pas plutôt ailleurs, hors de vue, au centre? La boîte est ouverte sur seulement trois de ses quatre côtés et est entièrement fermée à l'arrière.

«Cette bouche d'aération a quelque chose d'étrange à l'intérieur. Je n'en suis pas certain, mais ça ressemble à une antenne, et elle semble dirigée vers les édifices du Parlement. Le filage ne cadre pas avec ce qu'on ferait en présence de fils électriques normaux. Ils sont exposés aux intempéries et tout tordus. Aucun électricien professionnel ne ferait un travail de ce genre. À mon sens, ce ne sont pas des fils électriques, mais bien quelque chose d'électronique. Et d'ailleurs, pourquoi la bouche d'aération est-elle fermée sur un côté et ouverte sur trois? Ça n'a aucun sens... Et qu'est-ce que c'est, cette petite tablette de métal sur son côté est, pareille à un petit toit? Elle doit protéger quelque chose, parce qu'elle ne peut servir à rien dans un système de ventilation. Cet espace vide est en plein le genre de truc que la NSA utiliserait pour cacher une antenne UHF avec un très petit rotor... C'est à peu près tout ce que vous pourriez y placer. C'est très semblable à ce qu'ils m'ont montré à College Park. Les ondes UHF traversent les murs de béton très facilement, donc le ciment du toit n'affaiblirait pas les signaux.

«La bouche d'aération à l'arrière du toit est plus grosse et consiste non pas en une, mais deux boîtes closes. L'une d'elles est ouverte sur le côté donnant vers l'édifice Langevin. Les deux boîtes sont jointes par ce qui semble être une conduite d'air. Là aussi, le filage est exposé aux intempéries.

«Ces objets sont de toute évidence truqués, conclut Frost. Il m'apparaît clair que cette bouche d'aération contient des antennes pour les fréquences UHF ou SHF. Pour véhiculer ces fréquences de l'antenne au récepteur, il faut les canaliser dans un tube vide, gros comme un tuyau de plomberie.

«Il n'y a aucun doute dans mon esprit que les Américains ont enlevé la hutte pour la remplacer par ces trucs parce qu'ils ont maintenant de l'équipement plus petit et plus perfectionné qu'ils peuvent dissimuler plus facilement. On ne peut voir ces bouches d'aération de la rue comme on pouvait voir la hutte. Si j'avais à produire un rapport, je dirais que la cible de leur écoute est le gouvernement canadien.»

Frost est d'autant plus convaincu d'avoir raison que sur les autres étages de l'ambassade, presque chaque fenêtre est munie d'un climatiseur très ordinaire. Ce qui signifie qu'il n'y a pas de système de climatisation central dans l'édifice.

«Quant aux deux thermopompes sur le toit, ajoute-t-il enfin, même si elles étaient vraies, elles serviraient à climatiser les deux pièces en dessous. Et si c'est vraiment le cas, c'est qu'il y a des appareils électroniques là-dedans.»

Quant à l'énigmatique boîte grise photographiée par son fils, elle est située une fois de plus contre un mur, sur un second toit, une espèce de faux balcon audessus du quatrième étage. Elle a l'air d'une boîte en tôle d'un mètre carré, et ne semble servir à rien. «Sans doute une nouvelle invention de College Park», tranche Frost.

Les gens du CST ne discutaient jamais de ce genre de choses, pas même en blague, avec leurs collègues américains. Et ils n'avaient aucunement l'intention de protester contre leur ingérence. Dans le monde de l'espionnage, il vient un temps où le «jeu» tourne à l'anarchie et où de soi-disant alliés montent des opérations contre vous. Cela peut sembler étrange pour le citoyen ordinaire, mais c'est une réalité acceptée dans la communauté des espions. Reste alors à savoir qui est le meilleur.

Le CST ne se classait pas trop mal. En fait, ses agents devinrent passablement habiles, même contre les puissants Américains. Au début des années 1980, ils leur en ont passé toute une!

Chapitre X

QUI VA LÀ? AMI OU ENNEMI?

Dans un univers où l'objectif ultime est de commettre le crime parfait, il arrive que la différence entre ce qu'on appelle le bien et le mal, entre l'allié et l'ennemi, devienne plutôt floue. C'est l'essence même du «jeu» de l'espionnage. Après tout, la plupart des espions, peu importe leur pays d'origine ou l'orientation qu'ils donnent à leur vie, diraient qu'ils font leur métier par devoir patriotique. Cet argument à lui seul permet de surmonter les considérations d'ordre éthique ou moral qui surgissent lorsqu'on décide d'aller de l'avant avec une opération qui, si elle était soumise à l'examen ou à un débat publics, entraînerait certainement une controverse, sinon de l'indignation.

Le général américain Norman Schwarzkopf, lorsqu'on lui demanda si ses soldats avaient utilisé des méthodes illicites pour infliger la défaite aux Iraqiens durant l'opération Tempête du désert, répondit que «la guerre, ce n'est pas beau». De la même façon, l'espionnage n'est pas un métier où on garde ses mains propres. Comme les soldats le savent, tout le monde joue suivant les mêmes règlements — ou plutôt selon un livre de règlements sujet à être continuellement amendé, mais seulement si le rival visé ne peut contester vos actions ou, préférablement, s'il n'apprend jamais que vous avez triché. Le subterfuge étant le propre de la bête, il devient facile de croire que tout ce que vous pouvez faire pour remplir votre «devoir» est parfaitement acceptable.

Le CST n'a jamais douté que les Américains, malgré leur grande coopération (pour leurs propres motifs), faisaient de l'écoute à Ottawa contre le gouvernement dont ce même CST a pourtant le mandat officiel de protéger les communications. Mais on ne fit jamais quoi que ce soit pour arrêter l'opération de la NSA, sauf le brouillage habituel des communications parlementaires.

Toutefois, comme cela arrive dans n'importe quel sport, il y a toujours un moment où la vengeance est douce au cœur de celui qui s'est abstenu de frapper. On peut parler de chance. Mais n'importe quel athlète vous dira que la chance ne vient qu'après de longues heures de travail ardu. L'important est de courir avec le ballon lorsqu'il vous tombe miraculeusement dans les mains et de vous servir de votre tête pour produire quelque chose d'intelligent.

En 1981, le CST a été chanceux et intelligent.

■

C'est tombé du ciel comme une météorite. Le CST et le gouvernement canadien peuvent seulement se compter chanceux que le technicien impliqué ait réagi calmement. Ce qu'il avait capté, par hasard ou par flair, en ce jour fatidique, deviendrait vite l'un des plus hauts faits du CST et contribuerait grandement à augmenter la crédibilité de l'agence, son efficacité et sa nécessité aux yeux de ses maîtres politiques et bureaucratiques.

Ce jour-là, les techniciens de la section des communications du CST montaient ce qu'on peut appeler une opération de routine sur la Colline parlementaire. C'était à la fin du printemps ou au début de l'été de 1981. Ils avaient conduit l'un de leurs deux camions blancs, bourré d'équipement électronique, sur la Colline pour vérifier si l'on pouvait y détecter des irradiations compromettantes. En d'autres mots, ils étaient là pour vérifier si des signaux émis à partir de la capitale du Canada pouvaient être facilement interceptés par des agences étrangères. Ils essayeraient aussi de savoir si quelqu'un tentait de les écouter.

Frost raconte: «Les techniciens en communications stationnèrent leur camion sur la Colline parlementaire, comme ils le font souvent pour vérifier ce genre de choses... Ils l'avaient fait par exemple lorsque nous leur avions demandé de vérifier si notre équipement produisait des irradiations durant l'essai de Vanier. Alors qu'ils s'affairaient à un travail plutôt monotone, ils captèrent une conversation téléphonique entre deux personnes, dont l'une parlait depuis son automobile. Cela n'est pas anormal en soit. Nous écoutons des millions de conversations. Pourquoi ils se sont arrêtés à celle-là? Je n'en ai aucune idée... Je pense qu'ils ont simplement dû détecter un accent qui n'était pas canadien ou avoir été piqués par ce dont les deux hommes discutaient, car il leur arrive de ne pas se mêler de leurs affaires. Toujours est-il que, pour une raison ou pour une autre, ils laissèrent leur récepteur branché sur le téléphone de l'automobile. Les magnétophones tournaient innocemment dans le camion, comme le veut la procédure habituelle. On ne les fermait jamais avant que les techniciens n'aient terminé leur travail.»

Les techniciens étaient en fait tombés sur une conversation entre un diplomate de l'ambassade américaine et l'ambassadeur américain lui-même, probablement Paul Robinson, nouvellement nommé par Ronald Reagan. De son auto, l'ambassadeur discutait avec le diplomate de négociations entourant un contrat de vente de blé américain à la Chine, un contrat où le Canada était un dangereux concurrent.

Si on devait un jour donner une médaille d'honneur pour espionnage économique au Canada, nul doute qu'elle devrait aller au technicien du CST qui avait choisi de rester sur la bonne fréquence et d'enregistrer la conversation au complet. Comme le dit Frost, «ce n'était même pas un spécialiste de l'interception! Mais il a eu le flair de se rendre compte qu'il avait mis la main sur quelque chose d'important... Peut-être à cause des énormes montants d'argent mentionnés.»

Le technicien aurait facilement pu chercher une autre fréquence ou prétendre qu'il n'avait rien entendu. Qui l'eût su? Quelques jours après l'interception, il se rendit plutôt dans le bureau de Frank Bowman. Pourquoi Bowman? Parce que le technicien ne savait que faire de la précieuse bande sonore, il craignait de ne pas la remettre à la bonne personne et de compromettre ainsi le secret déjà fragile de l'opération. Finalement, il crut que Frank Bowman pourrait mieux que les autres l'aider à résoudre son problème. Grâce à lui, il pourrait se décharger de sa responsabilité.

Frost raconte que le technicien entra tout simplement dans le bureau de Frank et lui dit: «Peut-être que tu aimerais écouter ça.» Bowman ne mit pas de temps à se rendre compte de ce qu'il avait entre les mains. Il appela d'urgence quelqu'un pour en faire la transcription. Quand ce fut chose faite, il ne perdit pas de temps pour acheminer le tout vers les personnes intéressées au sein du gouvernement. Frost résume ainsi la réaction de ses supérieurs: «Crisse, si Frank et moi nous étions penchés sur la rue Sparks, ils (leurs patrons) nous auraient baisé le cul!» Quel était l'objet de cette joie incontrôlable? Réponse: le camion en mission de routine avait trébuché sur l'offre d'achat détaillée qu'allaient présenter les Américains à la Chine.

Frost, qui a écouté l'enregistrement original, se souvient d'avoir entendu l'ambassadeur demander au diplomate, qui de toute évidence était extrêmement bien renseigné sur le sujet: «Quel est notre minimum (*bottom line*) là-dessus?» La conversation avait duré longtemps et, du début à la fin, le diplomate s'adressait à son interlocuteur par la formule «Monsieur l'ambassadeur».

Frost décrit sa première écoute de la bande sonore comme ayant été «orgasmique». De battre l'oncle Sam à son propre jeu sortait de l'ordinaire, surtout sur une question aussi importante. «Les politiciens et les gens en général réagissent bizarrement lorsque ça vient de téléphones cellulaires, commente Frost. Même lorsqu'ils sont prévenus par le CST, la NSA, le GCHQ ou même le KGB que d'autres sont à l'écoute, ils ne semblent pas vraiment se méfier… C'est un étrange refus de comprendre, mais c'est exactement là-dessus que comptent les agences d'espionnage.»

Le diplomate américain interrogé par l'ambassadeur avait énoncé les détails de la proposition américaine à la Chine et, du coup, avait révélé le prix minimum que les États-Unis étaient prêts à accepter. En d'autres mots, il venait de donner au Canada, le principal concurrent des Américains dans cette affaire, le plan entier de la transaction. Et tout cela lors d'une conversation téléphonique où les étoiles, la lune et les planètes devaient être parfaitement alignées, sans quoi elle n'aurait jamais été interceptée.

«J'étais à la fois fou de joie et furieux, se souvient Frost. Nous étions là, cherchant par tous les moyens à trouver des renseignements, ayant même affecté des agents à Moscou pendant deux ans pour Stephanie, et nous n'obtenions rien de valable. Et voilà que, de nulle part, sans avoir rien essayé ni planifié, sans cibler qui que ce soit, sans effort particulier, ces gars-là tombaient sur quelque chose dont nous n'aurions même pas osé rêver! C'est un peu comme si on déambulait naïvement sur le trottoir et qu'on trouvait le Saint-Graal.»

L'information ne mit pas de temps à parvenir aux mains des négociateurs canadiens. Grâce aux renseignements fournis par le CST, la Commission canadienne du blé signait, en mai 1982, un contrat à long terme avec la Chine d'une valeur d'environ 2,5 milliards de dollars. Les Chinois acceptèrent d'acheter entre 10,5 et 12,6 millions de tonnes métriques de blé canadien sur une période de trois ans: 3,85 millions de tonnes par année. L'entente renouvelait en fait un accord qui tombait à échéance le 31 juillet 1982.

Les Américains ne l'ont pas trouvée drôle. En août 1982, ils faisaient savoir publiquement qu'ils n'appréciaient guère le fait que le Canada essaie de s'ingérer dans leurs affaires pour une autre vente de blé, celle-là à l'URSS.

L'année suivante, le Canada ajouta l'injure à l'insulte en envahissant un marché traditionnellement réservé à ses voisins du Sud, celui du Mexique, avec une vente de blé de 50 millions de dollars. Frost lui-même n'a pas écouté d'enregistrement compromettant dans ce cas-ci. Mais il avait entendu dire à l'agence qu'une fois de plus, quelque chose de *hot* avait été capté par écoute électronique, touchant les intentions des Américains et leur prix minimum. Cette interception, contrairement à celle de la Chine, a pu être faite délibérément.

Toutefois, Frost précise que si le CST a décidé, à un certain moment, d'intercepter spécifiquement les communications américaines, on ne le lui a jamais dit.

Il est important de se rappeler, cependant, que le CST, tout comme la NSA d'ailleurs, est extrêmement compartimenté dans ses opérations. Les gens de Pilgrim ne discutaient pas de leurs activités avec des collègues qui n'étaient pas directement impliqués dans le projet. Il en allait de même pour l'ensemble des employés de la «ferme». Il n'est pas exagéré de penser qu'à la suite du coup de maître qu'on avait réalisé avec la Chine, des ordres soient parvenus d'«en haut» pour réclamer de l'écoute électronique contre les États-Unis dans certaines situations précises — comme lorsqu'un envoyé américain se rendait à Ottawa pour discuter de l'Accord de libre-échange, par exemple. Car les employés du CST n'ont qu'à recevoir un ordre d'une personne haut placée pour enclencher une opération. «Dites-vous bien qu'à cette époque, commente Frost, nous n'en étions encore qu'à nos débuts dans l'interception des signaux micro-ondes, c'est-à-dire des ondes radios à ultra-haute fréquence (UHF), et que nous dépendions encore beaucoup de la NSA et du GCHQ. Le CST a beaucoup progressé dans la décennie qui suivit et, j'en suis sûr, progresse toujours aujourd'hui.» Il n'y a aucun doute que si le CST décidait de mener une opération contre les États-Unis ou quelque autre pays, ses agents pourraient le faire avec une plus grande expertise et des appareils supérieurs à ceux qu'ils avaient au début des années 1980. Le CST sait fort bien que la NSA espionne le Canada.

«Au moment où nous nous parlons, en 1994, je suis sûr que les Américains s'intéressent à tout ce que le gouvernement Chrétien compte faire dans le dossier de la pêche. Il souhaiterait intercepter n'importe quoi sur ce sujet.»

La fameuse interception à propos de la vente de blé à la Chine devint une des cartes maîtresses du CST; il la joua chaque fois qu'il devait justifier son existence et ses projets d'expansion. Quand la question du budget du CST était soulevée pour révision, on citait l'exemple du contrat de 2,5 milliards de dollars et on faisait valoir ce qu'il avait rapporté aux fermiers canadiens, et tout se réglait. Alors que le reste des services gouvernementaux était frappé par la hache des coupures budgétaires, le CST recevait toujours plus d'argent de la part des contribuables. On fit même construire une annexe de 30 millions de dollars à son quartier général. Le Vérificateur général s'est jusqu'ici tenu loin des états financiers du CST, alors qu'il ne ménage aucun des autres services gouvernementaux. Comme me le disait, en 1994, un important collaborateur du Vérificateur général responsable des dépenses du ministère de la Défense: «Nous ne vérifions pas les comptes du CST. Et si nous y trouvions quelque chose, je ne suis pas sûr que nous pourrions le dire à qui nous voudrions.» (En Grande-Bretagne, comme nous y avons fait allusion dans la préface, tous les services de renseignements M15, M16 et le GCHQ, doivent depuis peu rendre publiquement compte de leurs activités, y compris accepter la vérification de leurs dépenses devant un comité parlementaire sur les renseignements et la sécurité.)

Même s'ils n'avaient que très peu à voir avec le coup de la Chine, Frost et Bowman se pavanèrent comme des coqs pendant des mois à la suite de la fameuse interception. Seulement une quarantaine d'employés de la «ferme» avaient pu prendre connaissance de l'inestimable enregistrement. On ne s'en vantait pas sur les babillards. D'abord, parce que le coup avait été fait contre les Américains et qu'on voulait à tout prix éviter qu'ils ne l'apprennent. (À ce jour,

Frost croit qu'ils ne l'ont jamais su.) Ensuite, parce que l'interception avait été faite par des techniciens en communications qui n'étaient pas censés faire ce genre de travail et dont le rôle faisait plutôt partie du mandat officiel justifiant l'existence du CST. S'ils avaient été pris à outrepasser ce mandat et que la nouvelle s'était un peu trop répandue au sein de la bureaucratie ou à l'extérieur, ils auraient eu des problèmes. Mais les gens qui géraient le budget du CST savaient déjà ce que celui-ci faisait. Et cela ne pouvait qu'aider la cause de l'agence et du projet Pilgrim. Frost pouvait lui-même recourir à l'exemple du coup de la Chine et dire: «Voyez le genre de choses que nous pouvons obtenir.»

Les gens du CST ne se sentaient pas du tout coupables d'avoir possiblement trahi la confiance d'un pays ami qui, avec l'entraînement qu'il leur donnait à College Park de même qu'avec leur vaste expertise et leurs appareils top secrets et le coûteux Oratory, leur fournissait les moyens d'atteindre leurs objectifs. Après tout, Frost le savait fort bien: les Américains n'avaient pas toujours eu les mains propres eux non plus.

■

L'écoute dont l'ambassadeur américain avait fait l'objet ne constituait pas une première pour le CST. Des communications de citoyens américains avaient déjà été interceptées par des agents du gouvernement canadien auparavant. Un cas extraordinaire avait impliqué des espions canadiens au cours d'une mission en sol américain. Le citoyen américain visé était soupçonné par l'agence américaine d'activités «contraires aux intérêts de son pays». Le petit service que la NSA demanda au CST, cependant, ne plairait guère aux disciples de la démocratie américaine.

Mais tous les coups sont bons, quand l'arbitre a le dos tourné. Il pourra sembler incroyable aux Canadiens que cet incident se soit déroulé, non pas en temps de guerre, mais bien durant les années 1970, en temps de paix. Cette histoire illustre bien comment les agences de renseignements façonnent à leur guise leurs propres règlements et enfreignent la loi de leur pays lorsqu'elles y trouvent une justification. Si les Américains n'avaient pas craint d'enfreindre la loi, pourquoi auraient-ils demandé aux Canadiens de faire l'opération à leur place?

En 1975, Mike Frost venait de mettre fin à l'aventure de Stephanie et travaillait à la section N1A du CST, chargée de la surveillance des communications du KGB et du GRU dirigées vers l'Amérique du Nord. Comme nous l'avons vu au chapitre IV, l'interception de certains signaux satellites avait finalement permis au CST de découvrir où se cachaient les espions soviétiques.

La demande de la NSA parvint au CST à l'automne de 1975. Frost et ses collègues de la N1A avaient accompli beaucoup de travail en coopération avec le *A Group* américain, qui s'occupait de contre-espionnage dans les pays du bloc de l'Est. Le scandale du Watergate, qui avait entraîné la démission du président Richard Nixon une année plus tôt, était encore très frais à la mémoire de tous les Américains. La NSA hésitait à franchir la limite de ce qui pourrait rendre les coupables hors-la-loi et amener des accusations d'atteinte aux droits de la personne.

Un jour, Frost fut appelé dans le bureau de son patron, Steven Blackburn, pour donner son avis sur quelque chose qui venait de lui arriver de la NSA.

— Nous avons reçu une demande du *A Group*, annonça Blackburn. C'est une demande spéciale. Ils voudraient savoir si nous pouvons les aider à déterminer si certaines transmissions éclair HF destinées à Moscou ne proviendraient pas d'un certain endroit au Maryland...

— Des transmissions éclair HF? interrogea Frost, qui connaissait bien le procédé. Ils veulent savoir si le gars est du KGB?

— Oui... C'est ce que je crois comprendre, répondit Blackburn. Mais ils voudraient que nous fassions l'écoute pour eux.

— En sol américain? demanda Frost, impassible.

— Oui... Ils vont payer nos dépenses et tout le reste. Ils ne veulent tout simplement pas la faire eux-mêmes.

— Pourquoi pas?

— Ah, le Watergate... Ils ne l'ont pas dit exactement comme ça, mais je crois qu'ils veulent être en position de dire qu'ils ne l'ont pas fait si jamais la question leur était posée.

— Pourquoi?

— Parce que c'est contre un citoyen américain.

— Qu'ils soupçonnent d'être un espion soviétique?

— Je suppose...

L'affaire n'ébranla pas tellement Frost. Après tout, son métier consistait à capturer des agents soviétiques, peu importe leur citoyenneté. D'avoir à le faire en pays étranger ne faisait pas une grande différence pour lui. C'était pour une bonne cause, non? Et la guerre froide était à son plus rigide à l'époque.

Un premier élément à noter, en ce qui a trait à cette nouvelle affaire, est qu'un message codé, soit en *one-time-pad* (qui n'était utilisé qu'une fois), soit en morse (qu'un expert peut prendre presque à main nue), était diffusé de Moscou vers la région de la baie de Chesapeake sur fréquence HF. Second élément à noter, il était pratiquement impossible de déterminer à qui le message était destiné puisque les intercepteurs ne savaient pas qui y répondait. Techniquement, quiconque synthonise cette fréquence peut entendre le message sans se douter de quoi il s'agit.

La réplique se faisait toujours par transmissions éclair de la région de Chesapeake vers Moscou. La NSA se doutait fortement d'où elles provenaient. Le problème est que le suspect était un citoyen américain qui diffusait ses messages depuis son propre domicile. S'il avait, par exemple, utilisé un bureau du gouvernement pour faire son travail, la NSA n'aurait pas demandé l'aide des Canadiens et aurait pu invoquer la raison d'État pour justifier ses actions. L'agence américaine cherchait à déterminer non seulement si les transmissions étaient faites du domicile du suspect, mais si ce dernier s'y trouvait lorsqu'elles se produisaient. «Les gens de la NSA voulaient demeurer discrets à l'égard de ce citoyen américain à son domicile, explique Frost. Ils voulaient être en position de nier avoir surveillé cet individu.» Tout ce qu'ils demandèrent au CST fut de leur fournir les ressources humaines pour l'opération. Ils étaient prêts à payer le tout avec l'argent des contribuables américains et fourniraient l'équipement nécessaire. À vrai dire, ils ne semblaient pas avoir trop réfléchi aux explications qu'ils auraient eu à fournir si les Canadiens, comme les «Cubains» du Watergate, se faisaient prendre avec leur équipement, dans leur véhicule, conduit par leur chauffeur, pendant que la NSA défrayait aussi leurs frais d'hôtel, de repas et de déplacements.

«Tout ce qu'ils nous ont demandé, en fait, c'était de leur fournir un être humain pour appuyer sur les boutons. Ils savaient où aller et quelle fréquence synthoniser; ils connaissaient aussi l'horaire des transmissions éclair.»

L'énigme passa de l'étrange au plus bizarre. Une fois qu'on eut discuté de la demande spéciale de la

NSA, le CST décida qu'il ne voulait pas s'y faire prendre non plus. Cela ne voulait pas dire qu'il ne pourrait trouver un bouc émissaire pour autant. Le CST trouva réponse à son problème à la base d'écoute des Forces canadiennes à Leitrim, en banlieue d'Ottawa. Puisque c'est de là que Frost et plusieurs autres employés du CST étaient venus, c'était à n'en pas douter un excellent lieu d'entraînement pour les espions canadiens. Il y avait à Leitrim deux techniciens qu'on savait très dévoués à la cause du contre-espionnage. L'un dirigeait la section chargée des communications du KGB, l'autre dirigeait celle qui s'occupait du GRU. On connaissait la force de leurs convictions: ils tenaient mordicus à être «du bon bord» et étaient prêts à faire n'importe quoi pour nuire aux Soviétiques.

«Ils étaient vraiment du type "*Yes, Sir!*", ils ne remettraient pas les ordres en question, rapporte Frost. On pouvait leur faire confiance, ils étaient entraînés par le CST. C'était le genre d'employés qui comprennent quand on leur demande de tondre le gazon sans toucher aux fleurs. En fait, tout ce qu'on leur demandait de faire était d'appuyer sur le bouton "ON" au bon endroit et au bon moment.»

Les deux hommes furent convoqués au CST. On leur demanda s'ils s'objecteraient à ce qu'on les envoie à Washington pour un projet spécial durant une semaine ou deux. Comme l'idée leur plaisait, ils reçurent un *briefing* sommaire sur ce qu'on attendait d'eux. Ils se rendirent ensuite à la NSA pour un *briefing* en profondeur. Les autorités militaires canadiennes donnèrent également leur accord. Jusqu'à quel point les autorités politiques ont-elles été impliquées? Frost ne le sait pas. «Je ne crois pas que le CST soit allé très haut pour obtenir l'autorisation, dit-il. C'était une mission de courte durée, une affaire interne qu'on ne ferait qu'une fois: on s'y rendait, on faisait le travail et la NSA nous en serait reconnaissante. Le CST était au courant, mais pas directement impliqué. Ça ne nous coûtait rien. Les techniciens obtenaient un bon entraînement et nous, au CST, de bonnes relations avec nos alliés. De là le raisonnement qui donna le feu vert à l'opération. Et puis, nous avions couvert nos propres fesses... Nous n'avions qu'à blâmer les militaires.... En fait, nous étions contents que la NSA nous demande de faire quelque chose d'important. Jusque-là, c'était toujours le contraire qui se produisait.»

Les deux Canadiens furent donc envoyés dans la région de la baie de Chesapeake en mission de contre-espionnage, pour la simple raison que la NSA voulait jouer les Ponce Pilate et être capable de montrer patte blanche si nécessaire. La raison officielle du voyage, pour satisfaire à la bureaucratie d'Ottawa, était que les deux Canadiens participeraient à des discussions techniques à la NSA. C'était le prétexte habituel du CST. De plus en plus d'employés du CST se rendaient aux États-Unis sous ce faux prétexte. La carte d'identité du CST devint si familière aux douaniers des aéroports de Washington que, comme le dit Frost, «elle était plus efficace qu'un passeport».

Les techniciens de Leitrim ne manquèrent de rien. On leur fournit même un chauffeur de la NSA. Après deux semaines de surveillance étroite, le duo canadien parvint à établir la preuve que les transmissions éclair provenaient effectivement du domicile du suspect et qu'il était présent chaque fois qu'elles avaient lieu. Ils l'avaient pris en flagrant délit deux fois en deux semaines.

«Les enregistrements et les conclusions de l'opération furent remis à la NSA et nous n'avons plus jamais entendu parler de cette histoire par la suite, raconte Frost. Il est très rare qu'on vous renseigne sur les résultats d'une telle opération. À moins que nous ne l'ayons demandé spécifiquement, la NSA ne nous aurait jamais fourni l'information. Et dans le fond, malgré votre curiosité, vous ne voulez pas vraiment connaître le résultat de votre action. Vous faites votre coup et vous rentrez chez vous. C'est tout. Vous ne voulez pas en savoir trop long pour ne pas qu'on se mette à vous trouver trop curieux et à vous considérer comme un risque.»

Le fait est que dans les années 1970, alors que le CST obtenait des renseignements gratuits des Américains, y compris le produit des interceptions des satellites *Talent* et *Keyhole*, dont le public en général connaissait à peine l'existence, les Canadiens ne voulaient pas choquer leurs alliés américains en leur posant trop de questions.

Frost n'a jamais su qui était le citoyen américain visé ou ce qu'il est advenu de lui par la suite. Dès le début, il avait senti que la NSA était presque sûre qu'il s'agissait d'un espion soviétique. Il leur fallait tout simplement une preuve incontestable. «Les Soviétiques avaient une espèce de centre de villégiature d'été pour leurs diplomates dans la région de Chesapeake, relate Frost. L'espion avait été vu plusieurs fois se rendant à des réceptions à cet endroit.» La NSA voulait simplement que les Canadiens mettent les points sur les i et les traits sur les t.

Frost ne croit pas qu'il s'agissait d'une mission ordinaire puisque son patron eut à obtenir l'assentiment de ses supérieurs avant de la lancer et qu'on utilisa du personnel militaire. «La NSA était vraiment ébranlée par le Watergate à l'époque, soutient-il. Je suis sûr que leur demande avait tout à voir avec cette affaire et qu'aucune mission du genre n'avait été faite avant et n'a été faite depuis. D'un autre côté, ce sont leurs menaces de nous couper les renseignements qui nous ont forcés à nous embarquer. Je dirais donc que c'était une autre façon d'amener le Canada à agir comme ils l'entendaient.»

Quelques années plus tard, le CST recevrait une autre demande particulière pour une mission encore plus délicate. La demande proviendrait d'un autre proche allié, le GCHQ. Ce que les Canadiens accomplirent pour cet allié dépassa non seulement les bornes de la légalité, mais impliqua directement le CST dans la politique interne d'un autre pays.

■

C'était en février 1983. Alors que l'équipe de Pilgrim se préparait fiévreusement pour ce qui deviendrait sa première opération d'écoute diplomatique permanente, Daisy, une requête insolite parvint d'«en haut».

La demande était inhabituelle pour deux raisons: d'abord, elle provenait du GCHQ; ensuite, il s'agissait d'une mission extrêmement délicate, qui mêlait le CST non seulement à la politique nationale de la Grande-Bretagne, mais à de la politique purement partisane.

Mike Frost en avait déjà par-dessus la tête des détails de l'opération de New Delhi quand Frank Bowman le convoqua pour discuter d'un projet pour le moins différent, voire extravagant.

— BRLO est allé voir le chef, lui dit Bowman.

BRLO (prononcé affectueusement brilo) est le surnom et l'acronyme donné à l'agent de liaison du GCHQ auprès du CST. Le «chef» était en fait le directeur de l'agence.

— BRLO lui a demandé s'il voyait un inconvénient à ce qu'on monte une opération de deux ou trois semaines au plus, payée par les Britanniques, poursuivit Bowman.

— Pourquoi pas? lança Frost. Trois semaines à Londres aux frais des Britanniques, c'est parfait!

— Ouais..., quelqu'un de Pilgrim va s'en charger.

Frost sentait que Bowman était réticent à fournir tous les détails. Mais il demanda quand même:

— Quelle est la mission?

Bowman fit une pause. Il devait tenter d'expliquer quelque chose qu'il ne semblait pas très bien comprendre lui-même.

— Eh bien, il semble que Margaret Thatcher (alors première ministre de la Grande-Bretagne) pense que deux de ses ministres ne sont pas de son bord... Elle veut savoir si c'est vrai.

— Et alors?

— Et le GCHQ nous a demandé si nous serions prêts à assister Mme Thatcher et à amasser des renseignements sur ses ministres. Ils nous fourniraient les fréquences et nous indiqueraient les heures auxquelles faire de l'écoute.

— Elle veut espionner ses propres ministres?

— C'est ce que j'ai cru comprendre... Le GCHQ croit qu'en toute conscience, ils ne peuvent diriger une opération contre leurs propres ministres. C'est trop risqué. Mais ils ne veulent pas déplaire à leur première ministre non plus. Si c'est nous qui le faisons, ils pourront toujours dire qu'ils ne l'ont pas fait.

C'est là un autre exemple qui montre à quel point ce jeu de tricherie peut devenir tordu. Bien sûr, le GCHQ pourrait dire, sans mentir, qu'il n'avait fait aucune interception. Les Britanniques avaient tout simplement demandé aux Canadiens de faire cette sale besogne pour eux. Ils oublieraient de dire qu'ils avaient payé les frais de déplacement de l'espion canadien et son chic hôtel avec l'argent des contribuables anglais.

Bien que Bowman ait fait part de la demande du GCHQ à ses collègues de Pilgrim, il n'avait jamais hésité. «Il avait dit oui sur-le-champ, se rappelle Frost. À l'époque, les questions d'ordre moral ne se posaient pour aucun d'entre nous. Nous n'avons nullement hésité à commettre ce qui était vraiment un coup bas, histoire de rendre service à Mme Thatcher, pas cette fois-là en tout cas.»

En 1983, Margaret Thatcher terminait son premier mandat et planifiait de déclencher une élection au mois de juin. Elle avait effectué un remaniement ministériel en janvier, lors duquel deux ministres étaient tombés au profit de trois nouveaux. Le CST savait-il exactement ce que Thatcher cherchait à trouver? «Je ne suis pas sûr qu'elle le savait elle-même, confesse Frost. Elle était un peu paranoïaque, vous savez. Je pense qu'elle cherchait à découvrir à peu près n'importe quoi: "De quoi discutent-ils? Est-ce qu'ils complotent contre moi?" De toute évidence, elle soupçonnait que ses ministres s'étaient ligués contre elle et elle en voulait la preuve.» Un peu plus de sept ans plus tard, c'est une Thatcher devenue très méfiante et amère qui démissionna de son poste de leader suite aux pressions de son propre caucus.

«La question morale ne fut jamais soulevée, répète Frost. Nous écoutions de façon routinière des conversations privées que nous n'étions pas censés entendre. Nous étions devenus immunisés face à ce genre de scrupules. Une autre raison pour aller de l'avant est que nous ne risquions absolument rien. Qui pouvait nous prendre? Ceux qui auraient pu le faire étaient les mêmes que ceux qui nous avaient commandé l'opération!

«Au fond, nous pensions tout simplement que ce serait quelque chose d'amusant à faire. Trois semaines à Londres, toutes dépenses payées. Nous savions que Thatcher ne jouait pas franc-jeu, mais on s'en fichait. Qu'est-ce que ça pouvait nous faire?»

Leur seul problème était d'ordre logistique, et non moral. Pouvait-on techniquement le faire et en avait-on le temps? Encore une fois, l'équipe de Pilgrim avait des raisons d'ordre pratique pour accepter la mission. Premièrement, le CST n'avait jamais fait grand-chose pour le GCHQ, qui pourtant avait collaboré de près avec eux depuis plusieurs années. C'était l'occasion de lui rendre la pareille. D'autre part, Bowman avait déjà planifié de se rendre au GCHQ en mars 1983, pour des consultations sur Daisy. Comme il avait décidé de prendre la mission en main lui-même — Bowman n'aimait pas voyager, mais il adorait Londres — il partirait quelques semaines à l'avance et ferait ce petit travail pour ses amis britanniques, qui lui en seraient reconnaissants.

Enfin, les agents de Pilgrim voulaient tester une nouvelle pièce d'équipement fort perfectionnée qu'ils venaient d'acheter de Microtel. Il s'agissait d'un récepteur qui se transportait dans un porte-documents. Le CST avait également développé une petite antenne de la taille d'une boîte de cigares et voulait la tester, ainsi que de nouveaux magnétophones à cassettes pour l'interception de bandes étroites. Bref, c'était là une occasion en or de s'assurer du bon fonctionnement de leurs nouveaux jouets.

Le seul problème du récepteur de Microtel est qu'il n'avait pas de spectrographe, ce qui privait l'agent d'une reproduction visuelle des fréquences. Il fallait donc connaître précisément la fréquence visée. Mais puisque BRLO leur avait donné ces informations, le problème disparaissait.

Bowman se rendit à Londres et installa son petit poste d'écoute dans l'édifice de la *MacDonald House*. L'interception se faisait surtout à l'intérieur des heures normales de travail, mais aussi en dehors de ces heures, de sorte que les communications des ministres puissent être interceptées lorsqu'ils se rendaient au travail ou qu'ils le quittaient. Bowman commençait tôt et finissait tard. Il devait cacher son opération au personnel du haut-commissariat canadien, quoique parmi les quelque 400 personnes qui y travaillaient, il n'était qu'un autre visage perdu dans la foule. Tout ce dont il avait besoin était d'une pièce privée, où il ne risquerait pas d'être gêné par un intrus. On ne discuta même pas d'un prétexte pour sa visite. Il ne s'agirait que d'autres consultations techniques avec le GCHQ.

Bowman se rendait à son bureau de la *MacDonald House* avec son porte-documents le matin et regagnait son hôtel à la fin de la journée seulement. Il fit également de l'écoute à partir de sa chambre d'hôtel, mais pas trop, parce qu'il était alors en territoire britannique et non sur le territoire canadien du haut-commissariat. L'équipement fonctionna à merveille et Bowman intercepta plusieurs conversations. «Il avait récolté plusieurs bandes sonores», raconte Frost.

Une fois sa mission terminée, Bowman avait reçu l'instruction de remettre les enregistrements à un individu qu'il devait rencontrer aux installations du GCHQ, dans les Cotswolds. Il rencontra d'abord l'agent de liaison canadien sur les lieux et lui fit savoir qu'il devait rencontrer quelqu'un d'autre. L'autre arriva immédiatement et Bowman lui remit le matériel. Il n'en fit jamais de copie. Ç'aurait été contre les procédures.

Au retour de Bowman, Frost ne put contenir sa curiosité. Il voulait savoir si son collègue avait entendu des choses intéressantes. Frank n'était habituellement pas très loquace.

«C'était intéressant, avait-il dit laconiquement. J'ignore si elle a trouvé ce qu'elle cherchait, mais vraiment, il y avait des choses très intéressantes.» Puis il ajouta: «Pour être honnête avec toi, Mike, j'aurais été aussi bien d'intercepter du hindi, parce que je n'arrive pas à comprendre cette saleté d'accent britannique!» C'était peut-être sa façon de dire à Frost: «Ne me pose pas plus de questions, s'il te plaît.» Une fois de plus, il s'agissait d'un travail bien fait. On n'en parle plus quand c'est fini.

Cet épisode soulève cependant des questions au sujet des bandes sonores qui feraient surface une dizaine d'années plus tard et embarrasseraient la famille royale britannique. Il s'agit des fameux enregistrements du prince Charles et de la princesse Diana. La rumeur à l'époque était que le GCHQ avait produit ces renseignements. Mais d'après Frost, il est plus probable que l'interception ait été faite par la NSA ou même par le CST, Dieu sait sur l'ordre de qui.

Cette affaire en Grande-Bretagne indique clairement que le GCHQ, comme la NSA d'ailleurs, trouve toujours moyen de contourner la loi et n'hésite pas à venir en aide à un politicien en particulier pour son intérêt personnel. L'affaire montre aussi que le Canada, dans certaines circonstances, n'hésite pas à espionner ses amis. Mais comme dans le cas de l'espionnage en sol américain, presque dix années plus tôt, il est peu probable que la décision d'aller de l'avant avec l'écoute à Londres ait été soumise à l'approbation de personnes très haut placées dans l'appareil bureaucratique. C'était le genre d'opération que le CST savait accomplir sans danger; chercher l'appui en haut lieu n'aurait fait que compliquer inutilement les choses.

Il y eut des cas, cependant, où les ordres de faire de l'espionnage contre un pays ami ou même une province canadienne vinrent directement d'«en haut».

Les cibles n'étaient nulles autres que la France et le Québec.

■

Frost entendit parler pour la première fois de ce qu'on nomme dans le métier l'«écoute d'un tiers parti» quand il fut affecté à la surveillance du réseau de communications soviétique «Gorizont», entre Stephanie et son travail au contre-espionnage à la N1A. Le réseau Gorizont consistait en une série de tours de communications dont les signaux rebondissent sur la troposphère pour être captés à un point donné, s'opposant, par exemple, aux ondes HF qui sont diffusées dans la ionosphère. Comme Frost avait l'expérience de l'Arctique, où les Soviétiques installèrent ce système, il fut choisi pour l'emploi.

C'est alors qu'il apprit vraiment ce qu'était l'écoute d'un tiers parti. Un jour, en arrivant au bureau, il trouva une pile de documents, des transcriptions, sur son pupitre.

— Qu'est-ce que c'est que ça?

— Oh, c'est le tiers parti, répondit un collègue.

— C'est quoi?

— Le tiers parti! répéta l'autre, qui semblait surpris de l'incompréhension de Frost.

— Que veux-tu dire par «tiers parti»?

— C'est l'écoute que nous achetons, principalement des pays scandinaves...

— Comment, nous l'achetons?

— Eh bien, c'est moins cher d'acheter de l'écoute que de la faire nous-mêmes. Ils captent et ils nous vendent.

— Comment leur donne-t-on leurs affectations?

— Il n'y a pas vraiment d'affectations données par le CST. Ils ne font que nous remettre ce qu'ils ont. Pour autant que je sache, ils ont le mandat d'intercepter toutes les communications qu'ils peuvent. Ils nous font une copie et nous les payons.

La Norvège était de loin le plus gros fournisseur, mais les Suédois et les Danois vendaient également leurs services de cette façon au CST. Étant tout près de la frontière soviétique, les Scandinaves avaient évidemment leur propre système d'écoute officiel. Et la quasi-totalité de leurs interceptions visait les communications soviétiques. Fondamentalement, ils ne faisaient que revendre des caisses de documents à un acheteur allié. Il ne s'agissait cependant pas de renseignements très pertinents. La plupart étaient déjà dépassés par les événements; mais lorsque vous travaillez sur un projet à long terme comme Frost avec Gorizont, ils peuvent être utiles.

Quelques années plus tard, cependant, Frost ne put s'empêcher de sursauter lorsqu'il entendit à nouveau parler de l'écoute d'un tiers parti. On lui apprit que le CST avait donné une affectation spéciale aux Norvégiens, ce qui, selon lui, était sans précédent. «Nous avons demandé aux Norvégiens — et probablement aux deux autres pays scandinaves — s'il y avait moyen pour eux d'intercepter les communications françaises. La cible était les communications entre le Québec et la France.» C'était peu après l'élection du gouvernement Lévesque, le 15 novembre 1976. Étant donné que Lévesque avait promis la tenue d'un référendum sur la séparation du Québec pour 1980, «le gouvernement Trudeau voulait savoir tout ce qui pouvait se dire et se faire entre le Québec et la France», rapporte Frost.

Les relations entre le gouvernement canadien et la France étaient extrêmement tendues depuis 1967. C'est cette année-là que le président français, Charles de Gaulle, avait lancé son fameux «Vive le Québec libre!» du haut du balcon de l'hôtel de ville de Montréal alors qu'il était en visite officielle au Canada. Le premier ministre canadien de l'époque, Lester B. Pearson, avait annulé la visite que de Gaulle devait faire à Ottawa, l'accusant de s'être ingéré dans les affaires politiques du Canada, puisqu'il semblait avoir ouvertement appuyé la cause séparatiste. Peu après, René Lévesque devenait le premier leader politiquement crédible d'un parti sécessionniste, après avoir quitté le Parti libéral provincial. La défection de Lévesque et la formation subséquente du Parti québécois alarma Ottawa qui, jusque-là, n'avait vu dans la menace séparatiste qu'un mouvement marginal. Vint ensuite la crise d'Octobre 1970, où le FLQ enleva à Montréal le diplomate britannique James Cross, et assassina le ministre libéral provincial Pierre Laporte.

Le premier ministre fédéral Pierre Trudeau prit les grands moyens en imposant la Loi des mesures de guerre, un geste toujours contesté aujourd'hui, qui donnait à la police et à l'armée des pouvoirs quasi illimités permettant d'appréhender n'importe quel individu soupçonné d'être un membre ou un sympathisant du FLQ. Plus de 400 personnes furent ainsi incarcérées sans mandat ni procès.

En 1973, alors que Lévesque dirigeait le Parti québécois dans ce qui n'était que sa deuxième campagne, il subit une cuisante défaite face aux libéraux de Robert Bourassa, en grande partie parce que la population était encore secouée par les événements d'Octobre 1970. Trois ans plus tard, cependant, Lévesque vengeait l'échec de 1973 et arrachait le pouvoir aux libéraux, détruits par une série de scandales, créant ainsi beaucoup d'incertitude quant à l'avenir et à l'unité du pays.

Frost prit connaissance de l'écoute faite par les Norvégiens contre la France et le Québec au début du mandat de Lévesque. «Tout ce que je sais, c'est qu'ils (les Norvégiens) le faisaient pour nous et qu'ils nous fournissaient beaucoup de matériel, surtout des télex, si je me souviens bien.»

Fédéraliste convaincu, Frost a hésité avant de faire cette révélation, mais il estime que les Québécois, comme les Canadiens, ont le droit de savoir ce que leur gouvernement a fait clandestinement. «Pour nous, il en allait de la survie du fédéralisme», confesse Frost. Mais il admet: «Même si, techniquement, nous interceptions les communications françaises, en fait, nous espionnions des citoyens canadiens, les cibles étant des Québécois.» Frost n'est plus aussi sûr aujourd'hui que cette écoute était justifiée. Après tout, il ne s'agissait pas d'espions du KGB ou d'un régime totalitaire. Le Parti québécois était tout simplement formé de gens qui défendaient une option politique et constitutionnelle différente et qui avaient été élus démocratiquement. À l'époque, cependant, Frost pensait seulement au fait que le CST contribuait à garder le pays unifié.

Les autorités canadiennes cherchaient de toute évidence à savoir si le gouvernement français — dirigé par le président Valéry Giscard d'Estaing, qu'on savait privément favorable à la cause du Québec — et le gouvernement québécois planifiaient quelque chose contre Ottawa. Des ordres de ce genre ne pouvaient provenir que des plus hauts échelons du pouvoir politique. À partir de novembre 1976, le gouvernement Trudeau mit tout en œuvre pour défaire le Parti québécois au référendum promis par Lévesque — ce qui arriva — et prit tous les moyens à sa disposition pour y parvenir, y compris le recours à ses agences d'espionnage. Par ailleurs, il faut mentionner que le ministre des Finances du gouvernement Lévesque, Jacques Parizeau, devenu chef du Parti québécois en 1986, se vantait, dans les années 1970, d'avoir «un réseau d'espions» au sein de la fonction publique fédérale. Dans ce sens, l'action fédérale se justifiait peut-être. Mais les moyens et les ressources du CST étaient de loin supérieurs à ceux que pouvaient posséder les «espions» de Parizeau.

Selon Frost, l'écoute des communications Québec-France se poursuivit tout au long de la décennie suivante, jusqu'à ce qu'il quitte le CST, même si les séparatistes perdirent le référendum de 1980 et furent défaits par Robert Bourassa en 1985. Au moment de mettre ce livre sous presse, cependant, le Parti québécois venait de reprendre le pouvoir avec Parizeau comme chef et s'apprêtait à tenir un autre référendum afin de faire du Québec un pays souverain.

Frost connaît l'existence de la section du *French Problem* au quartier général du CST. Il ne possède aucun détail sur ce qui a pu se dérouler ou se déroule toujours derrière les portes de cette section, mais il sait que les gens qui y travaillent ne se préoccupent que de la séparation du Québec.

Il se souvient aussi que les fonctionnaires des Affaires extérieures qui travaillaient avec l'équipe de Pilgrim insistaient pour ajouter une capitale à la liste de leurs cibles: Paris. «Par contre, précise Frost, nous n'avons jamais fait de mission de reconnaissance à Paris du temps où je travaillais au CST. Il y avait trois raisons à cela: politiquement, c'était de la dynamite; techniquement, nous ne pensions pas en être capables; physiquement, enfin, il n'y avait pas suffisamment d'espace dans l'ambassade pour y installer un poste d'écoute.»

Frost avait été renseigné sur la difficulté de faire de l'interception à Paris par Patrick O'Brien. «Je me souviens qu'il avait levé les yeux au ciel en me disant que nous ferions mieux d'emporter beaucoup d'équipement car les communications étaient extrêmement complexes à Paris.»

Par ailleurs, Frost précise que c'est en raison de cette complexité que les agents de Pilgrim sont plutôt allés à Rabat, où ils purent effectivement intercepter des communications France-Québec. «Ils pourraient bien être à Paris aujourd'hui. Les Affaires extérieures le souhaitaient ardemment et, s'ils le décidaient, ils pourraient certainement trouver un peu d'espace pour y installer leurs pénates.»

Ami ou ennemi? Parfois, cela semble dépendre de l'heure ou de la température du jour. La règle de base demeure: ne posez pas trop de questions, surtout pas à votre propre conscience.

Chapitre XI

SPHINX OU LE RETOUR EN RUSSIE

Au début de 1987, les deux plus proches alliés du Canada dans le monde du renseignement vinrent frapper à sa porte: ils avaient une grosse faveur à lui demander. Le service rendu devint l'une des missions les plus prestigieuses dont l'équipe de Pilgrim put s'enorgueillir. Les Américains et les Britanniques étaient dans une impasse. Quelque chose d'étrange et de très ennuyeux s'était produit à Moscou. Frost l'apprit de sa source habituelle, Frank Bowman.

— Les Américains et les Britanniques ont fait appel à nous pour résoudre un problème urgent, lui annonça-t-il.

— Quoi donc?

— Leurs sites de Broadside et Tryst ne fonctionnent plus.

Comme nous l'avons mentionné plus tôt, Broadside était le nom de code du poste d'écoute diplomatique de l'ambassade américaine à Moscou, et Tryst, celui des Britanniques.

— Et pourquoi ça ne marche plus? interrogea Frost.

— Les Soviétiques les brouillent.

— Ils les brouillent?

Frost était surpris. Il se doutait bien que le KGB et le GRU étaient au courant de ce que les États-Unis et la Grande-Bretagne faisaient de leurs ambassades. Mais il avait toujours cru qu'entre superpuissances, cela faisait partie du jeu. Ils vous laissent essayer de les intercepter, tout comme ils s'attendent à ce que vous les laissiez tenter de vous intercepter.

— Qu'est-il arrivé pour qu'ils décident de les brouiller?

— Sais pas, répondit Bowman. Les Soviétiques ont peut-être tout simplement décidé qu'ils en avaient assez. Peut-être aussi que ce sont des représailles pour quelque chose que les Américains ont fait. Peut-être cachent-ils quelque chose de gros. Ou encore veulent-ils tout simplement les emmerder. En fait, il y a des mois que ça dure, peut-être même un an. La NSA m'a dit qu'ils avaient tout fait pour régler le problème, mais sans succès. Les Soviétiques sont plutôt efficaces quand ils décident de faire quelque chose.

— Ça va si mal que ça?

— Ils n'obtiennent tout simplement plus rien. Aucune interception, aucun renseignement, rien... Ils pensent qu'on ne peut se permettre de laisser la situation telle qu'elle est avec tout ce qui se passe là-bas, ce Gorbatchev et ses manigances de *perestroïka*, *glasnost* et je ne sais quoi encore. Ça pourrait exploser à n'importe quel moment et ils n'en sauraient rien.

— Et que veulent-ils de nous?

— Pas grand-chose. Ils veulent tout simplement que nous allions les remplacer à Moscou.

— Tu veux dire qu'ils veulent que nous montions un site d'écoute diplomatique à Moscou dans l'espoir de capter les renseignements qu'ils n'arrivent plus à obtenir?

— C'est ça. Qu'en penses-tu?

— Je pense que c'est fantastique! s'exclama Frost.

— Je savais bien que tu dirais cela.

— Mais cette opération sera extrêmement délicate. Non seulement on ne veut pas se faire prendre, mais ce sera tout un coup pour le CST si on y arrive!

— En effet, tout un coup! renchérit Bowman.

— Allons-y, Frank!

— O.K. En route pour la gloire!

Frost devait apprendre des gens de College Park ce qui s'était déroulé à Moscou au cours de l'année précédente. Les agents du contre-espionnage soviétique s'étaient d'abord pointés avec un camion équipé d'appareils de communications. Ils avaient assurément capté une quelconque irradiation des sites américains et britanniques, et avaient commencé par les brouiller à l'occasion seulement. Très rapidement, cependant, l'opération de brouillage était devenue permanente.

Ce genre de brouillage doit être fait d'un emplacement fort rapproché. Dans la Russie totalitaire, le gouvernement n'avait pas de problème à se trouver de l'espace. On utilisait des antennes hautement directionnelles qu'on orientait vers l'édifice visé et les fréquences que l'on croyait être l'objet de l'interception, et on inondait l'édifice d'ondes radios qui ne produisaient que du bruit. Le «brouilleur» devait cependant éviter de se «brouiller» lui-même. On devait donc utiliser suffisamment de puissance pour bloquer l'écoute, mais pas trop pour ne pas couper ses propres communications. C'était une tâche relativement facile pour les Soviétiques, puisque, même s'ils ignoraient quelles fréquences les Américains et les Britanniques écoutaient précisément, ils savaient pertinemment bien lesquelles ils ne voulaient pas voir interceptées.

Broadside et Tryst avaient essayé diverses méthodes pour y échapper, en branchant et débranchant l'équipement à des heures inhabituelles. Mais les Soviétiques les avaient si bien pris dans leurs filets qu'aussitôt qu'un appareil américain ou britannique se mettait en marche, le brouillage commençait. Et il s'arrêtait presque automatiquement dès que les postes d'écoute cessaient d'opérer. C'est au bout de nombreuses frustrations et en désespoir de cause que les deux géants de l'espionnage se tournèrent vers le Canada pour y chercher de l'aide. Peut-être que les gens de Pilgrim, déjà plus expérimentés, pourraient réussir là où ils avaient échoué.

C'était toute une marque de confiance pour Pilgrim. Mais est-ce que le CST pourrait gravir cette falaise? Ils avaient toute la bonne volonté du monde, mais il leur fallait agir avec beaucoup de prudence. Ils ne voulaient absolument pas se faire prendre. Ça ne leur était pas encore arrivé, mais cette fois-ci, ils s'attaquaient à l'adversaire numéro un.

L'opération reçut le nom de code «Sphinx». Bowman et Frost décidèrent dès le départ qu'ils devraient changer les méthodes utilisées habituellement pour les opérations de Pilgrim. Le KGB était trop fort. Il était probable que l'agence soviétique avait déjà un dossier sur eux et éventuellement sur tous les employés du CST qui avaient voyagé à l'étranger, peu importe les prétextes utilisés. Ce qui signifiait qu'ils ne pouvaient envoyer leurs agents habituels en mission de reconnaissance ou d'essai. Le CST tenait à être perçu comme totalement détaché de l'opération.

Ils recrutèrent tout de même leurs spécialistes de l'écoute au sein du ministère de la Défense et les affectèrent aux Affaires extérieures pour les entraîner à titre de techniciens en communications. Ceux qui ne parlaient pas déjà le russe durent se soumettre à un apprentissage intensif avant la mission. Le CST opta pour ne pas cacher le fait que ce nouveau personnel provenait du ministère de la Défense, craignant que les Soviétiques ne sentent que quelque chose ne tournait pas rond. Par exemple, s'ils savaient déjà qu'un des agents envoyés à Moscou était membre des Forces armées, celui-ci serait une fois de plus à l'ambassade pour améliorer les communications entre Moscou et Ottawa. «Nous avions inventé toute une série de prétextes: augmenter la capacité des lignes téléphoniques, améliorer les contacts avec les satellites, n'importe quoi. Mais tous se défendaient bien et collaient avec l'étiquette de techniciens en communications.»

Ils avaient besoin de tous les prétextes qu'ils pouvaient trouver et l'opération a dû être perçue par les Soviétiques comme une opération majeure d'amélioration des communications, car le CST avait envoyé cinq de ses agents à Moscou pour accomplir ce que les Américains et les Britanniques leur demandaient de faire. Un chef d'équipe et quatre agents furent recrutés. Aucun d'entre eux n'avait de liens antérieurs avec le CST. Il était exceptionnel pour le Canada de procéder à une telle augmentation de personnel. Au sein du CST même, des précautions extraordinaires furent prises pour garder le secret sur Sphinx, puisqu'on était toujours préoccupé par la possibilité qu'une taupe ait infiltré l'organisation. Très peu de gens furent donc mis au courant. Sphinx fut une opération encore plus secrète que Pilgrim. On annonça aux Affaires extérieures et aux autorités de Moscou que cinq nouveaux techniciens allaient s'ajouter au personnel. Un autre faux prétexte utilisé par les Canadiens pour Sphinx fut qu'ils se préparaient à déménager l'ambassade dans un immeuble plus spacieux.

L'équipe de Pilgrim changea également sa façon de procéder quant au *briefing* que recevrait l'ambassadeur, lequel devait aussi donner son accord au projet. On trouvait qu'il était trop risqué de le faire en déambulant dans les rues de Moscou, ou même en rappelant l'ambassadeur au Canada pour quelque autre raison. On demanda à l'attaché militaire de l'ambassade à Moscou de se rendre en Allemagne de l'Ouest, ce qui ne constituait pas un déplacement inhabituel, le Canada étant membre de l'OTAN. C'est lui qui reçut le *briefing* du CST et qui en informa l'ambassadeur canadien qui était, par une heureuse coïncidence, Peter M. Roberts. Frost se souvenait bien de Roberts depuis son passage mémorable à Bucarest et savait que les gens de Pilgrim seraient bien accueillis.

Aucune objection ne fut soulevée. Par contre, le prétexte utilisé causa des problèmes au sein de l'ambassade à un certain moment. «Certains membres du personnel qui s'étaient fait dire que les communications allaient être améliorées, voulaient avoir plus d'accès aux lignes pour transmettre toutes sortes de choses au Canada, raconte Frost en riant. Évidemment, nous ne pouvions répondre à une telle requête, puisque cette histoire était fausse. Nous leur disions simplement que nous en étions encore au stade des tests.»

Aussi prudents et conscients du secret qu'ils avaient pu l'être tout au long de l'évolution de Pilgrim, Frost et son équipe devinrent véritablement paranoïaques dans le cas de Sphinx. «Je me souviens qu'à chaque fois que nous allions à l'édifice des Affaires extérieures pour discuter de Sphinx, nous surveillions si quelqu'un nous suivait. C'en était devenu un peu ridicule.»

Il y avait également le problème que posait l'envoi de cinq agents à la NSA. Les Soviétiques pourraient faire le rapprochement s'ils voyaient les mêmes individus refaire surface à Moscou. Le CST demanda à ses agents de remplir un formulaire qui les inscrivait à un cours hautement technique donné par la NSA et que des Canadiens suivaient régulièrement. On espérait que les Soviétiques ne verraient rien d'extraordinaire à ce que ces cinq personnes y prennent part. En fait, les agents de Sphinx passèrent la plus grande partie de leur temps à Washington, aux installations de College Park, dans le *live room*, où ils se familiarisaient avec l'environnement électronique de Moscou que les Américains connaissaient comme la paume de leur main, mais ne pouvaient plus décoder.

Trouver ce qu'on dirait aux épouses était un autre mal de tête. La politique adoptée pour New Delhi avait été, selon Frost, la bonne et avait bien fonctionné. Il se souvenait du conseil de O'Brien disant qu'il se devait d'avoir des agents heureux et des épouses heureuses. Mais la paranoïa gagna l'équipe de Pilgrim aussi. Après de nombreuses discussions, ils décidèrent de ne pas dire aux épouses ce que leurs maris allaient vraiment faire en URSS. «Nous ne pouvions tout simplement pas courir le risque que l'une d'entre elles dise quelque chose qu'elle aurait cru insignifiant à un cocktail, explique Frost. Le KGB était tout simplement trop bon. Ces gars-là étaient entraînés à extirper des renseignements des gens, tout comme nous l'étions, tout comme l'étaient les Américains et leur école de charme à la CIA.»

Un autre changement majeur fut que les techniciens avaient été envoyés environ un mois avant l'équipement. Comme on l'a vu, la procédure était habituellement le contraire: expédier les appareils d'abord, s'assurer qu'ils étaient en sécurité et envoyer les troupes par la suite. Les appareils furent expédiés par la voie habituelle des poches diplomatiques, pièce par pièce, plutôt que dans une seule cargaison, comme on l'avait fait pour Daisy et Artichoke.

Ce qu'il y a de plus renversant est que, malgré toutes les difficultés inhérentes au projet, Sphinx fonctionnait pleinement seulement quatre mois après que le CST eut reçu la demande de la NSA et du GCHQ. L'opération en était une de «24-7», c'est-à-dire qu'après avoir branché l'équipement graduellement, les appareils devaient rester branchés vingt-quatre heures par jour, sept jours sur sept. Toutefois les agents n'étaient aux commandes que durant cinq jours et pendant les heures normales de travail, afin de ne pas éveiller inutilement les soupçons. Ces appareils étaient à ce point sophistiqués qu'on pouvait facilement les faire fonctionner à distance de toute façon.

Le chef d'équipe de Sphinx avait également la possibilité de faire ce qu'on ne permettait pas à d'autres agents de Pilgrim: rapporter immédiatement toute interception qu'il croyait urgente au CST et à ses alliés. Il le faisait en message à triple encodage qui était reçu aux Affaires extérieures par un employé de Pilgrim. Le message était expédié immédiatement au CST et presque aussitôt à la NSA.

L'opération fut un succès. Les Canadiens ne furent pas brouillés, du moins pas avant que Frost ne se retire de l'équipe de Pilgrim, c'est-à-dire deux ans après le début de Sphinx. Ce qui veut dire que, de l'été 1987 à l'été 1989, c'est le Canada qui fournissait aux puissances alliées les renseignements qui leur avaient été si précieux auparavant et qui servaient également l'ensemble des pays de l'Ouest. Ils captèrent toutes les fréquences que Broadside et Tryst avaient interceptées avant eux: les communications du KGB et du GRU, du gouvernement, de la police — tout ce qui importait, quoi!

«Nous étions fous de joie et, bien sûr, les Américains et les Britanniques l'étaient aussi, se souvient Frost. La NSA ne cessait de nous rappeler que nous pouvions être brouillés à n'importe quel moment, mais jusqu'en 1989 cela ne s'est pas produit. Est-ce que les Soviétiques ne soupçonnaient tout simplement pas le Canada? Ont-ils cru que nous étions trop novices pour arriver à intercepter quoi que ce soit? Je ne sais pas. Quoi qu'il en soit, ils n'entreprirent rien contre nous.»

Il est donc fort probable qu'au moment où un groupe de leaders communistes radicaux tenta de renverser Gorbatchev en le retenant, lui et sa famille, en otage pendant soixante-douze heures, en août 1992, les renseignements fournis au monde extérieur provenaient du site de Pilgrim et du CST. Sur la liste des mots clés insérés dans l'Oratory à Moscou étaient ceux de plusieurs des putschistes qui furent plus tard accusés de haute trahison: l'ancien chef du KGB, Vladimir Kryuchkov; l'ancien premier ministre Valentin Pavlov; le ministre de la Défense Dmitri Yazov; l'ancien vice-président Gennady Yanayev et l'ancien ministre de l'Intérieur Boris Pubo, qui se suicida après le coup d'État raté.

Le nom de Boris Eltsine était également sur la liste des mots clés, comme d'ailleurs celui de Gorbatchev.

Le premier ministre Brian Mulroney fit au moins une visite officielle en Union soviétique alors que Sphinx était, de l'avis de Frost, toujours en opération, à l'automne de 1989. Si le CST a obéi à sa politique habituelle, cependant, l'écoute fut interrompue durant son séjour à Moscou. Frost a toujours été en désaccord avec cette politique, puisqu'il croyait que l'écoute diplomatique aiderait à protéger le premier ministre.

Mais politiquement, il fallait que le chef du pays soit en position de dire qu'aucune opération du genre n'avait cours alors qu'il était dans la capitale étrangère.

Sphinx démontra aux Américains et aux Britanniques qu'ils ne faisaient plus affaire avec des joueurs de ligues mineures. Non seulement l'opération aura contribué à augmenter le prestige du CST et le respect qu'on lui vouait au sein de la communauté des espions, mais elle en aura également accru le pouvoir.

Pour Mike Frost, qui a toujours vu les Soviétiques comme la cible principale, Sphinx était le couronnement de sa carrière. Celle-ci était par ailleurs sur le point de prendre fin d'une façon soudaine et prématurée.

Chapitre XII

ET MAINTENANT?

Au cours de la préparation de ce livre, Mike Frost rencontra par hasard un de ses anciens collègues de Pilgrim rattaché aux Affaires extérieures. Il lui demanda, l'air de rien, ce qu'il faisait ces jours-ci.

— Ah! Toujours la même merde! lui répondit-il.

Frost est également allé faire un tour dans un restaurant fréquenté par les employés du CST au centre commercial *Billings Bridge*, à Ottawa, et conversa brièvement avec une employée de la «ferme». Il lui demanda comment ses ex-collègues se portaient.

— Ils sont toujours à faire le même boulot, dit-elle.

Quatre ans après le départ de Frost, Pilgrim fonctionne toujours et est probablement devenu l'une des principales activités du CST, au moins pour ce qui est des opérations clandestines. Il est possible que le projet ait même dépassé le cadre des activités connues du CST en termes de ressources et d'importance. Frost ne peut que spéculer sur l'évolution de Pilgrim depuis sa retraite. Mais ses observations proviennent tout de même de discussions auxquelles il prenait part il y a quatre ans et tiennent compte de ce qu'étaient les intentions de Pilgrim à l'époque. Il ne peut concevoir pourquoi ces plans auraient changé.

«Je ne vois pas pourquoi nous n'aurions pas toujours un poste à New Delhi, ni pourquoi nous ne serions plus à Moscou, à moins que Sphinx n'ait été brouillé et que nous ayons été incapables de contourner le brouillage. Sphinx était une opération relativement peu coûteuse; ils sont probablement toujours là.

«Quant à Caracas, je ne serais pas surpris que nous ayons décidé d'y monter une opération semi-permanente... Nous n'avions pas obtenu de renseignements utiles lors de notre essai là-bas, mais nous avions intercepté beaucoup de communications. Étant donné les cibles qu'ils visent probablement aujourd'hui, Caracas serait un site naturel. L'ambassade disposait de beaucoup d'espace et l'opération s'était très bien déroulée.

«Bucarest? Peut-être. Ça a été l'un de nos plus grands succès du côté renseignements. Il est possible que nous ayons voulu savoir ce qui s'y passait depuis la chute de Ceauşescu.

«Beijing? Je serais très surpris d'apprendre que nous n'avons pas finalement cédé aux pressions de la NSA. Ne fût-ce que pour leur dire: "On va voir ce qu'on peut faire."»

Beijing avait été le premier choix de Patrick O'Brien en 1977, et chaque fois qu'ils s'entretenaient avec les agents de Pilgrim, les Américains leur demandaient: «Quand allez-vous tenter Beijing?» La pression était telle que l'opération avait même un nom de code: «Badger». La raison des pressions américaines s'explique aisément. Dans la capitale chinoise, les ambassades étrangères sont regroupées à l'intérieur d'une enceinte diplomatique. Il y avait une tour à micro-ondes à la portée des appareils d'écoute, mais ni les Américains ni les Britanniques ne pouvaient la viser à cause d'édifices que les Chinois avaient érigés devant leurs ambassades et qui bloquaient leurs signaux. Frost revoit encore O'Brien dessinant un diagramme au crayon feutre sur un tableau blanc pour montrer aux Canadiens la disposition des ambassades, des édifices avoisinants et de la tour. L'ambassade canadienne (l'ancienne, du moins, car le Canada en a construit une toute nouvelle depuis) était la seule qui avait un angle de tir vers la tour, visuellement et électroniquement (voir figure E). «Les Américains voyaient là une grosse lacune dans leur cueillette de renseignements», fait remarquer Frost.

FIGURE E
Beijing

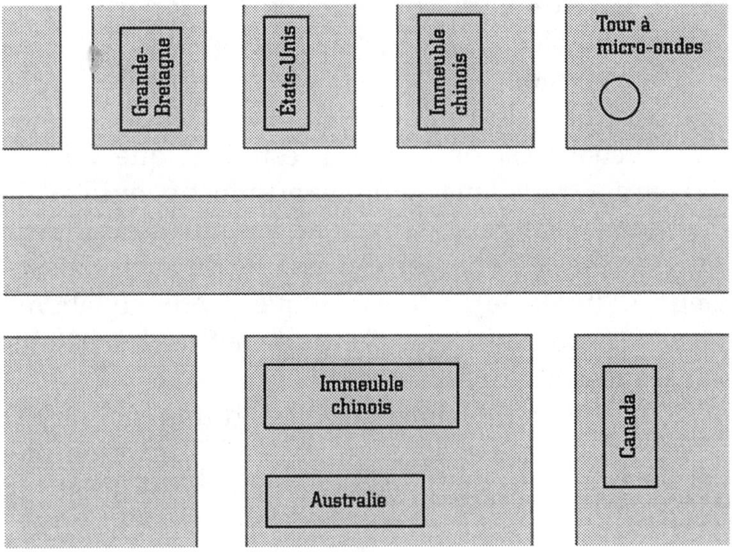

Grande-Bretagne
États-Unis
Immeuble chinois
Tour à micro-ondes
Immeuble chinois
Australie
Canada

(Diagramme: David Frost)

Une opération à Beijing signifierait évidemment que le CST aurait été forcé d'améliorer grandement les capacités de son laboratoire d'analyse à Ottawa, puisqu'on n'expédierait jamais de renseignements à la NSA sans les avoir d'abord analysés. (Pensez seulement à la vente de blé dont on a parlé au chapitre 10.)

Frost est d'autre part certain que Pilgrim est à Paris. Parce que dans ce cas, la pression venait des Affaires extérieures. «Il va de soi que nous sommes là, dit-il. Il n'y avait pas assez d'espace pour mettre une feuille de papier de plus dans cette ambassade, mais j'ose croire que les Affaires extérieures ont trouvé de l'espace. Ils ont pu déménager certains bureaux ou couper des postes... Étant donné la situation politique actuelle au Canada, avec la menace séparatiste si forte et Lucien Bouchard qui se rend à Paris pour rencontrer les leaders français, il me semble plus que probable que nous y ayons un poste d'écoute.»

Le Bloc québécois détient aujourd'hui 54 sièges à la Chambre des communes et forme l'opposition officielle, alors qu'il est pourtant le premier parti sécessionniste du Québec à siéger à Ottawa.

L'ambassadeur à Paris était à cette époque Benoît Bouchard, un fidèle ministre de Brian Mulroney. Benoît Bouchard est de ceux qui estiment que Lucien Bouchard a trahi l'ancien premier ministre, qui l'avait admis dans son cabinet et dont il était un ami personnel avant sa démission fracassante du Parti conservateur à l'hiver de 1990. Est-ce que Benoît collaborerait à une opération qui pourrait mettre des bâtons dans les roues à Lucien?

L'un des problèmes majeurs d'une opération d'écoute à Paris est la complexité de son environnement électronique. «Pour le percer, il faudrait beaucoup de ressources et d'équipement. Ce serait un travail extrêmement difficile.»

Un autre site probable de Pilgrim, selon Frost, serait Belgrade, dans ce qui est maintenant la Serbie. «Même si ce n'était que temporairement, je soupçonne que nous y sommes allés avant ou en même temps que nos Casques bleus, pour les appuyer.»

Quant aux autres sites possibles, Frost admet qu'il omet délibérément de nommer certains emplacements qui pourraient mettre des agents en danger si leur présence en ces lieux était connue.

Son sentiment sur les points chauds comme Belgrade est fondé sur le fait que juste avant son départ, le CST parlait de créer une escouade d'intervention rapide au sein de Pilgrim, pour les situations plus délicates.

«Je crois que quelque part dans un entrepôt du CST, il y a une cargaison d'équipement déjà prête à être expédiée n'importe où dans le monde et à n'importe quel moment. S'il devait se produire un événement quelque part dans le monde, et que le Canada souhaite le suivre de près, nos agents prendraient l'avion et s'envoleraient immédiatement», assure Frost.

Il s'agirait là de situations fort différentes des autres opérations d'écoute diplomatique. Dans un pays où sévit un conflit, on n'a pas à se soucier tellement que l'équipement soit à l'épreuve des irradiations ou que le prétexte de l'agent soit bon, ni même de se faire prendre ou non. La consigne est simple: rendez-vous sur place, faites votre travail et ressortez au plus vite. En fait, si des Casques bleus, par exemple, sont envoyés en même temps que vos agents, vous pouvez même vous permettre le luxe de transporter l'équipement sur un *Hercules*. Si jamais l'équipe de Pilgrim a monté des opérations au cours de la guerre du Golfe, ce serait un bon exemple de ce genre de missions. «Dans un cas comme celui-là, puisqu'on n'a pas à se préoccuper de toutes ces choses qui nous tracassaient tellement, c'est la guerre», s'exclame Frost.

Peu avant le départ de Frost, le CST avait créé deux postes pour un ingénieur et un expert en informatique afin d'étudier spécifiquement la possibilité de former une équipe d'intervention dans les pays en guerre. La NSA en avait déjà une à College Park et les Canadiens avaient l'intention de les imiter. Frost se souvient que O'Brien lui avait dit un jour: «Tôt ou tard, vous en aurez besoin...» Frost ajoute: «Nous voulions avoir non seulement de l'équipement, mais surtout des agents prêts à partir en l'espace de quelques heures. Je crois que le CST a maintenant cette équipe, parce qu'on insistait vraiment beaucoup là-dessus.»

Ce qui appuie la thèse de Frost est le fait que le CST utilise maintenant des enregistrements audionumériques plutôt que des bandes magnétiques. C'est une méthode plus fiable, qui offre une meilleure qualité de son, des disques faciles à transporter, plus résistants et qui sont éventuellement moins coûteux. «Vous n'avez qu'à mettre l'enregistrement dans une enveloppe et à poster le tout. Vous n'avez même pas à rembobiner la bande.»

De pair avec ces éléments, viennent les améliorations des communications au sein de Pilgrim même. Au début, comme il a été dit précédemment, il fallait plusieurs jours et parfois des semaines pour savoir si une écoute produisait des renseignements valables. Les gens de Pilgrim surent très rapidement que cette méthode était beaucoup trop lente pour justifier leurs coûts d'opération. Ils cherchèrent donc des moyens pour que leurs agents puissent communiquer plus efficacement, directement et rapidement avec le quartier général. Ils décidèrent qu'ils avaient besoin d'agents mieux entraînés du côté linguistique et possédant une meilleure capacité d'analyse sur le site. «L'objectif était de monter un mini-laboratoire d'analyse sur place; ça augmenterait l'appui que nous pouvions donner à l'ambassadeur et ça nous aiderait à le gagner à notre cause. De plus, ça augmenterait notre rapidité à faire nos rapports au Canada.»

Plus importantes encore sont les communications par satellites des sites au quartier général du CST. Il y a en fait une énorme antenne parabolique de Télésat Canada sur le toit de l'édifice du chemin Heron à Ottawa. Elle n'y était pas il y a quatre ans. Frost croit qu'il est logique qu'elle soit utilisée pour communiquer avec des agents du CST à travers le monde. Ce qui voudrait dire que le CST a maintenant la possibilité d'obtenir instantanément des rapports de ses agents. Cela signifie aussi que l'envoi de messages codés aurait aussi été accéléré. Plutôt que de donner le message à un cryptographe qui l'encode pour l'expédier au Canada — où un autre cryptographe doit le décoder —, tout se fait par ordinateur. L'agent tape son message en langage ordinaire, l'ordinateur l'encode et l'envoie au satellite. Le satellite le largue ensuite dans un autre ordinateur, qui le déchiffre illico. La méthode est plus rapide, mais exige surtout moins d'expertise aux deux bouts de la chaîne.

Frost est aussi convaincu que les agents de Pilgrim conversent maintenant directement avec le quartier général par communications satellites brouillées. Plutôt que d'utiliser le morse ou un télex, ils n'ont qu'à prendre le téléphone pour transmettre des renseignements cruciaux ou recevoir des instructions. «Ça se fait probablement durant les heures normales de travail à l'ambassade ou à trente minutes près», ajoute Frost. Il ne croit pas par ailleurs que le CST se soit embarqué dans l'interception des lignes terrestres. «Peut-être, mais j'en doute. Les lignes terrestres sont en voie de disparition, de toute façon.»

Au lieu de cela, le CST travailla fiévreusement, à la fin des années 1980, à trouver des moyens de composer avec l'utilisation grandissante de la fibre optique, l'avenir dans les communications. Dans les communications radios, on utilise une onde comme transporteur, en UHF, VHF ou une autre fréquence, et c'est en modulant cette onde qu'on encode une charge d'information. Avec la fibre optique, on se sert d'une diode au laser ou d'une diode luminescente pour transporter l'information. L'équipement requis pour la fibre optique est plus petit, plus léger et nécessite moins de courant. Le plus grand avantage de cette fibre demeure à coup sûr la capacité qu'elle a de véhiculer beaucoup plus de communications sur la même ligne que les moyens plus conventionnels. Le coût initial d'installation de la fibre optique est peut-être plus élevé, mais on y regagne grâce à un entretien minime. Son utilisation rend cependant la tâche des agents beaucoup plus ardue, car les signaux qu'elle véhicule sont difficiles à intercepter.

«La fibre optique va être utilisée partout et pour n'importe quoi», commente Frost en expliquant pourquoi les agences de renseignements s'en préoccupent tant. «Avec la fibre optique, vous pouvez remplacer ces câbles de 6 pouces (15 centimètres) de diamètre par des fils pas plus gros que des fils électriques mais qui transmettent autant sinon plus de communications.»

Le problème de l'intercepteur est qu'il essaie de capter un signal lumineux voyageant à 310 000 km/s. Pour faire de l'écoute, il faut donc couper le signal du récepteur. L'intercepteur peut toujours utiliser des miroirs pour rediriger le signal capté sur la bonne voie, mais alors, le destinataire pourrait facilement se rendre compte que quelque chose ne va pas car le décalage entre l'émission et la réception ne concorderait pas avec la vitesse de la lumière. En d'autres mots, le signal a fait un détour quelque part, et cela se sent. Ce qui devait être une ligne droite est devenu un triangle.

«Faire de l'interception à l'aide d'un miroir et renvoyer le signal intercepté sur la bonne ligne sans perdre trop de temps devient extrêmement compliqué, explique Frost. Plus les miroirs sont rapprochés de la ligne, moins on remarquera le décalage. Mais ce n'est pas facile à faire! Il m'apparaît tout de même possible que la NSA ait trouvé le moyen d'intercepter de la fibre optique, d'absorber le délai et, d'une quelconque façon, de faire croire au récepteur que le signal a été émis plus tard qu'en réalité. Je ne sais pas comment ils le feraient, mais je suis sûr que c'est possible.»

Le CST travaillait aussi à une autre amélioration importante dans le domaine de l'identification par la voix. Même si les intercepteurs sont capables depuis plus d'une décennie d'identifier un individu à sa voix, en analysant sa façon de prononcer certains sons tels *o* ou *s* — aussi facilement qu'on reconnaît les empreintes digitales —, le CST voulait aller au-delà de cette capacité en vue, encore une fois, d'éliminer les interceptions inutiles. Disons, par exemple, qu'un individu visé par l'écoute prononce le mot «bombe». La boîte magique Oratory se mettra tout de suite en marche et interceptera tout ce qu'il a à dire. Mais comme le précise Frost, la personne ciblée pourrait aussi bien être en train de parler d'une bombe lancée par un quart-arrière au football! «Nous cherchions à raffiner ce processus en créant des regroupements de mots clés», ajoute-t-il. Au début, cela semblait extrêmement complexe. En 1994, cependant, il fut révélé par la voie des médias que le CST avait octroyé un contrat à des consultants en informatique de Montréal afin d'améliorer son système d'identification de la voix. Ils ont peut-être trouvé une méthode pour y parvenir depuis.

Avec tous ces sites éventuels et probables, avec leur nouvelle technologie, avec la guerre froide qui a tourné au tiède, quelles peuvent être les priorités de l'équipe de Pilgrim et de ses alliés aujourd'hui?

Frost dresse une liste vraisemblable de ces priorités:

1. Tout ce qui touche le terrorisme ou la drogue, les deux étant souvent intimement liés; «nous recherchions sans cesse les Carlos, Pablo Escobar et autres personnages du genre», assure-t-il;

2. Les renseignements économiques;

3. Les renseignements touchant l'immigration. L'opération de New Delhi avait déjà montré à quel point il s'agissait d'une priorité pour le gouvernement canadien. Dans les années 1990, avec un quota de 250 000 immigrants par année, et la peur grandissante de l'infiltration d'éléments criminels au Canada, cette préoccupation est définitivement très présente au CST;

4. Tout ce qui touche la séparation du Québec. «Ce serait en haut de la liste. En fait, je ne serais pas surpris que ce soit encore plus important en ce moment que les renseignements économiques ou sur l'immigration»;

5. Tout ce qui touche la prolifération du nucléaire ou une menace militaire quelconque;

6. Les droits de la personne. «C'est toujours populaire auprès des politiciens»;

7. Tout ce qui touche l'environnement. «Là encore, on accumule du capital politique, si on apprend qu'un pays extermine des baleines ou quelque chose du genre.»

Telles seraient les priorités des agents de Pilgrim affectés aux sites permanents. À n'importe quel moment, cependant, selon les événements, d'autres priorités pourraient prendre le dessus, telle la pêche en haute mer, qui crée toute une controverse entre le Canada, l'Europe et les États-Unis. Il n'y a aucun doute dans l'esprit de Frost que c'est le CST, grâce à ses postes d'écoute déclarés de l'Atlantique, qui permit récemment au Canada d'appréhender deux navires étrangers pour avoir pêché du poisson n'ayant pas atteint la maturité à l'intérieur de la limite territoriale des 200 milles.

La recrudescence du nationalisme en Russie et dans les autres républiques de l'ex-URSS, de même que l'état quasi permanent de déstabilisation qui semble prévaloir dans l'ensemble des pays de l'Est, justifieraient une surveillance continue du CST dans ces régions. De même, l'espionnage économique serait de plus en plus justifié puisque les Russes sont en train d'inonder le marché mondial de leurs produits en cassant littéralement les prix, comme ils l'ont fait pour le nickel, ce qui entraîne de vastes mises à pied dans le secteur des mines au Canada. Il faut se rappeler que la guerre froide a servi de principal terrain d'entraînement pour la plupart des agents du CST en mission aujourd'hui.

Est-ce que le personnel du CST a augmenté? Frost ne peut que rappeler ce qui s'est produit lors des contraintes budgétaires des années 1980: le CST n'en fut pas du tout ébranlé. «Certaines sections connaissaient bien sûr des contraintes budgétaires, mais rien de tout ça ne s'appliquait à Pilgrim. La question de l'argent n'était jamais soulevée. Nous achetions tout simplement ce que nous voulions et nous embauchions tout le personnel dont nous pensions avoir besoin.» Lorsque Frost regarde le stationnement du CST aujourd'hui, il n'y voit pas plus de voitures qu'avant. Mais cela ne signifie pas que le nombre d'employés ait été réduit, car au cours de ses dernières années passées à la «ferme», l'accès au stationnement avait été radicalement réduit et limité surtout au personnel de gestion. Il y a aussi cette énorme annexe à l'arrière de l'immeuble, qui ressemble à un gigantesque bloc de ciment. Quelqu'un doit travailler là-dedans.

■

Mike Frost ne devrait pas se préoccuper de choses pareilles, il devrait plutôt profiter de sa retraite. C'est un univers qu'il a laissé derrière lui. On n'entretient pas d'inquiétudes de ce genre sur un terrain de golf en Floride...

Mike tient solidement son fer 4 et se concentre de son mieux sur sa cible. Convaincu d'atteindre 200 verges, il s'élance et frappe solidement la balle. Celle-ci vole droit dans les arbres. Mike n'avait pas calculé avec le vent. Ce sont toujours les plus petits détails qui tournent mal.

ÉPILOGUE

À sa grande surprise, la rédaction de ce livre, les longues et nombreuses conversations entre nous, les débats, les colères et le plaisir de partager nos expériences, la confrontation de nos vies et carrières radicalement différentes, devinrent pour Mike Frost un exercice de prise de conscience, une espèce de cure personnelle. À mesure de nos progressions, il réalisa que ceux qui avaient peut-être payé le plus gros prix pour tous ces sacrifices étaient les membres de sa famille: sa femme Carole, et ses trois fils, Tony, Danny et David.

Sa réflexion l'a amené à conclure que certaines choses devaient être améliorées, sinon changées radicalement au sein de l'organisation de Pilgrim si elle devait poursuivre dans la même voie. Le plus important pour lui est la nécessité absolue de procurer de l'assistance professionnelle aux familles des employés du CST, surtout à celles des agents en mission.

«Je ne m'étais jamais rendu compte de tout ce que j'avais pu demander à ma famille en sacrifices de toutes sortes. Je demandais à Carole et à mes enfants de mentir, je leur demandais de ne rien dire lorsque je devais me rendre à l'étranger... Et je me souviens que Dave m'avait demandé un jour: "Dad, quand moi je te dis que je suis allé quelque part et que ce n'est pas vrai, tu me punis."»

Frost était bouche bée. Il en est donc venu à croire que le CST doit fournir une forme de *counselling*, pour les enfants surtout, et particulièrement lorsqu'ils deviennent assez vieux pour comprendre ce qui se passe. Il en va de même pour les conjoints et conjointes. «Carole savait dans quel pays j'allais, mais elle devait franchir tellement d'obstacles pour communiquer avec moi, que ça n'en valait pas la peine. Elle ne savait même pas à quel hôtel je logeais.»

Frost recommande aussi un examen psychiatrique régulier pour les agents de Pilgrim, afin de prévenir des problèmes éventuels. «Dans mon cas, j'ai presque perdu la raison», confie-t-il.

La NSA offre ce genre de services. Quand un agent revient d'une mission, il est soumis à une évaluation psychiatrique pour déterminer si on doit user de plus de prudence par la suite. Par contre, la NSA impose aussi des tests de détecteur de mensonges à ses employés. D'ailleurs, ceux-ci se plaignaient régulièrement du fait que les Canadiens pouvaient se promener dans leurs installations sans avoir subi un tel test. Comme l'histoire l'a démontré, toutefois, ces tests n'ont pas protégé la NSA contre la défection de certains de ses agents ou contre l'infiltration des taupes.

Frost est cependant plus préoccupé par le bien-être des agents en mission. Il connaît au moins deux cas de suicide au CST, et a eu vent de plusieurs morts étranges. Des employés mourant d'une crise cardiaque dans un escalier de l'édifice ou en prenant leur petit déjeuner, alors qu'aucun d'entre eux n'avait eu de troubles cardiaques auparavant. «J'ai vu tellement de gens mourir du cœur (au CST) qu'il m'apparaît aberrant d'ignorer l'existence du rapport direct entre le niveau de stress relié à l'emploi et l'absence de services de conseillers psychologiques. Le stress nous bouffait tout rond et on n'avait d'autre choix, pour s'en débarrasser, que de se rendre dans un gymnase et de flanquer une raclée à un *punching-bag*. Vous ne pouviez même pas discuter de vos activités avec d'autres collègues du CST, et encore moins à la maison.»

Mike est également convaincu que cette atmosphère de secret total contribue à détruire un nombre astronomique de mariages au sein du CST, un nombre qui, à son avis, dépasse n'importe quelle moyenne nationale à ce chapitre, toutes professions confondues. Il y a aussi un nombre très élevé de liaisons illicites entre employés du CST. «Si vous travaillez avec une personne dans un bureau et que vous pouvez partager avec elle ce que vous ne pouvez partager avec votre conjointe, vous développez éventuellement une relation si forte qu'elle pourrait vous pousser à commettre l'adultère.»

Frost croit aussi que les agents qui excèdent les limites normales du devoir devraient être rémunérés adéquatement, comme dans le cas des agents de Pilgrim. «Pour tout ce que Frank Bowman et d'autres braves types comme lui ont accompli, pour tous les sacrifices imposés à leur famille, il n'y a pas eu un cent de salaire versé en plus.»

Reste la question épineuse du personnel des ambassades: devrait-on, en toute justice, les informer chaque fois qu'une opération représentant un certain danger se déroule sous leur toit? Frost croit toujours qu'on ne peut simplement convoquer une réunion du personnel et raconter ce qui se passe. Mais peut-être que les Canadiens affectés à l'étranger devraient être informés des possibilités qu'il y ait un poste d'écoute diplomatique dans l'ambassade, ce que le personnel diplomatique américain et britannique sait fort bien. Ces employés de l'État pourraient au moins prendre une décision plus éclairée à savoir s'ils veulent y aller ou non. «J'espère que ce livre les aidera», me confiait Mike pendant la rédaction.

■

Personne ne peut témoigner de l'impact que peut avoir la vie d'un espion sur ses enfants mieux que le deuxième fils de Mike, Danny Frost, qui a bien voulu partager ses sentiments au sujet de la carrière de son père. Son témoignage est à la fois révélateur et touchant. «Mon père n'est pas un espion, c'est un agent secret. Parce qu'un agent secret fait peut-être des choses illicites, mais il les fait toujours pour de bonnes raisons, alors qu'un espion les fait toujours pour de mauvaises raisons.»

Danny se souvient qu'il ne pouvait dire à personne à l'école, même pas à ses professeurs, comment son père gagnait sa vie. «Je devais dire qu'il travaillait au gouvernement, mais je n'avais pas le droit d'en parler.» Encore enfant, il trouvait cela «plutôt amusant, parce que ça me rendait différent des autres enfants» de savoir que son père faisait quelque chose de si secret que personne ne pouvait en savoir quoi que ce soit, sauf lui. (Même s'il ne savait pas grand-chose, avec les années, Danny reconstitua le casse-tête assez facilement.) Il se souvient de la fois où son frère aîné, Tony, avait écrit sur un formulaire de l'école qui s'enquérait de la profession du père: «*espion*». «Papa avait reçu un appel du professeur et dut inventer une autre histoire», raconte-il en riant.

En vieillissant, les trois fils reçurent des instructions encore plus précises de leur père sur ce qu'ils devraient dire si on leur posait des questions sur son travail. «Premièrement, nous devions dire qu'il était simple fonctionnaire. Si on posait d'autres questions, on précisait qu'il travaillait pour le Conseil national de recherches ou, plus encore, pour le ministère de la Défense. S'il y avait plus de questions, on pouvait aller jusqu'à dire qu'il était technicien en communications pour le CST. Si cela se poursuivait encore plus, nous ne devions plus dire quoi que ce soit et le rapporter à mon père.»

Aussi amusant que cela ait pu sembler au début, l'attitude de Danny devait changer radicalement à un certain moment de son enfance. «J'ai commencé très tôt à développer du ressentiment envers mon père. Principalement parce qu'il était cet homme qui se montrait seulement une fois de temps en temps... J'avais pris en main le rôle de l'homme de la famille très jeune, lorsqu'il n'était pas là. Quand il rentrait à la maison, il me volait ma responsabilité et je n'aimais pas ça. Je me disais: Qui est cet homme?»

Puis, vinrent les jours de la révolte de l'adolescence où «cet homme» lui dit qu'il ne pouvait faire certaines choses ou fréquenter certaines personnes. «Évidemment, j'ai fait tout ce que je n'étais pas censé faire. Je ne devais pas toucher aux drogues, enfreindre la loi ou fréquenter le genre d'amis que j'avais... Je me sentais, en vieillissant, prisonnier du régime de mon père et je fis tout pour me sortir de ses chaînes.»

«J'ai toujours des ressentiments aujourd'hui», avoue-t-il à trente ans. «Mais au moins, je sais d'où ils proviennent. J'étais très hostile et furieux à son endroit, mais je ne savais pas pourquoi. Je sais aussi que, peu importe, il ne changera pas. Toute sa vie a été axée sur le désir de savoir ce qui se passait en tout temps...

Je reçois un appel téléphonique et il me demande: "Qui était-ce?" Je lui réponds: "Dad, l'appel n'était pas pour toi!"»

Il ne remet pas en question l'amour qu'a son père pour lui ou le fait que Mike ait de bonnes raisons d'être préoccupé par ses activités. «Si j'avais été élevé comme lui, si on m'avait casé dans un travail où tout est surveillé, tout a sa place... on ne peut décrocher facilement.»

Danny admet qu'il prend parti pour sa mère lors de confrontations parentales. «Je sais que mon père aime beaucoup maman, mais la façon dont il l'a traitée, surtout à cause de son emploi, me rend furieux parfois. Même aujourd'hui, ma mère aimerait voyager, mais il ne veut pas parce que lui a trop voyagé.»

Son père était souvent absent. «Même lorsqu'il était à la maison, il n'était pas vraiment là. Je me souviens qu'il était alentour... Mais je n'ai pas de souvenirs d'avoir joué au football, ou de ce genre de choses dont d'autres enfants se souviennent... Juste une fois, où je me rappelle qu'il a essayé de me montrer comment jouer au base-ball. Nous allions sur le bateau, mais il y avait beaucoup d'adultes autour et ils laissaient les enfants à eux-mêmes... Je ne me souviens même pas d'être allé à la pêche avec mon père. C'est avec mes oncles que j'ai fait toutes ces choses. L'un m'a enseigné le tir aux pigeons d'argile et la pêche, un autre la charpenterie. Ils étaient ceux qui étaient toujours là. Dad était à Alert ou ailleurs.

«Je sais qu'il a beaucoup de regrets de ne pas avoir été là autant qu'il aurait dû, mais finalement, je ne lui en veux pas pour ça. Et je peux lui dire, car je le sais, qu'il a fait son possible.»

Danny est cependant reconnaissant envers son père pour les expériences que d'autres enfants n'ont pas vécues, comme vivre à Inuvik, par exemple. Mais, il est encore plus reconnaissant du fait que le travail de son père lui a inspiré une passion pour la politique internationale. À une époque où de moins en moins de gens lisent, il est toujours avide de livres et il croit que cela vient des conversations qu'il entendait son père tenir au sujet d'événements mondiaux.

«Je savais depuis longtemps, avant les autres, que lorsqu'il y eut la crise d'otages en Iran, le Canada abritait des Américains dans son ambassade et qu'on essayait de les faire sortir. Ce sont des renseignements qui sont difficiles à garder pour soi! Une autre chose que j'ai héritée de mon père est une grande loyauté envers mon pays. Sa loyauté est telle que, lorsque des automobiles soviétiques, les *Lada*, furent importées au Canada, Mom et Dad allèrent en faire l'essai. À leur retour il dit: "Je ne peux quand même pas commencer à envoyer de l'argent en Russie après avoir passé ma vie à combattre le communisme."»

Avec tous ses ressentiments, le plus grand regret de Danny est de voir comment le CST a traité son père lors de ses derniers jours avec l'agence. «Je savais que lorsqu'ils ont envoyé quelqu'un pour le chercher au bateau et le ramener au centre de désintoxication, ce n'était pas par loyauté. Ils ne voulaient tout simplement pas d'un de leurs employés, ivre et sous le coup d'une dépression nerveuse, en liberté dans Ottawa. Ils ont couvert leurs propres arrières, ils n'ont pas cherché à l'aider.»

Danny Frost en est venu à la conclusion qu'en ce qui concerne la différence entre le bien et le mal — pas dans un sens fondamental, mais du point de vue de ce que la société en perçoit dans les livres de lois ou les édits — il a perdu sa virginité à un très jeune âge et doit toujours vivre avec le cynisme que cela lui a laissé.

Acronymes et abréviations

ACDI Agence canadienne de développement international.

AFPC Alliance de la fonction publique du Canada.

BRLO (*British Liaison Officer*) Officier de liaison britannique.

BZ (Bravo Zulu) Pour féliciter quelqu'un au plus haut point d'un travail accompli avec brio.

CANSLO (*Canadian Senior Liaison Officer)* Officier principal de liaison canadien.

CANUKUS (*Canada, United Kingdom and United States*) Accord sur le partage de renseignements entre le Canada, les États-Unis et la Grande-Bretagne.

CBNRC (*Communications Branch of the National Research Council*) Service des communications du Conseil national de recherches Canada (CNRC). — L'actuel CST.

CFSRS (*Canadian Forces Supplementary Radio System*) Dispositif radio complémentaire des Forces armées canadiennes.

COMINT (*Communications Intelligence*) Renseignements obtenus par l'interception, le décodage et l'analyse de communications transmises électroniquement (par exemple, un message par Teletype[MC]).

COMSEC (*Communications Security*) Écoute exercée par un pays sur ses propres installations d'écoute en vue d'en prévenir les irradiations compromettantes ou indésirables.

CST (Centre de la sécurité des communications, Canada) Situé à Ottawa. Anciennement, le CBNRC.

DF (*Direction Finding*) Radiogoniométrie. Procédé d'écoute utilisé pour déterminer l'origine d'un signal radio, les coordonnées d'un poste émetteur.

DSD (*Defence Signals Division*, Australie) Agence australienne de renseignements de communications. Aussi appelé *Defence Signals Directorate.*

ELINT (*Electronic Intelligence*) Renseignements obtenus par l'interception puis l'interprétation de signaux électroniques ne transportant pas un message précis (par exemple, les signaux qu'émet un radar).

FDM (*Frequency Division Multiplex*) Multiplex obtenu par segmentation de fréquence. Le multiplex est un mode de communication qui permet de superposer sur une même fréquence plusieurs signaux de sources multiples et aux destinations distinctes. On «démultiplexe» ces signaux lorsqu'on les isole les uns des autres en vue d'en faire l'interprétation.

GCHQ (*Government Communications Headquarters*, G.-B.) Agence de renseignements britanniques. Située près de Cheltenham, en Angleterre.

GRU (*Glavnoye Razvedyvatelnoye Upravleniye*, URSS) Agence de renseignements militaire russe.

KGB (*Komitet Gosudarstvennoy Bezopasnosti*, URSS) «Comité pour la sécurité de l'État». Agence de renseignements civile russe.

LRTS (*Long Range Technical Search*) Interception de signaux à longue portée. Maintenant appelée SIGDEV.

M15 Service britannique de renseignements intérieurs.

M16 Service britannique de renseignements extérieurs.

NACSI (*NATO Advisory Committee for Special Intelligence*) Comité de l'OTAN pour les services de renseignements spéciaux.

NSA (*National Security Agency*, É.-U.) Agence de renseignements américaine. Située à Fort Meade, au Maryland.

OTP (*One-Time-Pad*) Convention momentanée d'encodage-décodage manuel d'un message à transmettre.

PTT (*Post, Telephone and Telegraph*) Postes, Téléphone et Télégraphe.

RFI (*Radio Frequency Interference*) Brouillage radio.

SIGDASYS (*Signals Intelligence Data System*) Système de traitement des données obtenues par écoute électronique.

SIGDEV (*Signals Development*) Exploitation des signaux.

SIGINT (*Signals Intelligence*) Renseignements obtenus par l'interception, le traitement et l'analyse de toute forme de communication radio. Cette catégorie de renseignements inclut les catégories COMINT, ELINT et TELINT.

SUKLO (*Senior United Kingdom Liaison Officer*) Officier principal de liaison de la Grande-Bretagne.

SUSLO (*Senior United States Liaison Officer*) Officier principal de liaison des États-Unis.

TDM (*Time Division Multiplex*) Multiplex obtenu par délai de transmission.

TELINT (*Telemetry Intelligence*) Renseignements obtenus par l'interception, le traitement et l'analyse télémétrique des transmissions électroniques provenant d'une source quelconque (le plus souvent, d'un satellite).

TEXTA (*Technical Extracts from Traffic Analysis*) Condensés techniques obtenus par l'analyse du trafic. Ces résumés servent au classement et au catalogage des signaux interceptés.

Radiofréquences

ELF (*Extra Low Frequency*) Ultra-basse fréquence, moins de 3 kHz

LF (*Low Frequency*) Basse fréquence, de 3 kHz à 300 kHz

MF (*Medium Frquency*) Moyenne fréquence, de 300 kHz à 3 MHz

HF (*High Frequency*) Haute fréquence, de 3 MHz à 30 MHz

VHF (*Very High Frequency*) Très haute fréquence, de 30 MHz à 300 MHz

UHF (*Ultra High Frequency*) Ultra-haute fréquence, de 300 MHz à 3 000 MHz

SHF (*Super High Frequency*) Super-haute fréquence, de 3 000 MHz à 3 GHz

Glossaire

Amherst Réseau des satellites du GRU.

Broadside Nom de code de l'opération américaine d'interception à Moscou.

Capricorn Opération d'écoute menée par la GRC portant sur l'ensemble des communications de l'ambassade soviétique à Ottawa transmises par le CN-CP.

Contre-espionnage Toute opération destinée à infiltrer une agence d'espionnage étrangère.

Fibre optique Procédé de retransmission de l'information utilisant des oscillateurs optiques, telles des diodes au laser ou luminescentes. La transmission par fibre optique est plus avantageuse que la radiotransmission puisqu'elle peut transporter un plus grand volume d'information, tout en étant plus fiable et moins facile à intercepter. Ses coûts d'installation sont relativement élevés mais un entretien minime rend un tel investissement rentable à long terme.

Gamma Terme utilisé dans les notes de classification lors de l'interception d'une communication soviétique qu'on considère comme extrêmement importante.

Également utilisé pour identifier les conversations de certaines cibles américaines.

Gorizont Système soviétique de communications par transmission dans la troposphère.

Guppy Terme utilisé dans les notes de classification lors de l'interception d'une conversation entre de hauts dignitaires soviétiques (par exemple, entre téléphones cellulaires).

Ionosphère Couche de l'atmosphère située entre 80 et 400 km qui réfracte les ondes radios vers la Terre.

Keyhole Satellite espion américain.

Kilderkin Poste d'écoute électronique du CST mis sur pied pour intercepter les communications de l'ambassade soviétique à Ottawa.

Pilgrim Nom du projet initial d'écoute électronique mis sur pied par le CST auquel s'est rattachée une série d'opérations d'écoute en pays étrangers effectuées depuis les ambassades du Canada.

Réflexion Changement de direction d'une onde radio provoqué par la rencontre d'un corps qui aurait, par exemple, une surface polie.

Réfraction Réorientation d'une onde radio d'une direction à une autre.

Spoke (*Révélé*) Accompagné de la mention «secret», ce terme désigne un degré d'importance relativement faible.

Talent Satellite espion américain.

Taupe Espion infiltré dans une agence ou une organisation.

Troposphère Couche de l'atmosphère comprise entre la ionosphère et la surface du globe qui réfléchit les ondes radios vers la Terre.

Tryst Nom de code de l'opération britannique d'écoute électronique à Moscou.

Umbra (*À l'ombre*) Accompagné de la mention «top secret», ce terme désigne un degré d'importance extrêmement élevé.

Yanina-Uranium Réseau des satellites du KGB.

Les opérations d'écoute menées par le Canada dans le cadre du projet Pilgrim

Artichoke Caracas, Venezuela.

Badger Beijing, Chine.

Cornflower Mexico, Mexique.

Daisy New Delhi, Inde.

Egret Kingston, Jamaïque.

Hollyhock Bucarest, Roumanie.

Iris Rabat, Maroc.

Jasmine Abidjan, Côte d'Ivoire.

Julie Étude de faisabilité du projet Pilgrim.

Sphinx Moscou, URSS.

Stephanie Première mission d'écoute diplomatique, Moscou, URSS.

Remerciements

Je remercie vivement tous ceux que j'ai croisés sur mon chemin. Sans eux ce livre n'existerait pas. Je remercie particulièrement Carole, Tony, Danny et David pour leur amour, leur soutien et leur encouragement, Marguerite parce qu'elle est la meilleure des sœurs qu'un frère puisse avoir, Michel pour sa capacité d'écoute, son art d'exprimer mes pensées et mes sentiments et sa perspicacité en matière politique. Je remercie aussi mon agent d'avoir cru en ce projet.

Mike Frost

Toute ma reconnaissance à Mike Frost non seulement pour m'avoir fait confiance, mais pour m'avoir également raconté si courageusement et franchement l'une des plus grandes histoires qu'il m'ait été donné d'entendre.
Mes remerciements à sa femme Carole et à son fils Danny qui m'ont aidé plus qu'ils ne le croient à faire ce livre. Comme toujours, mes remerciements à mon agent pour son grand soutien à un moment critique lors de l'écriture de ce livre. D'autres, qui ont grandement collaboré à ce projet et qui méritent également notre reconnaissance, devront garder l'anonymat, mais Mike et moi leur sommes redevables.

Michel Gratton

Index

Table des matières

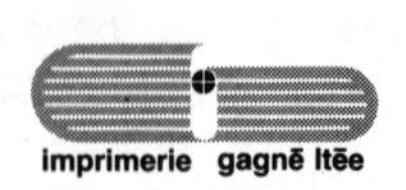

IMPRIMÉ AU CANADA